Een vrouw als ik

Van Jayne Buxton verscheen eerder:

Hoe vang ik een vent?

Jayne Buxton

Een vrouw als ik

Oorspronkelijke titel: *Take Someone Like Me*
Oorspronkelijke uitgever: Arrow Books, London
Copyright © 2007 by Jayne Buxton
Jayne Buxton has asserted her right under the Copyright, Designs and
Patents Act, 1988 to be identified as the author of this work
Copyright © 2007 voor deze uitgave:
Uitgeverij De Kern, De Fontein bv, Postbus 1, 3740 AA Baarn
Vertaling: Jolanda te Lindert
Omslagontwerp: Mariska Cock
Omslagillustratie: Hollandse Hoogte / Pulse Powerstock Ltd
Auteursportret omslag: Alex Hill
Opmaak binnenwerk: Het vlakke land, Rotterdam
ISBN 978 90 325 0354 3
NUR 302

www.uitgeverijdefontein.nl

Voor mijn ouders

Libby

Vandaag is een van die dagen waarop er nog steeds een witte laag nevel op de bevroren aarde ligt, lang nadat de zon is opgegaan en de eerste auto's in Richmond ronkend tot leven zijn gekomen, met een donkergrijze sliert uitlaatgas achter zich aan. Een dag om in een hoekje weg te kruipen. Geen dag waar je veel van verwacht. Zeker geen dag waarop je verwacht wereldschokkende ontdekkingen te doen.

Maar voor tien uur 's ochtends heb ik al twee ontdekkingen gedaan. De eerste is dat het echt heel slecht gesteld is met de wereld. De tweede dat mijn vijftienjarige dochter vrijwel zeker al met jongens vrijt.

De eerste ontdekking doe ik als ik alle troep opruim die de meiden hebben gemaakt in hun haast om op tijd op school te zijn. Natuurlijk wist ik wel dat er afschuwelijke dingen in de wereld gebeuren, maar het geeft me toch een schok om dat zo zwart op wit te zien. Daar is het dan, verzameld in een plakboek met een rood kaft en donkere, mosterdgele bladzijden. Humanitaire en mondiale ellende, genoeg voor een heel jaar: een bankier van middelbare leeftijd voor zijn eigen huis doodgeschoten; een Schots gezin over een ondeugdelijke zeewering heen de Noordzee in geblazen; duizenden mensen door een aardbeving in Turkije gedood; en talloze verhalen over de schade aan het milieu. *IJstijd in Groot-Brittannië door opwarming aarde*; *Vierhonderd diersoorten met uitsterven bedreigd*; *Mannen minder vruchtbaar door oestrogeen in water*; *De dagen van de pimpelmees zijn geteld.*

Ik vind Ella's plakboek als ik onder haar bed een eenzame sok vol stofpluizen wil pakken, die ik heb ontdekt nadat ik in haar kamer de gordijnen heb opengeschoven, het licht heb uitgedaan en het dekbed heb rechtgetrokken. Het is wel duidelijk dat ze hier al een hele tijd mee bezig is en er veel zorg aan besteedt. Ze heeft elk krantenartikel met een rode viltstift omkaderd en een korte titel gegeven. Als ik een beetje over de eerste schok van al deze verzamelde ellende heen ben, voel ik me verscheurd tussen trots (dat mijn tien jaar oude dochter al deze informatie kan bevatten) en diepe bezorgdheid (dat mijn tien jaar oude dochter het de moeite waard vindt al deze informatie te verzamelen). Uiteindelijk weet ik niet goed wat ik ermee aan moet.

Ik weet nog minder goed wat ik aan moet met mijn tweede ontdekking. De strip met anticonceptiepillen vind ik in Phoebe's la met ondergoed, verstopt in een zo te zien ongelezen exemplaar van *Cider with Rosie*, het boek dat ze heeft gekregen van haar peettante met wie we niet meer praten. Mijn oog valt op een hoekje van het glimmend roze folie van de strip dat tussen de bladzijden uitsteekt, alsof hij naar me knipoogt terwijl ik vier schone slipjes in de la leg.

Het is zuiver toeval dat ik die la heb geopend. Jaren geleden al ben ik opgehouden met het opbergen van Phoebe's kleren, omdat ik vond dat ze oud genoeg was om dat zelf te doen. Deze ochtend leg ik haar schone kleren niet zoals anders op haar bed, maar doe ik wat ik ook altijd voor Kate en Ella doe: ik ruim ze op. Waarschijnlijk doe ik het gedachteloos, misschien doordat ik in de kamers van Kate en Ella ben begonnen. Misschien omdat ik ben afgeleid door de ontdekking van Ella's plakboek. Misschien móést het gewoon zo zijn dat ik de pillen zou vinden.

Ik haal de slipjes weer uit de la en leg ze op Phoebe's bed. Dan grijp ik me vast aan de bedstijl en ben me er vaag van bewust dat de vloerbedekking onder mijn kousenvoeten deint. Hierna ben ik echt niet meer in staat om de schone was even onbekommerd als daarvoor op te ruimen.

Phoebe

Gek genoeg heb ik *Cider with Rosie* helemaal niet gelezen toen ik het kreeg. Nu, vier of misschien vijf jaar later, ben ik dat bijzondere boek opeens aan het lezen, stiekem, alsof ik het boek in plaats van de pil voor mama probeer te verstoppen. De laatste keer dat ik keek of de pilstrip er nog was, heb ik hem terug gestopt bij het begin van het hoofdstuk 'Dood in het openbaar, moord in het geheim.' Dat is zo'n hoofdstuk dat een verhaal op zich is, en na een paar regels zit je er al helemaal in. Als mama me roept voor het ontbijt, wil ik veel liever doorlezen over die arme jongen die was geslagen en in de sneeuw achtergelaten om te sterven. Toch dwing ik mezelf om het boek dicht te slaan, met de pilstrip veilig ingeklemd tussen de bladzijden 96 en 97.

Voordat ik naar beneden ga, kijk ik nog even in de spiegel. Ik heb een puistje op mijn rechterwang, en dat is heel bijzonder. Ik heb nooit pukkels. Door deze pukkel voel ik me... ik weet het niet... onzeker.

Anders zie ik er best wel goed uit. (Ja, ik weet wel dat je zoiets niet zegt.) Ik heb een mooi lichaam, lange benen, een gave huid en mijn lippen lijken op die van Keira Knightley. Ik heb een mooi ovalen gezicht en een parmantig neusje dat volgens mijn vriendin Alice lijkt op die van Michelle Pfeiffer. (Volgens Alice lijk ik op de jonge Michelle Pfeiffer.) Bovendien heeft iemand een keer tegen me gezegd dat ik fascinerende ogen heb en dat vond ik best leuk. Volgens papa is mijn haar net gesponnen gouddraad, lang en glanzend, en met net genoeg slag erin.

Maar dit zou ik natuurlijk nooit hardop zeggen. Ik weet heus wel dat het belachelijk ijdel is om jezelf zo op te hemelen. Maar ik zie het toch zelf? Er zijn heel veel onopvallende mensen, zelfs mensen die heel onaantrekkelijk zijn, en daar hoor ik dus niet bij. Mensen kijken naar me. Als ik een kamer binnenkom, wéét ik gewoon dat mensen zich omdraaien om beter naar me te kunnen kijken. En als ik met een jongen praat, krijgt hij zo'n wazige blik in zijn ogen. Alsof hij de draad kwijt is en niet meer weet wat hij moet zeggen.

Mensen denken altijd dat het gemakkelijk is als je mooi bent. Maar geloof me, dat is niet zo. Alles gaat niet altijd zoals ik het wil. En je moet zo vaak net doen alsof. Je moet altijd net doen alsof je niet merkt welk effect je op mensen hebt, of net doen alsof je je onzeker voelt door je platte billen of korte vingers of een andere, totaal onbelangrijke futiliteit. Alleen maar om andere mensen een goed gevoel te geven.

Ik kan inmiddels heel goed doen alsof. Zoals ik al zei, geef ik mezelf nooit hardop een complimentje. En als iemand anders me een complimentje geeft, glimlach ik alleen maar en begin over iets anders: zeg dat ze een mooie trui aanhebben of zo. Ik probeer nooit in de spiegel te kijken als er andere mensen in de buurt zijn en ik zal nooit in het openbaar mijn haar borstelen of lipgloss op doen. Je ziet weleens van die vrouwen die zich in de bus opmaken, in aanwezigheid van tientallen onbekenden. Ik vind dat ongelooflijk ordinair, en ik zou dat dus nooit doen. Bovendien denk ik dan altijd dat het zo'n averechts effect heeft. Met make-up wil je immers een gezicht dat gewoontjes is knapper maken; waarom zou je jezelf dan blootgeven en deze transformatie in het openbaar uitvoeren?

Het nadeel van altijd maar net doen alsof is, dat je er bijna een dagtaak aan hebt. Ik wil niet dramatisch doen of zo, maar soms heb ik weleens het gevoel dat mijn knappe uiterlijk mijn hele leven beheerst en er weinig ruimte meer is voor iets anders.

Ik weet dat Josh me knap vindt, want hij zit altijd naar me te kijken. En toen hij me nog niet zo lang kende, heeft hij tegen Max Winters gezegd dat ik het knapste meisje was dat hij ooit had gezien. De eerste keer dat ik me door hem liet betasten, dacht ik dat hij dood zou gaan. Echt waar, hij was zo ongeveer aan het hyperventileren! Hij zegt dat het niet eerlijk is om hem nog langer te laten wachten. Dat het gemeen is om hem lekker te maken als hij toch niet verder mag gaan. Maar ik weet het niet, hoor. Waarom is dat mijn verantwoordelijkheid?

Libby

Dat plakboek verklaart veel. Bijvoorbeeld waardoor het komt dat het nu veel langer duurt voordat Ella gaat slapen. Ze lag altijd nog wel een tijdje in bed te lezen, totdat ik op het afgesproken tijdstip naar boven ging, haar een nachtzoen gaf en het licht uitdeed. Meestal zat ik een paar minuten later alweer op de bank met een glas wijn. Tot een paar maanden geleden. Toen vroeg ze opeens of ik eerst even bij haar op bed kwam zitten voordat ik het licht uitdeed. Ze beweerde dat ze bang was geworden door een film die ze bij een vriendinnetje had gezien, de een of andere gruwelijke horror over een nieuwe ijstijd.

'Gaat dat echt gebeuren? Zullen we echt een keer ontdekken dat alles met ijs is bedekt als we 's ochtends wakker worden?' vroeg ze met grote angstogen en met de slonzige Tommy, een droevig kijkende goudbruine beer, stevig tegen haar gezichtje gedrukt. Tommy moet nodig gewassen worden, dacht ik nog.

'Natuurlijk niet, het is maar een film. In films overdrijven ze vaak,' zei ik afwezig en ik krabde een beetje ingedroogd eten van Tommy's zwarte knoopneusje.

'Wat gaat er dan gebeuren? Hoe is dat, een ijstijd?'

Omdat ik heel weinig weet over de eerste ijstijd en al helemaal niets over een mogelijke nieuwe, wist ik niet goed wat ik moest zeggen. En daarom zei ik iets dat een tienjarige volgens mij graag zou willen horen.

'Ella, liefje, er komt helemaal geen ijstijd. Dat hebben ze gewoon verzonnen,' zei ik en ik trok het dekbed over haar schouders, waarbij ik Tommy bijna smoorde.

'Maar hoe zit het dan met de opwarming van de aarde?'

'Tja, volgens mij zijn er wel enkele wetenschappers die echt denken dat dit gebeurt, maar als dat al zo is, gaat het heel langzaam, hoor. Zo langzaam dat we er helemaal niets van merken. Tijdens jouw leven zal dit nog geen problemen veroorzaken. Je hoeft je er dus echt geen zorgen over te maken.'

Die avond liet ze zich nog vrij gemakkelijk geruststellen, maar dat was niet altijd zo. Die keer dat ze begon over die bankier uit Chelsea die was doodgeschoten, kon ik niets geruststellends verzinnen. Uiteindelijk viel ze wel in slaap, maar ik weet heel zeker dat ze bleef denken dat er elk moment een gemaskerde man ons huis zou kunnen binnendringen om Rob dood te schieten.

Soms zei ze 's avonds alleen maar dat ze verdrietig was, zomaar. Niet door de opwarming van de aarde of door de toegenomen criminaliteit in woonwijken, maar gewoon door een algeheel gevoel van malaise.

Toch maakte ik me nog niet echt zorgen. Kinderen maken immers altijd verschillende fases door. Toen Phoebe zes jaar was, probeerde ze zodra ze de kans kreeg elke deur stevig dicht te drukken. Voordat ik erachter was of ze leed aan een netheidsfobie of bang was dat er monsters door de kieren zouden kruipen, was het alweer over. Zomaar. En ik nam aan dat het met Ella ook zo zou gaan. Maar over dat plakboek maak ik me zorgen. Misschien heeft mijn kind wel een ongezonde obsessie ontwikkeld.

'Ella, toen ik je kamer vandaag aan het opruimen was, vond ik je plakboek. Wil je me daarover vertellen?' zeg ik gewoon als ik me op haar bed laat vallen. Zoiets kun je tegen een kind van tien zeggen zonder dat je bang hoeft te zijn dat je de wind van voren krijgt. Maar als je zoiets tegen een tiener zegt, word je beschuldigd van verraad en krijg je te horen dat je je met je eigen zaken moet bemoeien, waarna je domweg de kamer uit wordt gestuurd.

Ella slaat verlegen haar blik neer en draait dan haar hoofd naar de muur. Haar wilde bos chocoladebruine haar, mijn haar, ligt als een waaier op het witte kussen uitgespreid. 'Dat heb ik voor mezelf gemaakt. Niet voor school of zo.'

'Ik vind het geweldig, Ella. Maar waarom wilde je zo'n boek maken?'

Onder het dekbed haalt ze haar schouders op. 'Dat weet ik niet goed. Misschien dacht ik wel dat ik me daardoor beter zou voelen.'

'Beter waarover?'

'Over van alles. Over al die afschuwelijke dingen die gebeuren.' Ze draait haar hoofd naar me toe en kijkt me met haar grote ogen ongerust aan. Haar lange wimpers lijken wel uitroeptekens. 'Het is zo verschrikkelijk allemaal, mama. Er is zoveel waar je bang voor moet zijn. En 's nachts lijkt het altijd veel erger. Het lijkt soms wel alsof ik dan nergens anders aan kan denken.'

'Je hebt dat plakboek dus gemaakt omdat je dacht dat het zou helpen. En, was dat zo?'

'Wel een beetje, maar ik denk nog steeds aan allerlei dingen.'

'Dat weet ik, engeltje. Het is heel normaal dat je aan allerlei dingen denkt. En het is heel goed van je dat je je zorgen maakt. Maar misschien kun je, in plaats van krantenartikelen uitknippen en ze in je plakboek plakken, beter met papa of mij praten over de dingen waar je je druk over maakt. Misschien kunnen wij je wel helpen. Omdat iets altijd veel erger lijkt als het in de krant staat. Er ontbreekt dan heel veel informatie, en het is ook zo uitvergroot allemaal. Zo is het allemaal niet echt.'

Ik weet helemaal niet of het waar is wat ik haar vertel, misschien wel niet, maar op de een of andere manier voelt het niet goed dat iemand van tien wordt geconfronteerd met al die gruwelijke dingen.

'Maar sommige dingen zijn toch wél echt zo? Ja toch?'

'Wat bedoel je?'

'Nou, de opwarming van de aarde is echt. En het is echt zo dat we het milieu aantasten. Waarom zijn mensen zo afschuwelijk? En waarom doen wij er niets tegen, mama?'

'Tja, omdat het leven ingewikkeld is, Ella. Mensen hebben het al druk genoeg met werken, naar school gaan en de opvoeding van hun kinderen. Soms hebben ze het gewoon te druk om na te denken over belangrijke zaken, zoals het milieu. Het is niet zo dat ze er niets aan willen veranderen, maar ze zijn gewoon, eh... afgeleid.'

'Nou, ik vind het griezelig dat mensen er niet meer aandacht aan besteden. Volgens mij zouden ze dat wel moeten doen.' Ze kijkt me strak aan met haar bruine ogen, uitdagend bijna. 'Vind je ook niet dat ze dat zouden moeten doen?'

Ik kan er niet onderuit, de suggestie – bedoeld of niet – dat ík een van hén ben. Eén van die drukke mensen die het zo druk hebben met werken en hun kinderen opvoeden, dat ze geen tijd meer hebben om het grote geheel te zien.

Ik probeer iets te bedenken dat ik kan zeggen om mezelf te rehabiliteren, en zeg: 'Weet je wat? Als jij belooft dat je hierover met mij komt praten als je je zorgen maakt in plaats van in je eentje met je plakboek bezig te zijn met al die angstaanjagende verhalen erin, dan beloof ik dat ik eens goed zal nadenken over wat we kunnen doen om ervoor te zorgen dat de mensen er wel meer aandacht aan besteden. Afgesproken?'

'Afgesproken,' zegt ze. Ze gaapt en kruipt lekker tegen Tommy aan.

Als ze slaapt, loop ik zachtjes haar kamer weer in en trek Tommy uit haar armen. Ik neem me voor om hem een keer te wassen en weer bij haar in bed te leggen voordat ze merkt dat hij weg is.

Met Phoebe heb ik lang niet zo'n goed gesprek. Het lijkt wel alsof er helemaal geen gelegenheid is om met haar te praten. Niet op de avond van de ontdekking, waarop ze aan het leren is voor een proefwerk Frans en in haar kamer zit te bellen, vooral dat laatste trouwens. En zeker niet de volgende ochtend, als ze boven haar kommetje cornflakes hangt, met Rob en de andere twee erbij. Als ik tegen haar zeg dat de rok van haar schooluniform waarschijnlijk zó kort is dat ze een standje zal krijgen, kijkt ze me chagrijnig aan en zegt dat ik me met mijn eigen zaken moet bemoeien. En dat lijkt me niet echt het juiste moment om te vragen hoe het met haar liefdesleven is gesteld.

Phoebe

Ik ben niet bepaald een ochtendmens. Dat is geen misdaad, gewoon een feit. Ik begrijp niet waarom iedereen zo graag wil dat ik me vóór negen uur 's ochtends aardig gedraag. Ze moeten me gewoon met rust laten, en me zeker niet gaan uitdagen.

Vanochtend zitten Kate en Ella al eeuwen aan de ontbijttafel voordat ik beneden kom, en het enige wat er dan nog voor mij over is, zijn wat kruimeltjes onder in de cornflakesdoos. Ik stel dan ook een heel gewone vraag.

'Kate, zou je voor de verandering ook eens aan iemand anders kunnen denken en niet alle cornflakes inpikken?'

'Ik heb alle cornflakes niet ingepikt. Ik heb één kommetje gehad. Het is toch zeker niet mijn schuld dat je zo laat beneden bent!'

'Ach, ga toch weg. Ik neem er tenminste de tijd voor om me 's ochtends netjes aan te kleden. Ik verlaat het huis niet als een slons.'

'Nou, ik ben tenminste niet ijdel. Altijd in de spiegel kijken. Een rokje dragen dat tot halverwege mijn kont komt.'

Toen bemoeide mama zich ermee, met haar handen op haar heupen en een vermoeide zucht.

'Meiden, hou eens op! Dit is altijd vervelend om naar te moeten luisteren, maar 's ochtends vroeg helemaal!'

Toen keek ze mij aan. 'En nu we het er toch over hebben, volgens mij is je rok echt wel kort, Phoebs. Het zou me niks verbazen als je er binnenkort een standje voor krijgt. Zal ik een andere voor je pakken?'

Ik overwoog even om aardig te doen. Toen besloot ik dat ze me dat onmogelijk maakte en in plaats daarvan begon ik met mijn ogen rollen.

'Bemoei je er niet mee, mama.'

Wat is dat toch met moeders, vraag ik me af. Of is het alleen mijn moeder. Altijd om je heen draaien en je opdrachten en standjes geven. Je moet ontbijten. Je rok is te kort. Je topje is te laag/te hoog/te strak. Moest je niet al in bed liggen? Mag je zulke ringen echt wel om naar school?

Mijn moeder begrijpt niet hoe het is als je vijftien bent. Dat moet ze ooit wel hebben geweten, maar de laatste zesentwintig jaar hebben kennelijk alle herinneringen daaraan weggevaagd. Altijd als ze probeert een relevante herinnering op te halen en me een verhaal vertelt over 'toen ik zo oud was als jij', heb ik de neiging mijn handen tegen mijn oren te drukken. Soms doe ik dat ook. Toen zij zo oud was als ik kwam je er misschien mee weg als je een rok droeg tot op je knieën en een grote, dikke winterjas zoals een ouwe taart.

Mama schreeuwt nooit. Als ze het ergens niet mee eens is, perst ze haar lippen op elkaar en maakt vervolgens een overdreven 'gewone' opmerking met een ijzige ondertoon. Ik durf er niet aan te denken wat ze zou doen als ze wist dat ik overweeg om met Josh naar bed te gaan. Flauwvallen misschien. Of inwendig doorbranden.

Toen ik jonger was, zei ze dat ik altijd met haar kon praten over alles waar ik me zorgen over maakte. Ze zei dat zodra ik over jongens en seks begon te denken, ik met haar moest gaan praten, omdat het allemaal heel verwarrend is en zij me zou kunnen helpen. Ja hoor, alsof ik dat zou doen! Ik zou haar dit allemaal nooit kunnen vertellen. Gelukkig hoef ik dat ook niet. De verpleegkundige bij de kliniek voor geboortebeperking was geweldig met de pil. Ze vroeg niets. Ze keek niet raar. Ze schreef gewoon een recept. Ik weet dat ze het ook niet aan mama zal vertellen, omdat in de kleine witte flyer die ze me gaf stond dat het tegen de regels is om ouders erbij te betrekken zodra je zestien bent. En dat ben ik bijna.

Ik heb de pil dus al, maar ik slik hem nog niet. Ik weet het niet, ik heb het gevoel dat ik, zodra ik daarmee begin, ja moet zeggen. Soms wil ik dat ook wel, maar heel vaak ook niet. Josh is echt te gek, hoor, en iedereen is weg van hem. Maar ik kan er niets aan doen dat ik denk dat er een beetje meer... een beetje meer gevoel bij moet komen kijken. Ik weet het niet, de vonken zouden er dan toch van af moeten springen of zo? En ik zou er toch ook zin in moeten hebben, zoals hij? Maar ik vind het juist prima zoals het is.

Volgens Laura en Alice ben ik gek als ik het niet doe. Alice zegt dat ze er alles voor over zou hebben om iemand als Josh als vriendje te krijgen. Maar ja, Alice zou sowieso bijna alles doen om een vriendje te krijgen.

Libby

Het is al een week geleden en ik heb nog steeds niet het juiste moment gevonden om met Phoebe te praten. Maar ik heb wel de tijd gevonden om zeven keer in haar la met ondergoed te gaan kijken. Elke keer was ik opgelucht toen ik zag dat de strip onaangebroken was.

De dag nadat ik de pillen vond, kreeg ik een geweldig idee. De strip was onaangebroken en dus was ze nog niet met de pil begonnen. En dat betekende dat ze 'het' nog niet had gedaan. Maar toen kwam ik tot de ontnuchterende conclusie dat het heel goed mogelijk was dat de pilstrip die ik per ongeluk had gevonden, een van vele andere kon zijn die op andere plekjes in haar kamer verstopt waren. Op een ochtend was ik een halfuur als een gek bezig om onder kussens en zitzakken te kijken en in boeken te bladeren op zoek naar een aangebroken strip. Ook zocht ik de vloerbedekking nauwgezet af naar flintertjes roze folie. Niets.

Pillen of geen pillen, ik weet wel bijna zeker dat er deze week niets gebeurd kan zijn. Ze heeft Josh één keer gezien, toen ze naar een rugbywedstrijd ging kijken waarin hij meespeelde. Dus tenzij ze 's nachts stiekem uit haar slaapkamerraam is geklommen, is er geen kans geweest voor een afspraakje.

'Wat zou jij doen,' vroeg ik aan Fran, al meer dan tien jaar mijn beste vriendin.

'Goeie vraag. Ik ben allang blij dat het bij mij nog niet zover is. Ik denk echt dat Freddie niet eens weet wat meisjes zijn. Maar als ik jou was, zou ik met haar praten.'

Frans kinderen zijn jonger dan die van mij, en het zijn jongens. Freddie is veertien en Jake twaalf. Fran en ik hebben elkaar tijdens zwangerschapsgym leren kennen toen ik zwanger was van Kate en zij van Jake. Toen mijn vliezen tijdens een les braken, bood zij aan me naar het ziekenhuis te rijden. En op de een of andere manier slaagde ze erin om tijdens elke wee in mijn hand te knijpen en tegelijkertijd te schakelen. De band tussen ons was verzekerd.

Natuurlijk is het hebben van een tienerdochter die al dan niet seks heeft met haar vriendje niets vergeleken met de trauma's die Fran heeft ondergaan. Zes jaar geleden heeft haar man Doug, een uitstekende chirurg, haar verlaten om te gaan samenwonen met zijn negenentwintigjarige anesthesiste die ook nog eens lang, blond en goed geproportioneerd was. (Dat weet ik, omdat Fran erop stond dat ik met haar meeging toen zij voor de eerste en enige keer Doug en zijn nieuwe lover wilde bespioneren. We zaten in het donker in mijn auto en toen we hen hand in hand hun flat zagen verlaten, leunde ik voor Fran langs in een poging haar uitzicht te blokkeren. Maar het was al te laat. Ze had hetzelfde gezien als ik. Toen begon ze te denken dat Doug nooit had gehouden van haar kleine, ronde lichaam, of van haar lichtbruine haar dat ze in een knot in de nek droeg. Dat hij misschien nooit echt van haar had gehouden.) Toen Doug en zijn goed geproportioneerde minnares zeven maanden na zijn vertrek een baby kregen, moest Fran haar uiterste best doen om te voorkomen dat zijzelf en haar jongens in zouden storten. Vooral Freddie was ontroostbaar. Zelfs nu nog is hij een ernstige, triest uitziende jongen, alsof hij nu al te veel heeft meegemaakt.

Een paar jaar later had Fran haar veerkracht weer een beetje terug. Ze begon weer met radiografie en ging weer wat vaker uit. Geen afspraakjes met mannen, maar toch. In het begin had ze niet voldoende emotionele reserves voor andermans problemen. Nu is ze weer in staat om te doen wat ze altijd vanzelf leek te kunnen: andere mensen helpen om de zaken weer in perspectief te zien en hun kleinere zorgen weg te lachen, of diep in haar emotionele voorraadkast te graven om vrienden bij te staan wier levens echt zijn ontspoord.

'Je moet wel voorzichtig zijn, dat is alles. Niet te zwaarwichtig, anders duw je haar een andere kant op,' waarschuwde ze me nog ten afscheid.

Toen ik Rob vertelde wat ik had ontdekt, reageerde hij precies zoals ik had verwacht. 'O, lieve help. Het is zover.'

'Rob, we wisten dat het ooit zover zou komen.'

'Jaah, ooit. Ooit veel later. Niet ooit nu.'

'Ja, ik weet het. Ik wist helemaal niet dat het zo serieus was met Josh. En ik vind vijftien te jong. Maar misschien zijn we gewoon ouderwets. Wat denk jij?'

'Ouderwets of niet, je moet met haar praten.'

'En wat moet ik dan precies zeggen?'

'Ik weet het niet. Dat is jouw afdeling. Maar je moet wel iets zeggen.'

We zijn het dus met elkaar eens dat er iets gezegd moet worden. Ik verzin een paar dingen, variërend van ruimdenkend tot afkeurend.

Phoebe, lieverd, ik vond je pillen en ik weet dat je misschien met Josh naar bed gaat. Als dat zo is, is dat prima, maar er zijn wel een paar dingen waar je aan moet denken. (Bruggen bouwen door je open te stellen en het te aanvaarden, maar het risico lopen op een enorme vertrouwensbreuk door het veronderstelde snuffelen in de la met ondergoed.)

Phoebe, lieverd. Het valt me op dat jij en Josh elkaar veel zien en misschien overwegen met elkaar naar bed te gaan. Denk je dat we daar misschien over moeten praten? (Op deze manier krijg ik schouderklopjes als kennelijk invoelende moeder zonder de begeleidende vertrouwensbreuk. Maar dit biedt weinig bescherming tegen een onmiddellijke verbanning uit haar slaapkamer.)

Phoebe, ik heb je pillen gevonden. Waar denk je verdorie dat je mee bezig bent? (Absoluut niet de juiste aanpak, maar toch verleidelijk.)

Een jaar of drie, vier geleden was een dergelijk dilemma nog ondenkbaar. Phoebe en ik hadden altijd zo'n goede band, en ik was er trots op dat ik zo'n moeder was met wie kinderen kunnen praten. Ik deed altijd mee aan gesprekken over gemene vrienden, kleine jaloezietjes, stomme leraren, gewenste bezittingen, beschamende momenten. Maar toen Phoebe dertien was, realiseerde ik me opeens dat ik staatsvijand nummer één was geworden. Ze begon dingen te zeggen als 'Ik kan gewoon niet met je praten' en 'Je zit me altijd op mijn huid' als ik de een of andere onschuldige opmerking had gemaakt. Dan dacht ik: Wie, ik? Ik kon maar niet begrijpen hoe ze mijn gedrag op die manier kon interpreteren. Heel vaak begreep ik niet eens wat ze zei. Ze uitte haar minachting in een heel nieuwe taal, een taal met woorden die ik dacht te kennen, maar die nu een volstrekt onbekende betekenis hadden. De eerste keer dat ze zei 'Hou op me te bokken' was ik verbijsterd. 'Wát zeg je? Hou op me te bokken?' vroeg ik na een tijdje. 'Ja. Bokken. Dat betekent me voor schut zetten, me ridiculiseren, mama,' zei ze. 'En dat doe je continu!' (Hoewel ik me gekwetst voelde door deze beschuldiging, moet ik bekennen dat ik behoorlijk onder de indruk was van haar woordenschat; ridiculiseren is niet een woord dat je tegenwoordig vaak hoort.)

Het duurde niet lang voordat ik me realiseerde dat ze niet gewoon een slechte dag had en dat het geen fase was. Dit was onze relatie, en het was niet langer een relatie tussen gelijken. Ergens onderweg ben ik op mijn tenen gaan lopen. Ik begon aan haar te denken als aan iemand anders dan de dochter die ik ooit had gekend. Rob en ik begonnen haar Mevrouw te noemen, maar zelden als ze in de buurt was. Hoe voelt Mevrouw zich vandaag? Wat heeft Mevrouw hierop te zeggen? Zal Mevrouw ons vergezellen? Omdat ik de fysieke intimiteit van vroeger miste, moest ik 's avonds laat haar kamer binnensluipen en stilletjes bij haar op bed zitten om haar arm te strelen of haar hand vast te houden terwijl ze sliep. Dat was het enige moment waarop ik er absoluut zeker van kon zijn niet te worden afgeweerd, afgebekt of belachelijk gemaakt. Dat wil niet zeggen dat ze nooit aanhankelijk was en we nooit plezier hadden samen. Ik wil alleen maar zeggen dat haar aanhankelijkheid wordt geserveerd in kleine, periodieke en onverwachte doses.

Ze is zo'n mooi kind, dat je amper kunt geloven dat er zoveel lelijkheid uit haar kan komen. Van de ene dag op de andere leek het wel, was ze veranderd in een knappe meid. Haar slungelige manier van lopen was opeens elegant geworden, de sportieve gespierdheid veranderd in sensuele lenigheid en het puppyvet op haar wangen was verdwenen, waardoor er nu een perfect stel jukbeenderen te zien was. Als ik niet woedend op haar ben, word ik er stil van. Zelfs verfrommeld door de slaap en met haar haren in een slordige paardenstaart is ze fascinerend.

Ik kan er niets aan doen, maar ik denk dat het weleens moeilijk moet zijn als je zo knap bent. Daarom pik ik haar irritante buien misschien vaker dan ik zou moeten. Het doet me pijn om te zien hoe ze probeert uit te vinden wie ze is: af en toe een prachtig, zorgeloos ding met de onwrikbare zelfverzekerdheid die je krijgt als je voelt dat je het mooiste meisje in de kamer bent, en op andere momenten klein en onbeholpen en onzeker. En tussendoor, als ze alleen maar met zichzelf bezig is, zo ongelooflijk egoïstisch.

Wat een contrast: Phoebe in al haar tienerachtige afschuwelijkheid die zonder aan iemand anders te denken door het leven danst en Ella die het gewicht van de hele wereld op haar schouders draagt. Goddank voor Kate – zij beantwoordt aan alle bekende verwachtingen van het middelste kind: ze is goed gehumeurd, gemakkelijk in de omgang en niet veeleisend, gelukkig zolang ze haar wekelijkse doses korfbal, hockey en paardrijden krijgt. Het lijkt wel alsof ik me nooit zorgen om haar hoef te maken en ze vraagt niets van me. Ik denk echt dat ze al helemaal tevreden is als ik haar maar elke ochtend verzadigd door warme pap laat vertrekken. Meer hoef ik niet te doen.

Phoebe

Als ik dinsdag uit school kom, vraag ik mama of ze tijd heeft gehad naar de Top Shop te gaan voor die olijfgroene, met franje versierde tas die ik zo graag wil hebben. Ze zegt dat ze geen tijd heeft gehad.

'Je hebt geen tijd gehad?' vraag ik ongelovig.

'Dat klopt,' zegt ze op een irritant constaterend toontje.

'Oké. Boodschappen doen kostte de hele dag zeker?' zeg ik en ik storm driftig de kamer uit.

Geen tijd. Nou vraag ik je! Alsof ze iets anders te doen heeft, denk ik als ik mijn schooltas op bed smijt. Ik zit een paar minuten op bed en wacht tot mijn kokende frustratie is weggeëbd. Mijn blik valt op de bovenste la van mijn bureau, de la waarin ik de pil heb verstopt. Ik besluit om nog één keer te kijken of ze er nog zijn.

Ze zijn er nog steeds, precies waar ik ze heb achtergelaten. Ik kijk er een paar seconden naar en dan denk ik: Vandaag is misschien wel een goede dag om ermee te beginnen.

Ik druk één van de pillen uit de strip en hij valt op de grond. Ik raap hem op en laat hem even in mijn hand liggen. Hij is zo klein. Zo onbetekenend. Het is moeilijk te geloven dat zoiets kleins in staat is om zoiets enorms te doen als voorkomen dat een baby wordt verwekt.

Goed, hier gaat ie dan, zeg ik tegen mezelf. Dan leg ik de pil op het puntje van mijn tong en loop naar de spiegel om hem te bekijken. Hij ziet eruit als een zweertje of zo.

Om de een of andere reden blijf ik zo voor de spiegel staan met een roze pil op het puntje van mijn uitgestoken tong. En hoe langer ik daar sta, hoe ongemakkelijker ik me begin te voelen. Uiteindelijk haal ik de pil van mijn tong, prop hem terug op zijn plekje in de pilstrip en wrijf de folie zo goed mogelijk weer terug.

Misschien wacht ik gewoon nog een tijdje.

Libby

Het eerste dat Rob ooit tegen me zei, was dat ik een nieuwe bril nodig had. Ik zou me beledigd hebben gevoeld door deze opmerking als hij het niet op zo'n charmante manier had gezegd, met dat onbeschaamde lachje van hem. Hoe dan ook, hij had gelijk. De bril die ik droeg, had ik al voordat ik begon te studeren. Er zat een scheur in een van de poten, en opeens vond ik hem heel ouderwets. Maar ik had het niet zo nodig gevonden een nieuwe te kopen, omdat ik meestal mijn contactlenzen in had.

Rob had er om meer dan één reden belang bij dat ik een nieuwe bril nam. Hij liep stage voor zijn studie optometrie bij de opticien naast het café in Notting Hill waar ik werkte. Hij bekende later dat hij hier op een soort commissiebasis werkte, maar dat was niet de reden dat hij die dag over mijn bril begon toen ik zijn koffie voor hem neerzette en de koffie over de rand liet klotsen.

Hij begon over mijn bril omdat hij dacht dat het een goed versierpraatje was.

En daar bleek hij gelijk in te hebben. Het is niet gebruikelijk dat je als een gewoon mens wordt behandeld als je de hele dag warme drankjes en kaneelbroodjes serveert. Het maximale dat ik meestal kreeg, waren een glimlach en een bedankje. Zeker geen teken van belangstelling. Zeker niet de vraag waarom een zo te zien intelligente en ambitieuze jonge vrouw als ik haar tijd verdeed met het serveren van thee en espresso.

Toen Rob me dus aansprak, maakte hij sowieso al een goede kans. Volgens mij zou alles wat hij zou hebben gezegd dat niet over koffie of thee ging een goed versierpraatje zijn geweest. Maar na de zin over mijn bril zei hij nog iets.

'Hiernaast heb ik precies de goede bril voor jou gezien. Als je na je werk langskomt, kan ik hem misschien voor je in orde maken.

Weet je, als een soort eerlijke ruil voor de zevenenvijftig kopjes koffie die je me dit jaar al hebt gebracht.'

Ik wist waar hij werkte. Ik zag hem weleens als ik naar huis ging, en bovendien kwam hij bijna elke dag een kopje koffie drinken en iets eten. Soms, zoals die dag, at hij het daar op, maar meestal nam hij de bruine papieren zak mee en snelde terug naar de volgende klant. (Ze hadden duidelijk niet genoeg personeel bij David & David Opticiens.) Ik zag dat hij mooie handen had, glad en met lange vingers, zonder dat ze er vrouwelijk uitzagen. Bovendien vond ik het leuk dat zijn uitgestrekte benen zo veel ruimte leken in te nemen als hij aan een tafeltje zat en ook vond ik het grappig te zien dat zijn slanke, atletische lichaam zich zo misplaatst leek te voelen in de halflange witte jasschort die hij moest dragen. Ergens deed hij me een beetje aan Clark Kent denken.

Die avond waren we een uur lang bezig een goede bril voor me uit te zoeken, en toen besloten we dat de eerste bril die ik had geprobeerd de beste was. De brillenglazen hadden de vorm van een rafelige halve maan, de bril had een slank metalen frame en was kennelijk bijzonder cool. Rob gaf me de korting die normaal gesproken bestemd was voor belangrijke zakenlui uit de buurt. Ook stelde hij een afbetalingsschema op, dat ik met mijn karige loontje kon betalen. Toen nam hij me mee naar de pub aan de overkant, waar we twee uur lang een paar biertjes zaten te drinken. Ik vertelde hem dat ik op mijn vakgebied, mariene biologie, geen baan had kunnen vinden en de tijd vulde als serveerster tot zich een goede kans voordeed.

'Ik wist wel dat je niet gewoon een serveerster was,' zei hij. 'Dat zag ik aan je ogen. Het lijkt wel alsof je over iets anders droomt.'

'Daarom knoei ik waarschijnlijk zo vaak met de koffie,' zei ik, verheugd dat hij me beschouwde als iemand die wat in zijn mars had. Iemand als hij.

We gingen zes keer met elkaar uit voordat we met elkaar naar bed gingen. Die zevende keer ging ik met hem mee naar de doop van zijn nichtje. Tijdens de plechtigheid werden we zo goed in de gaten gehouden, dat de baby bijna te weinig aandacht kreeg. Rob heeft een uitgebreide en onbehouwen familie, en iedereen leek er die dag te zijn. Ik voelde de stijgende spanning in Robs handen, omdat hij de mijne vasthield tijdens de hele dienst, en toen na afloop de champagne werd ontkurkt, voelde ook ik een soort drang. Toen wist ik al dat ik van hem hield en dat we, doopfeest of niet, met elkaar naar bed moesten.

Het idee om voor het eerst seks te hebben in de benauwde badkamer van het huis van de ouders van je zwager, terwijl een leger blonde familieleden champagne drinkt op de verdieping eronder en je tientallen kleine kinderen door de tuin onder het raam hoort spelen, klinkt misschien niet erg romantisch. Maar zoals wij ons toen voelden, had een hemelbed bestrooid met rozenblaadjes niet idyllischer kunnen zijn. Ongelooflijk, zo gek waren we op elkaar. Onverzadigbaar. Bijna elke plaats was goed. En elk moment. Vlak na sluitingstijd achter het cappuccinoapparaat in het café of vlak onder de letterkaart in hokje twee van de opticien als hij op stille middagen in zijn eentje dienst had.

Rob was de derde man met wie ik ooit naar bed ben geweest. (Is dat veel of juist weinig, of precies goed? Dat vraag ik me nu af. Zal Phoebe ervan uitgaan dat ze ten minste een dozijn veroveringen moet hebben tegen de tijd dat ze drieëntwintig is?) De eerste was Simon, een zachtaardige jongen met zandkleurig haar die Bob Dylan aanbad. Ik was toen achttien jaar. We hadden al een jaar verkering en het was een prettige, veilige ervaring, maar niets dat de aarde deed schudden. De verkering duurde drie jaar. Toen ik een jaar single was, ontmoette ik Craig, een man met donker haar en mooie ogen die gemerkt zou moeten zijn met een alarmsignaal. Ja, hij liet de aarde schudden! Helaas kon je het met hem meestal ook wel schudden: we zagen elkaar een jaar lang af en toe, en ik wist nooit waar ik aan toe was. Na een tijdje was ik het beu om onzichtbaar te zijn. Wat me heel erg spijt, is dat hij me dumpte voordat ik de moed had gevonden hem te dumpen. Het was een bijzonder vernederende scène. Toen hij me vertelde dat hij me niet meer zou bellen (ervan uitgaand natuurlijk dat ik hem ook niet zou bellen), begon ik te huilen en klampte me aan hem vast. En diezelfde ochtend nog had ik geprobeerd te bedenken wat de beste manier was om onze relatie te beëindigen. Deze tranen zijn niet voor jou, wilde ik hem vertellen. Ze zijn voor alles wat je nooit bent geweest.

Ik zou het fijn vinden als Phoebe's eerste keer ergens tussen Simon en Craig in zit. Als ze zeventien of achttien is, als ze een echte relatie heeft met een jongen voor wie ze de Mount Everest wil beklimmen. Als er een toverpeettante was voor *Maagdelijkheid (verlies van)*, dan zou ik dát aan haar vragen.

Phoebe

You're beautiful, it's true trilt mijn James Blunt-ringtone. De naam Josh verschijnt op de display. Ik lig op de grond van mijn kamer met Alice en Laura. We bladeren een beetje door de *Now* en de *Heat*. Alice schudt continu met haar pas opnieuw met henna gekleurde haar, op zo'n gemaakte manier dat ik hoop dat ze het gauw afleert en Laura zit te kwijlen boven een paginagrote foto van Chad Michael Murray.

Ik praat liever niet met Josh als zij meeluisteren. Het geeft me het gevoel alsof we moeten laten zien, alsof we moeten bewijzen dat we een diepe en belangrijke relatie hebben. En onvermijdelijk klinken we dan als een stelletje oppervlakkige idioten. Als we alleen zijn, is dat anders. Minder een spel, meer als een echte diepe en belangrijke relatie.

'Hoi, Phoebe. Wat ben je aan het doen?'

'O, hallo. Niets bijzonders eigenlijk. Gewoon wat kletsen met Alice en Laura. En jij?' vraag ik en ga op mijn bed liggen. Mijn hoofd komt terecht tussen twee enorme kussens en heel even heb ik het gevoel dat ik geen adem krijg.

'Kom net thuis van de training. Zeg, luister, ik zat te denken. Mijn vader en moeder gaan zaterdag uit, dus misschien kun je dan langskomen om een film te kijken of zo.'

Een film kijken klinkt goed. Het is dat 'of zo' waar ik me zorgen over maak. 'Hm, ja. Dat klinkt heel goed,' zeg ik.

'Te gek. Misschien kan je moeder je afzetten, dan kan de mijne je thuisbrengen. Ik zou het fijn vinden als je me dan ook kunt helpen met dat Engelse ding dat ik moet maken. Dat moet ik maandag inleveren en ik ben er een beetje laat mee. Misschien kun je me wat tips geven.'

'Tuurlijk. Zeg, ik moet ophangen. Alice en Laura zijn hier. Bel je me nog?'

'Ja hoor. Zie je!'

Ik hang op en probeer hem voor me te zien, zoals hij op zijn bed aan mij ligt te denken. Ik vraag me af of hij zoete, aardige gedachten heeft of de meer slechte variant.

Ik overweeg Alice en Laura te vertellen over het gesprek dat ik gisteravond met mama had. Ik vraag me af of het gewoon iets is dat moeders denken dat ze moeten doen als hun dochter een bepaalde leeftijd heeft bereikt. Misschien halen ze dat uit een boek dat ze allemaal lezen, of uit een handleiding van de een of andere pastorale zorginstelling.

Alice houdt de *Now* omhoog en zegt: 'Kijk eens hoe dik Felicity Wallace eruitziet in die bikini!' Laura zegt: 'Dat is nog niets. Kijk eens naar deze foto van Pete Ferdinand. Hij heeft mannenborsten!' Ik besluit dat het nu niet het juiste moment is om het hen te vertellen.

Ze kwam naar mijn kamer en begon te praten met zo'n zogenaamd opgewekte stem. Haar ouderschapsboek-stem.

'Luister, Phoebe. Ik denk al een tijdje dat we ergens over moeten praten. Kan dat nu?' zei ze, alsof ik echt een keus had.

'Tuurlijk, maar ik moet mijn wiskunde afmaken, dus niet te lang.' Ik zat met mijn benen over elkaar en liet mijn ellebogen op mijn knieën rusten en keek haar met een open blik aan. Ik verwachtte zoiets als: 'Het zou fijn zijn als je in huis wat meer zou doen' of 'We moeten het echt eens over je houding hebben'.

Ik zat net mogelijke antwoorden te bedenken, toen ze zei: 'Oké. Ja, ik weet geen andere manier om dit ter sprake te brengen, dus ik vraag het maar gewoon: ik heb het idee dat het tussen jou en Josh behoorlijk serieus is. Klopt dat?'

'Dat hangt ervan af wat jij onder serieus verstaat. Ik ben nog maar vijftien, mam. We gaan niet trouwen of zo.'

'Dat weet ik, Phoebe. Maar jullie hebben al een tijdje verkering. En daarom dacht ik dat je misschien begint te denken aan, je weet wel, om met hem naar bed te gaan.'

Ik was verbijsterd. Meer verbijsterd dan je voor mogelijk houdt. Ik wilde wel onder het bed kruipen en mezelf opsluiten in de slaapzak die ik daaronder bewaar. Niemand wil weten dat je moeder denkt dat je seks hebt. Dat is gewoon onnatuurlijk.

'Mama, hier wil ik echt niet over praten.'

'Dat weet ik. Ik ook niet. Niet graag. Maar het is min of meer mijn taak ervoor te zorgen dat je nadenkt over dit soort dingen voordat ze gebeuren. Heb je het al gedaan, Phoebe?'

'Mám! Nee, als je het dan weten wilt.'

'Maar je overweegt het wel?'

Ik sloeg mijn blik neer en keek naar het wiskundeboek dat opengeslagen op mijn schoot lag. De cijfers dansten over de bladzijde. Mijn gezicht was warm en waarschijnlijk ook rood, en daarom durfde ik niet op te kijken.

'Oké, je hoeft het me niet te vertellen. Luister maar gewoon naar me terwijl ik je een paar dingen vertel, oké? Ik ga je niet vertellen dat je ervoor moet zorgen dat je veilig vrijt, want ik weet dat je dat zult doen. Maar je weet misschien niet dat je de pil twee weken moet slikken voordat ie werkt. Hoe dan ook, ik weet dat je al duizend keer hebt horen praten over condooms en aids en seksueel overdraagbare aandoeningen.'

Zo, en waar ga jij het dan over hebben? vroeg ik me af. Wat is er dan nog meer?

'Waar ik het echt over wil hebben, is hoe jij erover denkt.'

En toen begon ze met een lang en gedetailleerd verhaal over een vent die Simon heet en nog iemand anders, ene Craig. En dat het de eerste keer nooit is wat je ervan verwacht en dat het dus beter is als je wacht tot je iemand hebt die je echt bewondert, iemand die jou kan troosten, en dat het veel beter is om te wachten tot je ouder bent, omdat je alles dan beter begrijpt en de kans minder groot is dat je gekwetst raakt of jezelf achteraf slecht voelt. Ik keek haar de hele tijd niet echt aan, maar ik probeerde te luisteren, ook al was dat moeilijk nu mijn hart in mijn keel klopte.

Toen het leek alsof ze was uitgepraat, zei ik alleen maar: 'Oké, mama. Ik begrijp geloof ik wel wat je bedoelt.'

Toen probeerde ik tegen haar te glimlachen, omdat het klonk alsof ze zich even ongemakkelijk voelde als ik. Maar het glimlachseintje vanuit mijn hersens naar mijn lippen moet een omweg hebben genomen, want de glimlach kwam er helemaal verkeerd uit. Dat weet ik zeker, want ze verzuchtte: 'Ik geef het op.' Toen verliet ze mijn kamer voordat ik haar zelfs maar had gevraagd om weg te gaan. (Dit gebeurt heel vaak, trouwens. Dat zuchten, bedoel ik.)

Wat ik niet begrijp, is waarom ze dít moment heeft uitgekozen om hierover te praten. Ze wist het! Maar hoe? Misschien had ik mezelf verraden zonder dat ik het wist, door een gezichtsuitdrukking die alle ouders hebben geleerd te herkennen. Misschien heeft ze me iets tegen Laura en Alice horen zeggen. Maar als zij het kan zien, is de kans groot dat papa het ook kan zien en dat is gewoon te erg voor woorden! Opeens wil ik weer tien jaar oud zijn. Toen was het ergste dat ik voor mijn ouders verborgen wilde houden het feit dat ik voor de tweede keer het jasje van mijn schooluniform kwijt was.

Libby

Het gesprek met Phoebe was nu niet bepaald een succes te noemen. Het was ook niet het gesprek dat ik me altijd had voorgesteld. Op de een of andere manier had ik altijd gedacht dat het een moment vol emoties en veelzeggende glimlachjes zou zijn. Ik had ten minste wel enige nieuwsgierigheid van haar verwacht, een soort van erkenning dat ik hetzelfde ook ooit had meegemaakt en wat licht in de duisternis zou kunnen brengen.

Toen herinnerde ik me weer dat ik een niemand was, iemand zonder verleden en toekomst of zelfs maar een relevant heden. In de onsterfelijke woorden van Mevrouw: 'Ja hoor... alsof dat ooit gaat gebeuren.'

Ik zeg tegen mezelf dat er een (heel, heel erg kleine) kans is dat ze zal nadenken over wat ik heb gezegd als ze alleen is. Zo gaat dat soms. In eerste instantie is de reactie op wat je zegt agressief en ronduit afwijzend. Dan ontdek je via een omweg dat je kinderen wel hebben onthouden wat je hebt gezegd. Zoals die keer dat ik hoorde dat Phoebe Laura vertelde hoe belangrijk het was om te ontbijten en haar waarschuwde dat als ze het ontbijt oversloeg haar lichaam zou denken dat ze verhongerde en zou beginnen met het opslaan van een vetvoorraad.

'Hoe ging het?' vroeg Fran.

'Heel slecht, denk ik,' zei ik. 'Het leek alsof ze me niet hoorde. En er hing een afschuwelijke spanning tussen ons. Weet je, het verbaast me elke keer weer dat dit kind dat ik de borst heb gegeven en dat elk woord dat ik zei opzoog, me nu zo gemakkelijk kan afdanken. Hoe is het mogelijk dat ze zoveel van je houden als ze klein zijn en je zo snel kunnen afwijzen als ze ouder zijn?'

'Zo gaat dat nu eenmaal, liefje,' zei ze met een wetende zucht. 'Jij bent niet de eerste moeder die worstelt met de afwijzing van een tiener. Over een paar jaar komt ze wel weer bij je terug. Dat weet ik, want dat staat op bladzijde honderdrieënvijftig van dat boek dat je me hebt gegeven.'

Ik heb in elk geval het gevoel dat ik me van mijn ouderlijke plicht heb gekweten. Met Ella zou ik waarschijnlijk precies het tegenovergestelde hebben gedaan en hebben geprobeerd haar angsten weg te nemen door ze domweg te ontkennen. Vandaag wil ik het goed maken door te proberen de feiten beter te begrijpen. Als ik dat kan, kan ik misschien ook wel een of twee zaken veranderen; misschien kunnen zij en ik samen wel iets doen. Op die manier zal ze het gevoel hebben dat ze de zaken beter onder controle heeft.

Als ik naar de trap van de bibliotheek loop met een stapel boeken in mijn hand, zie ik boven de stapel uit iemand die ik hoor te herkennen. Wat me het bekendst voorkomt, is de veelkleurige zijden sjaal die ze draagt. Ik ga langzamer lopen om mijn hersens tijd te geven op gang te komen. En dat doen ze, precies op tijd, en dus kan ik Claire Thomason begroeten alsof ik erop heb gewacht dat ik haar zou tegenkomen.

'Claire. Hallo.'

'O, hallo,' zegt Claire vaag. Ze heeft niet het voordeel gehad dat ze me al heeft zien aankomen.

'Ik ben Libby Blake, Phoebe's moeder.'

'O, natuurlijk. Libby. Sorry, hoor. Ik heb het zo druk met allerlei dingen dat ik gewoon niet kan nadenken.' Ze glimlacht en rolt met haar ogen op een manier die eerder zelfvoldaan overkomt dan bescheiden.

'Echt waar, heb je het zo druk?'

'God, ja. In deze tijd van het jaar is het afschuwelijk, met allerlei dingen. Ben ik net klaar met de papierwinkel voor het liefdadigheidsbal voor het Astmafonds, sta ik tot aan mijn knieën in de plannen voor de benefietvoorstelling voor St. Helen. Het thema dit jaar is rood en paars, en je kunt je niet voorstellen hoe lastig dat is. Dit is de laatste keer dat ik een commissie het decor laat bepalen!'

'Jeetje. Zo te horen, heb je heel veel op je bordje liggen.'

'Ja, behoorlijk veel. Nou ja, ik neem aan dat Phoebe zaterdag langskomt? Wij zijn er niet de hele avond, maar ik neem aan dat je dat wel goed vindt. We vinden Phoebe zo aardig, Mark en ik. Het is een heel aardig meisje. En zo knap!'

'Dank je. Wij vinden Josh ook heel aardig. Ik weet dat Phoebe dol op hem is.'

'Weet je, het zou leuk voor hen zijn als wij elkaar ook een beetje beter zouden leren kennen, Libby, denk je ook niet? Er is een vacature in het St. Helen-comité als je zin hebt. We kunnen echt wel wat hulp gebruiken.'

'O, wat aardig van je om me daarvoor te vragen. Ik zal er over nadenken. Ik heb zelf ook veel omhanden.'

Claire kijkt me aan alsof ze niet het idee heeft dat ik iemand ben die veel omhanden heeft. Misschien komt dat door mijn warrige bos haar dat heel vervelend voor mijn gezicht waait. Misschien door de restanten roerei op de rechterpijp van mijn spijkerbroek. Misschien wel door de spijkerbroek zelf, versleten Levi's in plaats van de Earls die nu in de mode zijn. In ieder geval kom ik niet even 'druk en belangrijk' over als Claire met haar onberispelijke getailleerde crèmekleurige jas.

'Nou, we zouden het heerlijk vinden als je tijd zou hebben. Hoe dan ook, ik moet nu snel door. Ik moet een paar honderd rollen paarse zijde ophalen!'

Claire loopt de trap af en naar een donkerblauwe Mercedes die vlak voor de hekken van de bibliotheek geparkeerd staat. Tot mijn vreugde zie ik dat de zoom aan de achterkant van haar jas aan één kant een beetje loshangt. Niet erg, maar net genoeg om op te vallen. Ik dring elke gedachte aan Claires comité naar de achterste regionen van mijn hersens en draai me om. Ik loop de resterende vijf treden af en duw de houten draaideuren van de bibliotheek open die met een tevreden geluidje achter me sluiten.

Ik hou zelfs nog meer van bibliotheken dan van boekwinkels. Een bibliotheek heeft in tegenstelling tot een boekhandel een gevoel voor geschiedenis. Ik vind het tussen de rekken doorlopen, vol stoffige boeken die al duizenden keren zijn ingekeken door mensen die nu misschien al dood zijn, op een vreemde manier prettig. Ik vind het heerlijk dat je daar misschien niet de nieuwste Ian McEwan vindt, maar wel altijd een groezelig exemplaar met de gedichten van

John Betjeman. En dat de Jilly Cooper-paperbacks en de dikke pillen over het oude Rome er bijna even versleten en geliefd uitzien.

Phyllis bespioneert me vanachter de lange balie en roept fluisterend naar me: 'Hallo, Libby! Leuk je te zien.'

'Hoi, Phyllis. Insgelijks,' zeg ik en ik laat vijf grote ingebonden boeken voor haar op de balie vallen.

'Heel erg goed, dank je, kindje. En, hoe vond Ella deze boeken?'

'Dit was precies wat ze nodig had. Heel erg bedankt hoor, dat je ze hebt uitgezocht,' zeg ik zonder aarzelen.

Ik heb me goed voorbereid op haar vragen. In werkelijkheid zijn deze boeken over het leven in de victoriaanse tijd niet eens open geweest. Tegen de tijd dat Phyllis ze eindelijk van andere bibliotheken doorgestuurd had gekregen, had Ella al uit andere bronnen stukjes informatie bijeengesprokkeld en haar project over het huiselijk leven in de victoriaanse tijd afgerond. Maar toen ze me belde, had ik het lef niet om haar te vertellen dat ze alle moeite voor niets had gedaan en heb ik de boeken toch maar opgehaald. Vanaf dat moment hebben ze onaangeraakt op de eettafel gelegen.

'Zo, en waar kan ik je nu mee helpen, kindje,' vraagt Phyllis ijverig. Ze duwt haar roze bril op de brug van haar neus en strijkt haar weerbarstige grijze haar achter haar oren.

'Eerlijk gezegd, heb ik nu zelf een project waar je me mee kunt helpen,' zeg ik. Haar ogen lichten op. Phyllis is niet alleen maar handig met de datumstempel, ze is een professionele informatie-specialist.

'Zeg het maar, kindje. Dan zal ik kijken wat ik kan doen.'

En dus vertel ik Phyllis dat ik van plan ben alles te weten te komen over de meest recente ontdekkingen over de bedreigingen van onze planeet, zodat ik Ella kan helpen beter met haar angsten om te gaan. En omdat ik haar dan misschien zelfs kan helpen te bedenken wat ze er zelf aan kan doen. Phyllis luistert aandachtig als ik haar vertel over het plakboek en haar nachtelijke angst voor de opwarming van de aarde en andere demonen.

Phyllis zegt: 'Ik zou willen dat er meer kinderen waren met ouders die zoveel willen doen om hen met hun problemen te helpen.'

Vervolgens begint ze als een gek op haar toetsenbord te roffelen. 'Weet je wat, als jij nu even in stelling vijf en zes gaat kijken, dan ga ik kijken wat er beschikbaar is in andere filialen. Dat duurt maar even.'

De meeste boeken in stelling vijf en zes zijn tientallen jaren oud, maar ik vind wel een verzameling essays over klimaatverandering van toonaangevende wetenschappers die me behoorlijk relevant lijkt. Ook vind ik een boek met basale informatie over het ecosysteem met gigantische kleurenfoto's en grote letters, dat eruitziet alsof het eigenlijk op de kinderafdeling thuishoort. Ik neem ze beide mee naar de balie waar Phyllis al klaarstaat met een lijst boeken en verslagen die ze uit andere filialen heeft besteld.

'Geweldig. Deze lijken prima, vind je niet? De andere boeken moeten er over een paar dagen zijn.' Dan voegt ze eraan toe, terwijl ze aan de gang gaat met haar datumstempels: 'Weet je, als je dit echt van plan bent, zou je even op het prikbord daar moeten kijken.'

'O ja, wat is er dan?' Hiervandaan ziet het prikbord eruit als een slordige collage van een stelletje enthousiaste kinderen van vier.

'Er wordt een nieuwe groep opgezet, georganiseerd door Earthwatch. Ken je ze? Hoe dan ook, ze zijn in allerlei plaatsen milieugroeperingen aan het opzetten, en de eerste bijeenkomst is op de vierentwintigste. Ik ga er ook naartoe, met mijn vriendin Nancy. Ze is wijkverpleegster en werkt hier in de buurt. Lijkt het je wat?' Phyllis schenkt me een bemoedigende glimlach over haar bril heen en schuift een oranje flyer naar me toe. 'Dit zijn de gegevens, voor het geval dat.'

'Hm. Misschien wel,' zeg ik aarzelend. Ik ben nooit zo'n actievoerend iemand geweest en krijg opeens het gevoel dat mijn kleine privémissie uitloopt in iets onhandelbaars en overweldigends.

'Nou, denk er maar eens over na, kindje. En neem Ella mee als je denkt dat ze hier iets aan heeft.'

Ik vraag me af of dat wel zo'n goed idee is. Natuurlijk is het goed als Ella wat meer informatie krijgt, maar ik betwijfel of het goed voor haar is om in een kring te zitten met een stelletje ietwat fanatieke excentriekelingen (want dat zijn het natuurlijk) die met hun vuisten zwaaien en allerlei acties bedenken om de wereld te redden.

'O, dat zal ik doen. Bedankt voor je hulp, Phyllis. Echt heel fijn.'

Als ik de trap van de bibliotheek af loop, heb ik het gevoel dat iemand aan mijn kooi staat te rammelen. Informatie kan ik wel aan, zelfs ingewikkelde informatie. Ik ben immers opgeleid tot wetenschapper, ook al lijkt dat eeuwen geleden. Ik heb er zelfs zin in om een paar dingen te bedenken die Ella en ik kunnen doen zodat ze het gevoel krijgt dat ze iets positiefs doet. Maar ik weet niet zo zeker of ik wel zin heb in een wekelijkse schertsvertoning met de plaatselijke Groenen. Over het algemeen probeer ik contact te vermijden met mensen die sandalen dragen en biologische muesli eten. Ik heb niets tegen hen, hoor, maar het is gewoon niet mijn pakkie-an.

Phoebe

Mijn tweede poging om een pil in te nemen, is niet veel geslaagder dan de eerste. Je kunt zelfs wel zeggen dat die poging nog zieliger is. Mijn hand begint te trillen als ik de pil uit de strip probeer te drukken en ik stop hem al terug voordat hij zelfs maar in de buurt van mijn mond is geweest. Ik denk dat het door mama's praatje komt. Op de een of andere manier heeft ze me met haar gepraat het gevoel gegeven dat het zelfs nog veel belangrijker is dan ik dacht om seks te hebben. Bovendien heb ik het vreemde gevoel dat iemand me in de gaten houdt. Ik weet wel dat dat niet kan. Het is alleen maar een gevoel. Maar het zorgt er nog wel steeds voor dat ik geen pil in mijn mond kan krijgen.

Het is een beetje onwerkelijk allemaal. Hier zit ik dan en martel mezelf met een strip anticonceptiepillen terwijl mijn ouders nog geen drie meter verderop, in een ander vertrek, over alledaagse dingen praten, zoals wat we voor het ontbijt zullen eten. Ik heb het gevoel alsof ik er ben terwijl ik er niet echt ben, en dat overkomt me best vaak. Nee, dat is niet helemaal wat ik bedoel. Het is een gevoel dat ik er wel ben, maar dat ik iemand anders ben dan degene die iedereen denkt dat er is.

Libby

'Is er ook bacon?' roept Rob vanuit de badkamer. Het is weekend. Rob eet in het weekend graag gebakken eieren met bacon.

'Nee.'

'O, god!'

'O, god wat?'

'O, god, er is geen bacon.'

'Ik heb wel geprobeerd het te krijgen, maar ze hadden alleen nog maar gerookte Deense met een extra dikke vetlaag en die vind je zo vies. Ik was van plan om het nog ergens anders te proberen.'

Stilte.

'Je zou trouwens geen bacon moeten eten.'

'Wat?' Ik kan het water langs de wandtegels van de douche horen stromen. Rob laat de douche meestal zeker een halve minuut stromen voordat hij eronder stapt. Hij vindt het prettig om zijn tanden te poetsen terwijl de douche warm wordt en laat de kraan van de wastafel dan meestal ook gewoon aan. Dat heeft me altijd behoorlijk geïrriteerd. Het gaat me niet eens zozeer om al dat verspilde water, maar ook om het lawaai van dat stromende water in de beslotenheid van één klein vertrek.

'Ik zei dat je trouwens geen bacon zou moeten eten.'

'Wat?' vraagt hij weer en hij steekt zijn hoofd om de badkamerdeur.

'Ach, laat maar.'

Ik ben degene die geacht wordt bacon te kopen. Ik ben ook degene die gloeilampen moet kopen, dat blijkt wel uit het gesprek dat we gisteravond hadden.

'De gloeilampsituatie aan mijn kant van het bed is niet bevredigend,' zei Rob, met een glimlach en met zijn boek vlak voor zijn neus.

'Waarom haal je dan geen andere?'

'Ik weet niet waar we die bewaren,' zegt hij, maar met 'wij' bedoelt hij 'jij'.

'Ze liggen in de laarzenkast.'

'De laarzenkast?'

'Ja, je weet wel, die kast achter in de hal waar we onze laarzen en jassen bewaren. En de gloeilampen.'

'Maar jij bent de gloeilamppersoon,' zegt hij, enigzins bedoeld als grapje.

'Ik ben de gloeilamppersoon?' vraag ik vol ongeloof en helemaal niet als grapje.

'Toe nou. Je wéét dat je dat bent.'

Meestal accepteer ik dit soort gesprekken, met tegenzin, maar toch. Ik kan er bijna de humor van inzien. Rob kan dingen op zo'n manier zeggen dat je hem gewoon zijn zin wilt geven. Hij vraagt dingen heel beleefd, hoewel vaak met een bepaalde mate van arrogantie, en milde kritiek wordt meestal geuit met een vleugje humor. Hij lijkt niet op Andrew, de man van mijn vriendin Julia, die bevelen schreeuwt en besluiten neemt over zaken die het hele gezin aangaan, alsof hij een gerespecteerde en chagrijnige rechter is. En als ik hierover mijn beklag doe bij Fran, dan zegt ze dat je veel beter de hoofddruivenschiller van een liefhebbende, trouwe echtgenoot kunt zijn dan de echtgenote van een man die meehelpt met koken, maar er vervolgens met zijn welgevormde anesthesiste vandoor gaat.

Andere keren veroorzaken dergelijke opmerkingen een verontwaardigde, chagrijnige reactie. Ik weet nooit hoe ik erop zal reageren. De laatste tijd lijkt de weegschaal door te slaan naar de verontwaardigde, chagrijnige reactie. Ik ben continu bezig een lijst aan te vullen van DINGEN DIE EEN NARE REACTIE OPROEPEN. Bijvoorbeeld:

— De gloeilamppersoon te worden genoemd, of degene die de vaatwasser moet legen, of degene die geacht wordt naar de drogist te gaan.

— Als hij zegt dat hij de salade niet wil klaarmaken. Mannen doen dat in de regel niet. Het is te veel moeite, omdat je ten minste vijf verschillende soorten groenten moet wassen en snijden.

– Dat hij nooit de vuilnis buiten zet. Alle mannen zetten de vuilnis buiten, ja toch? Zelfs totaal nutteloze mannen.

– Overdadig gebruik van het woord 'wij' in zinnen die beschrijven wat er moet worden gedaan.

– Het bed niet opmaken, zelfs niet als hij de laatste is die is opgestaan en als jij net zo veel haast hebt om het huis te verlaten als hij.

– Het bed slecht opmaken, zodat het er nog rommeliger uitziet dan ervoor.

Soms kan ik een chagrijnige reactie in de kiem smoren door mezelf voor te houden dat dit allemaal onderdeel is van onze deal. Hij draagt de last van het kostwinnerschap die zeer waarschijnlijk vijfendertig jaar zal voortduren, zonder vrije dagen voor goed gedrag en geen enkele kans op vervroegde vrijlating. In ruil daarvoor ben ik de persoon die de verantwoordelijkheid draagt voor al het andere. Ik moet dus wel degene zijn die de bacon koopt, de gloeilampen regelt, de vaatwasser aan- en uitzet en de post afhandelt (inclusief de rekeningen, brieven van de belastingdienst en de formulieren voor het kiesregister die ze continu sturen). Ook ben ik de aangewezen persoon om te helpen met huiswerk maken en pak ik de schroevendraaier om de losse handgreep van de koelkastdeur vast te draaien. Kortom, om een heel lang verhaal kort te maken, ik ben degene die verantwoordelijk is voor heel veel zaken. O ja, onderdeel van de deal is ook dat ik ermee akkoord ga af te zien van net doen alsof ik een eigen leven heb.

Misschien vindt hij het ook geen goede deal, maar ik hoor hem zelden klagen. Behalve wanneer ik vergeet om bacon te kopen of weiger om uit bed te komen om een gloeilamp te vervangen.

Phoebe

Josh maakt een grappig grommend geluid dat ik nog niet eerder heb gehoord. De meeste geluidjes die hij maakt, ken ik nu wel, maar deze is nieuw. Hij friemelt met zijn hand onder mijn topje en mijn nek is vochtig op de plek waar hij nu al zeker vijf minuten zit te lebberen.

'O, Phoebs,' zegt hij en maakt weer dat vreemde grommende geluid. Het klinkt een beetje zoals het geluid dat hij maakt als hij een knietje in zijn kruis krijgt tijdens een rugbywedstrijd. Of het geluid dat hij maakte vlak voordat hij op Laura's feestje begon over te geven. Misschien wel een combinatie van beide, met een ondertoon van licht gehijg.

'Phoebe, alsjeblieft.'

'Nog niet. Ik kan het niet,' zeg ik. Maar ik wil hem niet helemaal afschepen en daarom kauw ik zachtjes op zijn lippen zoals hij het lekker vindt en leg ik mijn hand op de bobbel in zijn spijkerbroek. Maar daardoor raakt hij juist geïrriteerd.

'Phoebe, dat kun je niet maken! Eerst zeg je nee, en dan zeg je ja.'

'Ik zei geen ja, ik gaf je een kus.'

'De kus betekende ja.'

'Dat is mijn probleem niet,' zeg ik nuffig, terwijl ik mijn beha weer goed doe en mijn truitje over mijn broek trek.

'Wat is het probleem? Ik ben zo gek op je, Phoeb. Ben jij niet gek op mij?'

'Natuurlijk wel. Alleen...' De zin sterft weg, terwijl ik naar mijn handen staar en de turkooizen ring ronddraai om mijn vinger.

'Alleen wat?'

'Alleen heb ik de pil nog niet lang genoeg geslikt. Je moet hem ten minste drie maanden slikken voordat ie echt goed werkt,' zeg ik triomfantelijk.

'Maar ik heb condooms,' zegt hij speels. Hij strekt zijn arm en draait een streng van mijn haar om zijn vingers.

'Ja, nou, maar condooms kunnen kapotgaan. Of vertellen ze dat niet aan schooljongens?'

Hij laat zijn hand zakken en gaat met een dramatisch gebaar rechtop op de bank zitten, met zijn armen naast zich op een kussen. Hij knijpt zijn ogen dicht en begint zogenaamd te huilen.

'Je moet gewoon nog wat langer wachten,' zeg ik en wil hem kietelen. 'Weet je, ik beloof je dat ik eind mei zover ben; dan zijn de drie maanden om. Dat is niet zo heel erg lang, vind je ook niet?'

Hij draait zich om en glimlacht naar me. 'Dat is verdorie een eeuwigheid!' zegt hij en grijpt me bij mijn taille vast. Het kietelen draait uit op een worstelpartijtje en een lange achtervolging door het huis en eindigt op zijn bed. Hij ligt boven op me, klemt me vast en kust me. Ik voel zijn onmiskenbare stijve tegen mijn schaambeen en ik weet dat ik iets moet doen voordat hij tijd heeft de zaken op een andere manier aan te pakken. Er zijn heel veel mogelijkheden, dat weet ik, maar op dit moment lijkt de beste ijs te zijn.

'Ik heb razende trek,' zeg ik en wriemel mezelf onder hem uit en ontsnap richting deur. 'Wil je Chunky Monkey of Chocolate Chip?'

Als meneer en mevrouw Thomason thuiskomen, zijn Josh en ik een toonbeeld van fatsoen. We zitten aan de keukentafel en zijn bezig met het Engelse essay van Josh. Dat zag er allerbelabberdst uit toen ik het in handen kreeg.

'Hallo, jongens. Vermaken jullie je een beetje?' kweelt mevrouw Thomason. Meneer Thomason knikt ons vanaf de andere kant van de keuken toe, terwijl hij de sleutels aan een van de haakjes boven het memobord hangt. Ik zie dat dit memobord ongelooflijk netjes is en keurig is ingedeeld: alles hangt in rijen en er hangt geen briefje over een andere heen. Heel anders dan het onze, waar allemaal verschillende briefjes met (waarschijnlijk allemaal al lang achterhaalde) informatie over elkaar op hangen: oude foto's, telefoonnummers van taxibedrijven, recepten en schoolroosters van drie jaar geleden.

'Heel goed, dank u wel,' zeg ik zo beleefd mogelijk. Ik vind mevrouw Thomason aardig, maar ook wel een beetje eng. Je weet gewoon dat ze alleen perfecte beleefdheid zal accepteren.

'Phoebe, dat vergat ik je nog te vertellen. Ik kwam je moeder laatst tegen,' zegt mevrouw Thomason met een soort uitgerekte glimlach, terwijl ze de strik van haar zijden bloes gladstrijkt met een perfect gemanicuurde hand. 'Ik vroeg haar of ze zitting wilde nemen in mijn comité, het comité dat het St. Helen-bal organiseert. Wil jij zo lief zijn om haar te vragen of ze me dat wil doorgeven? Het zou heel leuk zijn om samen te werken en echt, we kunnen wel wat extra hulp gebruiken.'

Hoe ik ook mijn best doe, ik kan het gewoon niet voor me zien, mijn moeder en mevrouw Thomason die samenwerken... Mevrouw Thomason is zo griezelig druk en efficiënt. Ze zit in het bestuur van wel honderd liefdadigheidsinstellingen en het lijkt wel alsof ze iedereen kent. Vorige maand heeft ze gedineerd met Jude Law en Vanessa Redgrave, omdat ze fondsen werft voor een schouwburg waar zij bij betrokken zijn. Ik bedoel maar, daar kan mijn moeder toch nooit tegenop? Het enige wat ze de laatste vijftien jaar heeft gedaan, is voor ons zorgen.

Maar dan denk ik, misschien is dat juist het probleem. Misschien moet ik mama wel aanmoedigen om mevrouw Thomason te gaan helpen. Het zou goed voor haar zijn als ze er eens uit is en iets interessants te doen heeft. Misschien lukt het haar dan ook nog eens om te worden uitgenodigd voor een paar van die dinertjes met beroemde mensen. En trouwens, mevrouw Thomason is niet iemand tegen wie je nee zegt.

Maar waar het echt om gaat, is dat het niet goed kan zijn voor een volwassen vrouw als ze zich haar hele leven alleen maar hoeft af te vragen wanneer ze de lakens de laatste keer heeft verschoond. Toch?

Libby

Ik ging meestal samen met Fran hardlopen. Tot Fran besloot dat Pilates meer iets voor haar was en ze ermee stopte. 'Ik vind het maar helemaal niks, dat stomme rennen en al die frisse lucht,' zei ze. 'Je moet maar een ander hardloopmaatje zoeken.' Ik loop meestal in mijn eentje hard, behalve om de week op vrijdagochtend. Dan lopen we met z'n vieren in het park, samen met een militairachtig type die Hank heet. (Voordat ik hem leerde kennen, dacht ik niet dat er echt mensen waren die Hank werden genoemd.) Hank was Gilly's persoonlijke trainer totdat ze heel genereus besloot hem af en toe met ons te delen. En dus rennen Gilly, Karen, Penny en ik achter hem aan, proberen hem bij te houden en moeten daarna twintig minuten sit-ups, press-ups en nog meer van dit soort vage oefeningen doen onder het toeziend oog van de automobilisten die met een wazige blik door Richmond Park rijden.

Ik weet wel dat hardlopen slecht voor je knieën is en je bekkenbodem ruïneert, maar het is de meest opwindende ervaring die ik ken. Ook al geniet ik van de sessies met Hank en de meiden, mijn favoriete moment om hard te lopen is heel vroeg op een winterochtend, als iedereen nog onder zijn dekbed ligt en nog geen zin heeft in de nieuwe dag. Ik vind het een heerlijk gevoel om de dag goed te beginnen zodat je, hoe de dag ook uitpakt, hoeveel rotzooi ook jouw kant op komt, kunt terugdenken aan hoe je je voelde toen je buiten liep met de koude lucht op je wangen. Vol leven. En als een compleet mens, niet alleen maar die stukjes van je die iedereen alleen maar wil zien.

Ik vraag me vaak af wat Rob ziet. Misschien wel een vervaagde versie van mij, zoals het behang dat je over het hoofd ziet als het al een tijdje op de muur zit. En een heel enkele keer zie je opeens een verrassend motiefje en dan weet je weer waarom je dat behang ook alweer hebt uitgekozen. Ik denk dat het met Rob en mij net zo is. Een enkele keer herinnert hij zich weer waarom hij voor mij heeft gekozen. Maar er is geen twijfel aan dat ik inmiddels in de categorie achtergrondmotieven ben terechtgekomen.

Ik heb een keer een test gedaan. Ik heb drie onbeschaamd sexy setjes lingerie gekocht. Ze waren heel mooi, echt ongelooflijk. Meer fluweel en zijde en decolletévergroting dan Rob in jaren had mogen bewonderen. Ik heb ze ongeveer twee weken lang om en om gedragen voordat het hem zelfs maar opviel. En het enige wat hij zei toen hij ze van de grond opraapte waar ik ze had laten vallen, terwijl hij ze aan zijn vinger liet bungelen, was: 'Nieuw setje? Niks voor jou, Lib.' En dat van de man die ooit gewoon niet van me af kon blijven. Volgens mij gedroeg hij zich niet expres zo laatdunkend, want hij is altijd meer een liefhebber geweest van puur katoen dan van fijn afgewerkte, overdreven zijden lingerie. Toch stoorde het me heel erg dat hij me kennelijk niet kon zien als een super uitdagende vrouw. Fran, die altijd wel een wijze opmerking lanceert, zei dat ik me gelúkkig moest prijzen dat Rob mijn dure lingerie niet op zijn waarde wist te schatten. 'Als een man helemaal opgewonden raakt als jíj sexy ondergoed draagt, dan kun je er zeker van zijn dat hij óók helemaal opgewonden raakt als iemand anders zoiets draagt.'

Als ik vandaag terugkom van mijn hardlooprondje zie ik hem voor een open la staan met zijn handen op zijn heupen, zó verontwaardigd dat ik dat zelfs van achteren kan zien. Hij is nog altijd sterk en slank zoals de rugbyspeler die hij vroeger was: gespierde benen, stevig kontje, fraai gewelfde rug en schouders. Zijn enige concessie aan zijn leeftijd is een lichte verdikking op zijn heupen, het stukje dat ik vastgrijp als we elkaar plagen en zeggen dat we onze beste tijd hebben gehad. Zelfs zijn haar is nog jeugdig, donkerblond en licht krullend. Alleen als je hem van voren ziet, kun je zien dat zijn voorhoofd niet meer zo strak is en dat hij bij de slapen een paar grijze haren heeft.

Als hij me de kamer hoort binnenkomen, draait hij zich vliegensvlug om en slaakt een beschuldigende zucht. 'Lib, ik heb geen schone boxers meer!'

'Wel waar,' zeg ik snel, maar eigenlijk weet ik het niet helemaal zeker.

'Nee, niet waar. Kijk dan zelf!' Hij stapt opzij en wuift me met veel egards richting la.

Ik besluit het dramatische gebaar te negeren. 'Nou, dan liggen ze nog in de bijkeuken. Ik ben zo terug.'

Ik vlieg naar beneden en signaleer ietwat angstig dat ik nog geen enkel geluid uit de kamers van de meiden hoor komen, ook al is het al zeven uur geweest. De boxers liggen inderdaad in de bijkeuken; ze liggen keurig opgevouwen te wachten tot iemand ze mee naar boven neemt, samen met een stuk of zes perfect gestreken T-shirts en enkele paren sokken. Natuurlijk ben ik niet zo stom om te denken dat die iemand een ander is dan ik. Schoon wasgoed kan wekenlang in dat vertrek blijven liggen en pas nadat ze allemaal hun ondergoed binnenstebuiten hebben moeten keren, zal er misschien eentje op het idee komen naar de bijkeuken te gaan om een schoon kledingstuk op te halen.

Ik pak de stapel wasgoed en ga weer naar boven. Helaas blijf ik met mijn voet achter de volle prullenbak op de overloop haken, waardoor het stomme ding met veel geraas naar beneden klettert waardoor de volledige inhoud op de vloer van de hal terechtkomt. Het idee achter een prullenmand op de overloop is dat iedereen de rommel die zich een dag of twee op de overloop heeft verzameld erin gooit en dat iemand de prullenmand mee naar beneden neemt en alles weggooit. Dat is ook zoiets dat niet goed functioneert, omdat ik altijd die iemand ben, en zelfs ik houd me niet aan de regels. Als ik kijk naar de spullen die nu over de vloer van de hal verspreid liggen – onder andere een boekje dat Rob al voor kerst uit had en een haarspeld waarvan ik weet dat Ella er al weken naar op zoek is – is het al een tijdje geleden dat de prullenmand voor het doel is gebruikt waarvoor hij is bedoeld.

Snel stop ik alles weer terug in de prullenmand en zet hem op de trap. Dan ren ik weer naar boven met mijn stapeltje wasgoed. Inmiddels zijn Ella en Kate al op, maar in Mevrouws kamer is het nog steeds pikkedonker. Nadat ik een boxer naar Rob heb gegooid, die er grappig uitziet nu hij op bed zit met alleen een overhemd en zwarte sokken aan, ga ik haar wakker maken.

De lucht is bezwangerd van slaap en het is er zo donker dat het even duurt voordat ik het bed kan zien. Ik ga naast haar bed staan en raak zachtjes haar schouder aan. Een iets steviger greep zou alleen maar agressie uitlokken.

'Phoebe. Je moet opstaan. Je hebt je verslapen.'

'Ga weg. Ben moe.'

'Phoebs, kom op. Wakker worden.'

Eigenlijk is het verboden om de gordijnen open te doen, maar om haar wakker te krijgen, riskeer ik het. Vandaag loop ik naar het raam en trek de gordijnen een beetje open. Net genoeg om een streepje zonlicht naar binnen te laten schijnen, zodat er een gele streep wordt getrokken over het tapijt en het dekbed.

Onmiddellijk wenste ik dat ik het niet had gedaan. Maar het is al te laat. Ik kijk naar beneden en daar is het. Een heel klein stukje roze folie op het vloerkleed. Zo vlak bij de plint dat het tegen de middag tussen de vloerbedekking en de plint zou zijn verdwenen en nooit zou zijn gevonden.

Het was niet zeker dat ze mijn advies zou opvolgen. Dat weet ik. Maar ik had echt gehoopt dat ik de boel ten minste een beetje had kunnen vertragen. Juist op haar leeftijd kunnen een paar maanden zelfs al veel verschil maken. Wat moet een moeder op zo'n moment doen? Erkennen dat iets wonderbaarlijks en speciaals en mogelijk unieks is gebeurd of zal gebeuren? Haar zeggen dat ik hoop dat Josh ook een condoom heeft gebruikt? Of het roze stukje folie weghalen en de kamer uit sluipen?

Ik kan er nog niet heel lang hebben gestaan, maar voor Phoebe's gevoel sta ik daar al uren. Ze gaat rechtop zitten en schreeuwt: 'Mam! Wat ben je aan het doen!'

'Ik laat gewoon een beetje licht binnen, liefje,' zeg ik.

'Lekker hardgelopen?' vraagt Rob als ik onze slaapkamer weer binnenkom. De schone boxer heeft zijn slechte bui kennelijk verjaagd.

'Wat? O ja, lekker.'

'Het was vanochtend zeker koud buiten.'

Als ik geen antwoord geef, zegt hij: 'Gaat het wel?'

'Ja hoor,' zeg ik. 'Zit me gewoon af te vragen wat ik vandaag allemaal moet doen.'

'Wat je ook allemaal moet doen vandaag, denk je dat je een gaatje kunt vinden om naar de sportwinkel te gaan om mijn tennisracket opnieuw te laten bespannen? Het schiet me opeens te binnen dat ik zaterdag met Tom heb afgesproken en de snaren zijn helemaal slap geworden.'

Ella verschijnt in de deuropening. 'En als je toch op stap bent, wil je dan alsjeblieft naar de boekhandel gaan en een van die groene mappen halen met *Glamour* op de voorkant? Het moet echt groen zijn, want Lilly heeft een roze, en als ze hem niet hebben, wil je het dan alsjeblieft ergens anders proberen?'

Tennisracket bespannen? Groene *Glamour*-mappen? Natuurlijk. En als ik toch bezig ben, kan ik ook nog wel even naar de apotheek om een paar strips anticonceptiepillen te kopen voor mijn oudste dochter die eigenlijk nog niet eens zo oud is.

Dat trucje van tot tien tellen werkt, en ik gebruik het heel vaak. Tegen de tijd dat ik bij tien ben, kan ik me eindelijk beheersen en schreeuw niet: 'Wie denken jullie wel dat ik ben? Jullie stomme bediende of zo?' In plaats daarvan zeg ik aanzienlijk redelijker: 'Ik zal proberen het in te passen, maar ik moet vandaag naar mijn vader, dus misschien wordt het morgen, oké?'

Dan loop ik naar de douche en ga naar binnen zonder af te wachten of ze het wel oké vinden. Ik draai de douchekraan helemaal open en buig mijn hoofd helemaal naar voren in de hoop dat het water de spanning in mijn nek weg zal masseren. Ik vraag me af wanneer ik heb geleerd om me zo goed te beheersen. Wanneer was het precies dat ik ben opgehouden met schreeuwen en ertegenin gaan, en me erin ben gaan schikken? Heeft iemand me soms op een bepaald moment verteld dat goede moeders dat nu eenmaal doen? Want als dat zo is, dan heeft die iemand heel wat op zijn geweten.

Later denk ik opeens aan Betty, de moeder van Elena Jacob. We waren allemaal uitgenodigd om te komen eten en zaten te wachten tot het eten zou worden opgediend. Meneer Jacob was er, en Elena's broer Timothy. We dachten dat mevrouw Jacob de eetkamer zou binnenkomen met een schaal lasagne, maar in plaats daarvan kwam ze binnen met haar handtas, een mintgroen ding met een kort, stijf handvat en een gouden gesp. 'Oké,' zei ze, 'ik ga weg.'

'Weg?' had meneer Jacob ongelovig gevraagd. 'Waar naartoe?'

'Gewoon weg. Ik zie niet in waarom jou dat iets aangaat. Jij gaat ook altijd weg.' Toen draaide ze zich op haar hakken om en marcheerde naar de voordeur. Even later hoorden we het rubber van haar banden gieren toen ze wegscheurde in haar gedeukte stationwagon.

Later die maand ging mevrouw Jacob weer een keer onverwacht weg. Alleen bleef ze die keer bijna een jaar weg.

Als ik eraan terugdenk, realiseer ik me dat je het wel had kunnen zien aankomen, als je had gewild. Ze zat een keer aan de keukentafel te roken toen ik langs haar liep richting televisiekamer. Ze zag er zo moe en verdrietig uit dat ik haar vroeg of ze wel in orde was en ze zei: 'Dit gezin put me nog eens helemaal uit als ze niet uitkijken.'

Tot tien tellen is niet altijd voldoende op de dagen dat ik op bezoek ga bij mijn vader. Soms heb ik een hele batterij strategieën nodig, alles, van diep ademhalen en dom glimlachen tot fysiek de kamer verlaten.

Als ik de oprit van zijn landhuisje oprijd en het bekende geknars van het grind onder mijn banden hoor, kan ik hem door het keukenraam zien. Hij kijkt op en zwaait, zoals hij altijd doet, en dan begint zijn trage, vreemde schuifelgang richting voordeur. Ik kan sneller van mijn auto naar de voordeur lopen dan hij de korte afstand tussen de keukenstoel en de voordeur kan overbruggen. Daarom moet ik meestal een paar minuten bij de voordeur staan wachten.

'Hallo, lieverd,' zegt hij, terwijl de deur krakend opengaat.

'Dag, papa. Ben je aan het winnen vandaag?' vraag ik en ik sla mijn armen voorzichtig om zijn magere borstkas.

'Zo ongeveer, liefje. Zo ongeveer.'

Ik loop achter hem aan naar de keuken in zijn tergend langzame tempo en loop hem dan voorbij om de kussens van zijn stoel op te schudden voordat hij gaat zitten. Ik zet de draagtassen vol eten op de keukentafel, waarop een aantal gebruikte mueslikommen en een bord vol kruimels staan. Verder liggen er een paar oude kranten op.

'Hoe is het met Rob?' vraagt hij, terwijl ik het eten wegzet en de vieze vaat in de gootsteen doe.

'Heel goed, pap.'

'En hoe gaat het met die nieuwe opticien die hij pas heeft aangenomen? Werkt ie een beetje goed?'

Daar gaan we weer. Tot tien tellen. Diep ademhalen. Glimlachen.

'Ik denk dat het heel goed zal gaan. Hij is vakkundig en betrouwbaar, en meer kun je immers niet vragen,' zeg ik.

Robs nieuwe partner is bijna een jaar geleden bij hem komen werken, maar mijn vader vraagt elke week naar hem alsof hij nog maar net is begonnen. Dat komt door zijn alzheimer. Dat is ook de reden dat ik in de vijf uur die ik elke week bij mijn vader ben bijna continu diep ademhaal. De andere vragen die ik kan verwachten, zijn – in willekeurige volgorde en allemaal ongeveer drie keer herhaald: 'Zeg, heeft Phoebe al een vriendje?' 'Wat vind jij eigenlijk van Tony Blair?' en 'Wanneer heb jij voor het laatst contact gehad met Jaime en Liz?'

Jaime en Liz zijn mijn zusters; Liz is de oudste en Jaime de jongste. Ik ben dus de middelste en volgens mij betekent dit dat ik dus raar en opstandig moet zijn. Maar dat is niet helemaal zo uitgekomen. Waarschijnlijk omdat ik het veel te druk heb gehad met deurmat spelen.

Jaime, Liz en ik hebben een paar maanden geleden de koppen bij elkaar gestoken toen de alzheimer opeens veel erger was geworden. We wilden dat er zo goed mogelijk voor onze vader zou worden gezorgd. We hebben een soort schema opgesteld. Ik bezoek hem elke dinsdag en om de week ook op donderdag. Mevrouw Tupper, de schoonmaakster, komt elke dag een uurtje langs. Vier keer per week wordt er een warme maaltijd bezorgd en iemand van de kerk komt elke vrijdagmiddag langs om schaak met hem te spelen. (God mag weten hoe dat voor haar is. Ik neem aan dat de paarden en torens op een behoorlijk chaotische manier over het bord worden geschoven.) Jaime krijgt hem om de zondag voor de lunch, als ze zichzelf uit haar pottenbakkerij kan wrikken en Liz doet zoveel als ze kan, en dat is mevrouw Tupper betalen en af en toe een (met schuldgevoelens doorweekte) cheque sturen. Liz heeft zo'n jachtig bestaan met haar twee jonge kinderen en haar baan als bedrijfsjurist dat je het haar niet kwalijk kunt nemen dat ze niet ook nog eens buiten de vier muren van haar eigen huis in Chelsea de handen uit de mouwen steekt. Maar dat weerhoudt mij er niet van om dat wel te doen. Het gekke is dat papa het helemaal niet schijnt te merken. Hij beweert altijd dat hij Liz 'kort geleden' nog heeft gezien, zelfs als ik weet dat ze al weken niet langs is geweest.

'Heb je vanochtend wel ontbeten, pap?' vraag ik. Ik leg de melk en een stuk extra oude cheddar waar hij zo dol op is in de koelkast. Op de middelste plank ligt een ingedroogd laagje eigeel, kennelijk het resultaat van een ongelukje een tijdje geleden. Ik maak in gedachten een aantekening dat ik dit even moet schoonmaken, nadat ik zijn post heb gesorteerd en de was in de machine heb gedaan.

'Volgens mij wel, liefje.' Aan de ingespannen uitdrukking op zijn gezicht kan ik zien dat hij twijfelt.

'Zal ik dan even wat lekkers voor je klaarmaken? Geroosterd brood met banaan?'

'Heerlijk, liefje. Hoe gaat het met onze Phoebe? Heeft ze al een vriendje?'

'Wel verdorie!' mompel ik. Ik laat mijn hoofd op het stuur rusten en sla een roffel met mijn vuisten. Dan kijk ik op en glimlach, omdat ik me opeens bedenk dat papa me nog steeds door het raam kan zien. Het is niet eerlijk om hem te laten zien hoe ongelooflijk vermoeiend en geestdodend ik deze dagen vind.

Op dit soort momenten merk ik dat ik onberedeneerd boos ben op mijn moeder, omdat ze hem in de steek heeft gelaten waardoor hij deze afschuwelijke aftakeling in zijn eentje moet doormaken. Zij was altijd de fitte, degene met de meeste fut. En toen kreeg ze onverwacht een hartaanval en stierf. Ik weet nog dat ik toen dacht: Vrouwen krijgen gewoon nooit een hartaanval. Vooral vrouwen zoals mijn moeder niet, vrouwen die nog steeds met de boodschappen kunnen zeulen, vrouwen die nog steeds de foxtrot kunnen dansen als ze de kans krijgen.

Mama is drie jaar geleden overleden en nu al zijn mijn herinneringen aan haar langzaam aan het vervagen. En nu papa's geheugen zo'n rommeltje wordt, kan ik niet eens meer op hem vertrouwen om me eraan te herinneren hoe ze was. Als ik hem vraag hoe ze iets bepaalds deed toen wij nog jong waren of hoe ze dacht over een bepaald onderwerp, begint hij vaag in de verte te staren alsof hij erop wacht dat zich in de lucht een soort geheugensteuntje zal ontrollen. En als hij me dan eindelijk antwoord geeft, weet ik nooit zeker of het een echte herinnering aan mama is die hij ophaalt of een herinnering gebaseerd op alle ervaringen die hij ooit met vrouwen heeft gehad, zoals met zijn zuster Edith of zijn buurvrouw mevrouw Harris.

Ik weet nog dat hij me een keer een verhaal vertelde dat me zo bekend voorkwam, dat ik ophield met wat ik aan het doen was (wortels schoonmaken, geloof ik) en hem met open mond aanstaarde. Wat een toeval, zei ik, ik heb precies hetzelfde meegemaakt. Maar toen begon het me te dagen dat ik het inderdaad was geweest die het had meegemaakt. Ik had hem dat verhaal verteld en hij vertelde het me nu, met mijn moeder in de hoofdrol.

Het enige wat hij altijd met volle overtuiging zegt, is: 'Ze was een fantastische moeder, jouw mama. Jullie gingen altijd voor en ze klaagde nooit.' Ik heb deze zin al in wel duizend versies gehoord. En ik kan zelfs zelf zweren dat het waar is. Mijn herinneringen aan mama vervagen dan misschien, maar ze zijn nog steeds levendig genoeg om te weten dat ze er altijd voor me was, nooit egoïstisch en altijd bereid ons haar stukje taart te geven zodat een van ons een tweede stukje kon krijgen.

Iets dat ze vrijwel zeker zou hebben gedaan, hoe moe en afgepeigerd ze zich ook voelde, was onderweg naar huis even een tennisracket opnieuw laten bespannen en een groene *Glamour*-map kopen.

Hoe kan ik dan de mist in gaan, met zo'n voorbeeld?

Phoebe

Altijd als mama naar opa is geweest, komt ze in een slecht humeur thuis. Slecht kan variëren van een beetje in zichzelf gekeerd tot super irritant, maar het is allemaal slecht. Soms is ze dan aan het koken zonder iets te zegen. En als je haar dan iets vraagt, duurt het eeuwen voor ze antwoord geeft; alsof je vraag zo ingewikkeld was dat ze echt moet nadenken over het antwoord. Soms geeft ze helemaal geen antwoord.

Maar vanavond krijgt ze daar de kans niet voor. Ik moet beslissen welke examenvakken ik zal kiezen en daar heb ik de handtekening van een van mijn ouders voor nodig. Papa heeft late dienst in de kliniek en dus moet mama het doen.

Ik wacht tot ze de afwas heeft gedaan voordat ik het haar vertel. Als ik de woonkamer binnenkom, hangt ze op de bank met de krant op schoot, maar zo te zien is ze niet aan het lezen.

'Mama, weet je nog dat morgen de laatste dag is waarop ik mijn lijst met examenvakken kan inleveren?'

Ze kijkt me even wazig aan, maar dan lijkt het alsof er een lampje aangaat. 'O jee, dat is waar ook. Was ik helemaal vergeten.'

'Dus eh... kunnen we het er nu dan even over hebben?'

Ik zie dat ze even een diepe zucht slaakt (waarom doet ze dat toch zo vaak?) en haar ogen even sluit. Dan zegt ze: 'Tuurlijk. Vertel op.'

En dan praten we zeker een uur en ik vind het behoorlijk pijnlijk. Ik wil Duits laten vallen en zij vindt dat dit zonde is van alle energie die ik erin heb gestoken. Ik wil drama doen wat betekent dat ik informatica moet laten vallen; zou papa niet vinden dat dit een gemiste kans was? Je begrijpt het wel.

Ik wil tegen haar zeggen dat zij geen recht van spreken heeft als het gaat om verspilde jaren. Zij heeft vier jaar lang gestudeerd om een graad in mariene biologie te krijgen en een minuut of vijf veldwerk gedaan. Ze heeft het er weleens over dat ze terug wil, maar dan denk ik: Ja, dat gaat dus toch nooit gebeuren. Ik bedoel maar, de kans dat je zeesterren en dolfijnen kunt bestuderen is vrij klein als je in Londen woont, ja toch? Als ze nu was opgeleid tot advocaat of accountant of zo, dan was dat een stuk nuttiger geweest.

Ik heb geen idee wat ik met mijn leven wil. Ik hoop maar dat ik ergens tegenaan loop. Een passie die ik niet kan negeren. Op dit moment haal ik over het algemeen vrij goede cijfers, zelfs voor scheikunde. Zodoende kan ik dus geen enkel vak laten vallen omdat ik er niet goed in ben.

Eén ding heb ik al wel besloten: ik ben niet van plan mijn hersens ongebruikt te laten zoals mama heeft gedaan. Mensen zeggen vaak tegen me dat ik model zou moeten worden, en ik denk weleens dat ik dat best zou kunnen gaan doen. Maar als ik dat al zou doen, zou ik ervoor zorgen dat ik een soort Elle Macpherson-achtig model zou worden. Ik zou zeker ook bij de zakelijke kant betrokken willen zijn, want je moet er met je neus bovenop zitten.

Als ik van de bank opsta, denk ik opeens weer aan mevrouw Thomason.

'O ja, mevrouw Thomason vroeg me of je al weet of je lid wordt van haar balcomité.'

'O, god, ja. En nee, dat wil ik niet,' zegt mama en ze slaat met haar vuist op de krant.

'Mam! Dat is een gouden kans. Je kunt geen nee zeggen.'

'Phoebe. Zitting nemen in de decoratiecommissie van een liefdadigheidsbal dat zal worden bezocht door allemaal zelfingenomen dames-die-lunchen en die elk ongeveer drieduizend pond hebben betaald voor een nieuwe baljurk, terwijl de netto-opbrengst van alle moeite nog geen tien procent zal bedragen van de kaartverkoop, is niet bepaald wat ik een gouden kans zou willen noemen.'

'Maar mevrouw Thomason heeft je gevraagd! Zij kent iedereen. En op die manier zou jij iedereen ook kunnen leren kennen!'

'Phoebe, lieverd, ik wil iedereen helemaal niet leren kennen. Ik ken genoeg mensen.'

'O ja, en wie dan wel? Penny Bourne? Zij is écht iemand!'

Zelfs ik weet dat het gemeen is om dat te zeggen. Penny, een van mama's hardloopmaatjes, is aardig, ook al weet ze zich niet te kleden. Ze draagt een riem dóór de riemlussen van haar spijkerbroek met een hóge taille en truien met schattige appliqués erop. Vorig jaar verscheen ze op de kerstborrel met een kerstboom op haar trui. En toen ze op een knopje drukte dat in haar broekzak zat, gingen de lichtjes aan en begonnen te flitsen.

Ieder ander zou woedend zijn geworden door mijn opmerking, maar mama kijkt me alleen maar fronsend aan en schudt haar hoofd.

'Phoebe, ik hoop maar dat je dit niet meent. En als dat wel zo is, dan hoop ik dat je snel zult inzien hoe walgelijk zo'n arrogante houding is.'

En dan zeg ik het. Het onvergeeflijke. Gewoon om te zien of ze het me zal vergeven.

'Toe nou toch, mam! Je kent helemaal geen belangrijke mensen. Je verspilt je leven. En dan is er iemand als mevrouw Thomason die je vraagt of je mee wilt werken en dan zeg je gewoon nee. Nou ja, als jij zo nodig een loser wilt zijn, dan is dat jouw probleem.'

Het is ook mijn probleem. Dat weet ik. Want op hetzelfde moment dat deze woorden mijn mond uitkomen, wil ik ze alweer terugnemen. Mama wordt bleek en er springen tranen in haar ogen. Maar ze schreeuwt nog steeds niet tegen me. Volgens mij is ze in shock.

Daarom pak ik de formulieren die ze heeft ondertekend en ga naar boven naar mijn kamer. Voordat ik zelfs maar bij de deur ben, hoor ik het nummer *Numb* van U2 op mijn radio. Ja, daar hoef ik niets meer aan toe te voegen.

Libby

Het heeft geen zin om in discussie te gaan met iemand van vijftien. Vooral niet met iemand die zo cynisch is als Mevrouw. Zelfs niet als ze nog veel beledigender en gemener zijn dan je voor mogelijk hield. Wat zou je ermee winnen? Als het meevalt een onwillig en ongemeend excuus. Als het tegenvalt een valse grijns en een extra dosis spot.

Phoebe's uitbarsting treft me vlak onder mijn schouderblad, aan de linkerkant van mijn borst. Een brandend gevoel verspreidt zich snel vanuit de harde, hete kern. Pijn en teleurstelling voel ik altijd op die plek. Niet in mijn hart, nee, maar er vlakbij.

Dat brandende gevoel heb ik niet vaak. De dagelijkse frustraties en mislukkingen veroorzaken alleen maar een licht trillinkje in mijn maag. Andere gaan niet verder dan mijn hoofd, waar ze worden weggeredeneerd of begraven in de beslommeringen van alledag. Er moet iets gebeuren dat bijzonder frustrerend is om dat gebied onder mijn schouderblad te bereiken.

Toen ik hoorde dat mama dood was, voelde ik het daar natuurlijk. Dat gevoel duurde dagen, weken zelfs. En ook nu nog af en toe, als ik opeens aan haar denk of een foto van haar zie. Een enkele keer ontstaat het door iets tussen Rob en mij. Door een discussie bijvoorbeeld, of door een onnadenkende, kwetsende opmerking. Maar het kan ook zomaar gebeuren, in een periode waarin er wat afstand tussen ons is, door een bepaalde blik van hem of door het ontbreken van een bepaalde blik die ik graag zou zien.

Het is niet alleen het feit dat ze me zo ziet dat pijn doet. Het is het feit dat er, wanneer ik mijn ogen sluit en van een afstandje naar mijn leven kijk, een steek van spijt door me heen gaat. En dat is veel erger dan te worden beledigd door mijn eigen dochter. Ik vraag me af hoe het mogelijk is spijt te hebben van een leven dat een goed huwelijk met een aardige man inhoudt, drie prachtige kinderen en een heel mooi huis boven ons hoofd. Maar volgens mij zijn dit niet de dingen die me spijten. Wat me dwarszit is dat er een deel van me is verdwenen terwijl dat andere leven is ontstaan.

Toen Rob en ik pas bij elkaar waren, hadden we het er vaak over om er een jaar tussenuit te gaan en in het buitenland te gaan werken. Zuidoost-Azië was de bestemming. Ik zou baanbrekend onderzoekswerk kunnen doen naar het zeeleven daar en hij zou in staat zijn om het gezichtsvermogen te redden van verwaarloosde, zielig kijkende kindertjes en tere oude mensen in afgelegen dorpen. Deze droom fonkelde nog een tijdje, maar met elke stap op de ladder van aanzien en stabiliteit verdween hij verder naar de achtergrond. Tegen de tijd dat Phoebe werd geboren, was de droom zo dood als een eekhoorntje onder de wielen van een tientonner.

Iedereen heeft dromen en vele daarvan komen niet uit. En wie zegt dat door Azië reizen en tropische vissen bestuderen en die arme mensen brillen geven veel bevredigender zou zijn geweest dan van elkaar houden en een gezin stichten? Het is niet echt het verlies van die Azië-droom waar ik spijt van heb. Waar ik spijt van heb, is het feit dat ik hem niet heb vervangen door een andere droom. Rob heeft zijn optometristenpraktijk, overgenomen van zijn oude vriend en mentor Patrick Fox toen hij nog maar dertig was. Hij kon zelfs zijn liefde voor rugby uitleven via de sportieve kant van zijn bedrijf. (Hij is bijzonder trots op het contract met twee toprugbyclubs, en hij heeft heel wat aangename dagen doorgebracht met het aanleren van oefeningen aan getalenteerde spelers om de oog-handcoördinatie te verbeteren.) Hij is altijd bezig zijn kennis te vergroten en gaat naar lezingen en conferenties over zaken als lenstechnologie en hoornvliesbeschadiging. Vorige maand nog heeft hij twee dagen lang lezingen gevolgd over het losraken van netvlies die hij beschreef als 'uiterst fascinerend'. En hij heeft zijn gezin. En ik? Ik heb een prachtig ingelijste bul (cum laude) in Mariene Milieuwetenschappen van het Oceanografisch Centrum van de Universiteit van Southampton en zeventien jaar werkervaring in huishoudelijke overlevingstechnieken in het centrum van de voorstad Richmond.

Misschien was die studie niet de beste keuze die ik had kunnen maken. Zelfs mensen die Engels studeerden, waren in die tijd meer in trek dan marien biologen, hetgeen waarschijnlijk ook nu nog het geval is, en het beroep is niet bepaald geschikt voor een flexibel leven. En één ding is noodzakelijk voor een carrière in de mariene wetenschappen: je moet in de buurt van de zee zijn als je meer wilt doen dan poedelen. En als dat onmogelijk is, omdat de man van wie je houdt carrièremogelijkheden heeft die hem onvermijdelijk naar Londen leiden, betekent dit in feite het einde van je eigen carrière.

Een maand of zeven, acht nadat Rob en ik elkaar hadden leren kennen, hebben we geprobeerd apart te wonen. Dan zou ik een baan kunnen aannemen voor een onderzoeksproject van zes maanden in Southampton dat me was aangeboden. Het project heette 'Sedimentaire dynamica en diagenetische processen' – niet bepaald mijn meest geliefde specialisatie. Maar het was een volledig betaalde baan waar mijn oude mentor, professor Magnus Johnson, me over had verteld. En dus verliet ik het appartement dat Rob en ik in Londen huurden om zes maanden in een hokje van een paar vierkante meter in een studentenflat van de universiteit te gaan wonen.

Het onderzoek was fascinerend en het was ongelooflijk opwindend om te kijken naar al die dynamiek, nadat ik maandenlang oninteressante baantjes had gehad waarvoor je niet meer hoefde te kunnen dan wisselgeld tellen. Maar niet bij Rob zijn, was afschuwelijk. Voor ons beiden. Onze relatie bevond zich in die fase waarin een scheiding fysiek ongemak veroorzaakt. Weekendbezoeken en telefoontjes in de avond waren niet voldoende om de pijn weg te nemen die ik voelde als ik niet naast hem wakker werd.

Toen het onderzoeksproject was afgerond, ben ik meteen naar Londen teruggegaan en zes maanden later zijn we getrouwd. Vlak na ons huwelijk heb ik een jaar les gegeven aan het Scarbourough Centrum voor Kuststudies, waardoor ik slechts twee dagen per week van huis was. Maar na de geboorte van Phoebe leek de berg, die de carrière was die ik had gekozen, onoverkomelijk. Hoe moest ik in vredesnaam weer zo'n moeilijk te vinden baan krijgen met een baby die twintig uur per dag aan mijn borst hing? En hoe moest ik in vredesnaam een oppas betalen als ik met het kijken naar zeewezens niet meer dan zeven pond per uur kon verdienen?

Bovendien leek alles op de een of andere manier veel minder belangrijk nadat Phoebe was geboren. Schaam ik me om dat te zeggen? Ik weet het niet zeker. Maar het was de waarheid. Zelfs op mijn zevenentwintigste, toen veel van mijn vrienden de wereld over trokken of zich in de City naar een vroege hartaanval haastten, wist ik dat mijn plaats bij haar was. En al heel snel genoot ik van die plaats. Plannen om naam te maken als marien bioloog of om me helemaal te verdiepen in enkele relatief zeldzame soorten aan de zeekust, leken met elk flesje dat ik haar gaf minder concreet. Ik weet nog dat iemand me, vlak nadat Ella was geboren, vroeg wat ik had gedaan voordat de kinderen er waren. En heel even wist ik het echt niet meer. De jonge vrouw die marien bioloog was geweest, leek zo ontzettend ver weg, zo losstaand van mijzelf dat ik me een bedrieger voelde als ik zelfs maar toegaf dat ik haar kende.

In 1997, toen het London Aquarium openging, was ik er misschien wel weer klaar voor om de wereld van de volwassenen binnen te stappen. En een paar maanden lang had ik hoop. Ik hield hun website in de gaten, op zoek naar vacatures, en slaagde er zelfs in om daar iemand te vinden die professor Johnson had gekend. Maar al snel realiseerde ik me wat het aquarium echt zocht: een paar intelligente jongelui (intelligent, jong, vrij en bereid om op elk moment te werken) en een groep 'informatiespecialisten' die op vrijwillige basis rondleidingen verzorgden voor de hordes toeristen die in lange rijen voor de deur stonden. Ik paste in geen van beide categorieën en wist dat ik geen kans maakte.

Ik denk dat ik in 1997 de laatste keer serieus heb overwogen mijn carrière weer op te pakken. En met drie meisjes onder de zeven en met een man met een bloeiende optometristenpraktijk maar zonder aanleg voor goochelen (is er een term die eigenlijk op mannen van toepassing is, vraag ik me af?), heb ik daar niet zo heel lang over nagedacht. Vanaf dat moment is er wel een soort vaag, onuitgesproken ontevreden gevoel in me gerijpt, maar niet zo dat iemand dat zou kunnen zien. Niets waarvan ik mezelf heb toegestaan er veel aandacht aan te besteden.

Ik zou er ook nu waarschijnlijk geen aandacht aan hebben besteed als Phoebe niet zo'n gemene opmerking had gemaakt. Ik wil haar beschuldigen van een enorm gebrek aan dankbaarheid. Ik wil haar erop wijzen dat ze geen idee heeft hoe moeilijk het is jezelf weg te cijferen om vijftien jaar lang het geluk van vier andere mensen voorop te stellen. Ik heb de neiging te gaan staken, zodat we beiden kunnen zien hoe zij zich voelt zonder iemand die haar leven verspilt voor haar drie kinderen. Maar de hele tijd dat ik deze woorden mompel, zijn er drie andere woorden die in me opkomen: *Je hebt gelijk*. En wie weet, misschien spreek ik die woorden ook nog weleens tegen haar uit.

Maar dat zeg ik niet op het moment dat ze me zo aanvalt en ook niet in de dagen daarna. Ook geef ik niet toe door te besluiten lid te worden van het feestdecoratiecomité van Claire Thomason, of wat ze ook maar voor me had gepland. In plaats daarvan besluit ik 'uit te gaan', en wel naar de eerste bijeenkomst van de afdeling Richmond van Earthwatch op woensdagavond. Ik had al bedacht dat ik dat Ella verschuldigd was en ik krijg het gevoel dat ik het ook aan mezelf verschuldigd ben. Het moet, denk ik, een betere optie zijn dan een volledige 'mevrouw Jacob'.

Phoebe

Als ze me vertelt naar wat voor soort bijeenkomst ze gaat, is mijn eerste gedachte dat ze waarschijnlijk gek is geworden. Dan denk ik: ze doet het alleen maar om me op stang te jagen. Om haar gelijk te halen. Het afwijzen van mevrouw Thomason is al gênant genoeg. Maar om haar aanbod af te wijzen voor een bijeenkomst met een stelletje onbelangrijke milieuactivisten, in de openbare bibliotheek? En ook nog eens op een woensdag, de dag waarop ze met me zou gaan shoppen voor nieuwe laarzen en de dag waarop Kate van hockey moet worden gehaald. Dat is zowel gênant als stapelgek.

'Jezus,' jammer ik tegen Kate, 'moet je nagaan. Samenwerken met een van de meest invloedrijke vrouwen om geld voor liefdadigheid te verzamelen en misschien zelfs wel in de gelegenheid te komen om Jude Law te ontmoeten? Nee. Elke woensdag samenscholen met een stelletje vegetariërs in kaftans en zeuren over de klimaatverandering? Zeker weten. Dat gaat ze doen. Ligt het aan mij of is ze gek geworden?'

Kate kijkt me aan en zegt: 'Wat maakt dat nou uit?' En dan realiseer ik me dat ik helemaal de verkeerde heb uitgezocht om tegen te zeuren. Kate is altijd zo tergend onpartijdig. Het is onmogelijk om haar ergens mee op de kast te krijgen. Ik vraag me weleens af of er wel iets in haar hoofd omgaat.

'Zo te zien, ben jij ook gek geworden.'

Libby

Rob,
Lasagne aan het opwarmen in de oven. Is rond halfzeven klaar.
Eten met groene salade (in de koelkast – dressing in gele bakje).
Terug ongeveer halfnegen.
Ella is met me mee. Zorg ervoor dat Kate haar hockeyspullen in
het washok legt.
Liefs, Lib

Kate,
Sorry dat ik je niet van hockey kon halen. Leg je vieze spullen in
het washok, dan was ik het morgen wel voor je.
Liefs, mama

Phoebe,
Kate wordt om kwart over zes afgezet. Papa is rond halfzeven
thuis. Als hij laat is, lees dan even zijn briefje over het avond-
eten.
Liefs, mama

Volgens Fran maak ik het mezelf moeilijk door dit soort dingen te doen. Sinds ze weer vier dagen per week is gaan werken, heeft ze minder energie. Alle oppervlakken in haar huis zijn bedekt met een dun laagje stof en de jongens moeten af en toe kant-en-klare quiche eten. Vorig jaar, toen er twee bazaars tegelijk waren, kocht ze van Jakes school drie zelfgemaakte cakes en die nam ze mee naar Freddies rugbyclub als háár bijdrage.

Een tijdje terug zat ik tegen haar te zeuren, zoals ik wel vaker doe, dat het erop begint te lijken dat het huishouden mijn leven begint te domineren. 'Echt waar, tegen de tijd dat ik heb bedacht wat ik voor het avondeten kan klaarmaken, boodschappen heb gedaan, een ontzettend belangrijk boodschapje voor de een en een gat in een trui heb dichtgenaaid voor de ander, daarna heb zitten wachten op de man die de wasmachine zou komen repareren of wie er ook maar langs moet komen, is de dag alweer voorbij. En dan lijkt het alsof ik helemaal niets heb gedaan.' Ze reageerde vrij laconiek: 'Doe het dan niet. Maak je niet zo druk. Huishoudelijke karweitjes hebben de afschuwelijke neiging om al je beschikbare tijd op te slorpen en volgens mij moet je nu gewoon eens zeggen dat het genoeg is geweest! Laat ze hun eigen Prittstick kopen en af en toe hun eigen avondeten klaarmaken. Ze gaan heus niet dood, hoor, als ze één keer per week soep uit blik moeten eten.'

Ondanks Frans enthousiaste aanmoediging vanaf de zijlijn, kan ik dit nog niet. Ik verlaat het huis met een veel beter gevoel als ik weet dat het allemaal geregeld is en dat ze allemaal weten wat ze moeten doen; met gedetailleerde instructies moeten zelfs zíj hun avondeten op tafel kunnen krijgen en hun huiswerk af kunnen maken. (Na Phoebe's beschuldigingen schiet het door me heen dat ik misschien ook wel een beetje bang ben om de dag minder vol te maken door bepaalde karweitjes niet meer te doen, uit angst dat ik niets kan verzinnen om die lege tijd mee op te vullen.)

Woensdagavond zes uur is niet de meest ideale tijd voor een bijeenkomst. Wellicht hebben ze dat tijdstip gekozen, zodat mensen die in de buurt werken eerst naar de bijeenkomst kunnen gaan en dan naar huis voor het avondeten. Of misschien is dat tijdstip wel uitgekozen om díé mensen te verleiden die hun huis nooit zouden verlaten als het echt donker is, met hun avondeten net achter de kiezen en na hun favoriete soap op tv.

Wel of geen onhandig tijdstip, ik vind het best wel leuk. Het is weer eens iets anders dan rondrijden en de kinderen oppikken of achter het fornuis het avondeten staan klaar te maken. Het maakt me zelfs niet uit dat het al bijna donker is en het zo licht motregent dat het bijna verfrissend is. Ella is ook in een goede bui. Elke derde stap is een sprongetje tijdens onze wandeling over Church Road naar de bibliotheek. Als we bijna boven aan de heuvel zijn, wijst ik naar de torenspits van de Sint-Matthiaskerk die tegen de donker wordende lucht afsteekt. Ze knikt en glimlacht naar me, zonder dat ik iets hoef uit te leggen. Ze heeft me vast al wel duizend keer horen zeggen hoe mooi ik hem vind. Ik kan er nooit genoeg van krijgen. Volgens mij is dit het mooiste uitzicht in Richmond, met als enige concurrent de rivier met de koeien in de weilanden op Richmond Hill, wat ik altijd weer een schitterend gezicht vind.

Als we bij de bibliotheek komen, ziet het gele licht achter de beslagen ramen er echt vrolijk uit. Een handgeschreven bord vertelt ons dat de bijeenkomst wordt gehouden in de grote vergaderzaal, die langs de ene muur van de bibliotheek ligt. Die ruimte wordt intensief gebruikt: het is een peuterspeelzaal, het klaslokaal waar invalide kinderen kunst maken, een muziek- en bewegingsklasje voor ouderen en er komen enkele leeskringen bij elkaar. Ik weet het van die peuterspeelzaal van toen de meiden nog klein waren, En een enkele keer heb ik tachtigjarige ledematen door de ramen van de deuren heen en weer zien zwaaien.

Phyllis springt op van haar stoel en rent naar ons toe zodra ze ons ziet aankomen.

'Libby! Wat fijn dat je er bent,' zegt ze, en ze duwt Ella en mij naar twee lege stoelen in de rijen stoelen die zorgvuldig zijn neergezet. 'Nancy, Barry, dit is Libby. En volgens mij is dit Libby's dochter Ella. Klopt dat?'

Ik herinner me dat Nancy de wijkverpleegster is, de vriendin van Phyllis, maar van Barry heb ik nog nooit gehoord. Hij steekt zijn lange, magere hand naar me uit, zijn jukbeenderen vervormen, zo enthousiast is hij, en hij glimlacht naar Ella.

'Barry Staples. Van het Poppenhuis.'

'O, het Poppenhuis,' zeg ik, met oprecht verlangen. Mijn drie meiden hebben allemaal op enig moment een poppenhuis uitgezocht in de verzameling mini-victoriaanse huisjes in die winkel. Het is de laatste van de rij winkels op Church Road die wij 'de stad' noemen, tussen Amandine en Ed's Dingen.

'Ik durf te wedden dat Ella dolgraag een van die huizen zou willen hebben, of niet dan?' zegt Phyllis stralend tegen Ella, die gretig knikt. Maar ik weet dat Ella allang niet meer verlangt naar het perfecte poppenhuis. Het lijkt wel alsof een poppenhuis, net als een Barbiepop, het speelgoed van steeds jongere meisjes is. Ik kan me herinneren dat ik nog met beide dingen speelde toen ik elf was, maar al mijn meiden hadden toen ze zeven of acht waren al andere interesses.

De opdringerigheid van Phyllis wordt niet afgeremd door het ontbreken van een datumstempel. Het is moeilijk om haar gesprekstempo bij te houden. Ik bereid me er stiekem op voor dat ik in één klap zal worden voorgesteld aan iedereen in het vertrek, dat nu gonst van de rustige gesprekken.

Maar Phyllis krijgt de kans niet nog meer mensen voor te stellen. Voor in het vertrek is opeens een grote, slanke man opgedoken met een hele massa peper-en-zoutkleurig haar en een bijpassende baard, en je ziet meteen dat hij iemand is op wie je moet letten. Hij glimlacht hartelijk en stelt zichzelf dan voor. Ik zie dat er een gat in een knie van zijn spijkerbroek zit, maar het is het soort gat dat je krijgt door te vaak met je knieën op een grove ondergrond te steunen en niet het soort gat dat je krijgt als je de kledingtips van David Beckham opvolgt.

'Hallo, allemaal. Ontzettend fijn dat jullie zijn gekomen. Ik ben Derek Foster en ben een van de nationale teamleiders van Earthwatch. Voordat we beginnen, wil ik de stoelen graag in een wat prettiger opstelling zetten. Ik heb helemaal geen zin om hier een praatje te houden voor allemaal rijen stoelen! Mag ik jullie vragen om allemaal even mee te helpen ze in een kring te zetten?'

Iedereen staat onmiddellijk op en doet wat de bebaarde man heeft gevraagd, ik ook. Daar zijn we nog wel even mee bezig, denk ik, om al die stoelen in een kring te zetten, maar ik zal maar niets zeggen. Laat hem daar maar zelf achterkomen.

Maar eigenlijk is het lang niet zo lastig als ik had verwacht. Er zijn helemaal niet zoveel mensen in het vertrek. Vijftien, twintig misschien. Zo is het vrij gemakkelijk om in een grote kring te gaan zitten.

'Geweldig. Fantastisch,' zegt Derek. Hij gaat zitten en leunt naar voren met zijn ellebogen op zijn lange, gedeeltelijk uitgestrekte benen gesteund. Dan leunt hij naar voren en fluistert iets tegen de man naast hem – een vrije jonge vent met donker, halflang haar.

Deze jongeman bladert een paar papieren door, vindt het blad dat hij zoekt en geeft het aan Derek.

In de tijd dat Derek zijn gedachten ordent, kijk ik even rond naar de schoenen. Ik zie slechts één paar sandalen met sokken. Het andere schoeisel is de normale sortering versleten laarzen en sportschoenen, met één uitzondering: een keurig paar bordeauxrode pumps en een schitterend paar groene suède laarzen met hoge hak. Als ik mijn blik opsla van de 'sandalen met sokken'-combinatie, kijk ik precies in Barry's grijnzende gezicht.

'Goed dan,' zegt Derek. 'Laten we beginnen! Ik zou het fijn vinden als iedereen zichzelf even voorstelt; dan zullen wij jullie daarna iets vertellen over wat wij willen bereiken bij Earthwatch en hoe jullie ons misschien kunnen helpen. Laten we met Daniel hier beginnen, die zoals wij zeggen de lokale teamleider is.'

'Hallo,' zegt Daniel met een ontspannen, bijna luie glimlach. 'Ik ben op nationaal niveau adviseur van Earthwatch, want ik ben afgestudeerd in milieuwetenschappen. Bovendien ben ik lokaal teamleider, wat inhoudt dat ik lokale actiegroepen moet opzetten en begeleiden. Op dit moment heb ik er drie, één in de omgeving van Oxford, eentje in Nottingham en deze. Dat betekent dat ik ontzettend veel tijd in de trein zit. Een voordeel is weer dat ik de ervaringen van de verschillende groepen kan doorgeven. Hoe dan ook, ik vind het geweldig om jullie hier te zien. Ik heb er echt zin in om met jullie samen te werken.'

Daniel kijkt naar de vrouw die naast hem zit. Het is een kleine, wat oudere vrouw die er met haar bijna doorzichtige haar uitziet als een engel.

'Hallo, allemaal. Ik ben Daisy Hancock. Ik woon in een van de appartementen achter de bibliotheek,' zegt ze met een stem die bijzonder beschaafd, maar bijna onhoorbaar is.

'En waarom ben jij hier vanavond, Daisy?' vraagt Daniel.

'O, nou... het is gewoon iets dat ik al een tijdje van plan ben. En Phyllis hier zei tegen me dat ik er natuurlijk niet jonger op word en ik dus maar beter snel kan beginnen. Ze heeft natuurlijk gelijk. En omdat mijn kinderen hier zover vandaan wonen en mijn arme man is overleden, heb ik meer dan genoeg tijd.'

'En tijd kunnen we hier goed gebruiken. Bedankt, Daisy. En wie ben jij?' Daniel knikt naar de vrouw die naast Daisy zit. Haar helderblonde haar is naar achteren getrokken in een stevige knot, zodat er een stel dramatische jukbeenderen te zien is.

'Ik ben Lynette. Ik heb de schoonheidssalon aan de overkant. Ik vind al heel lang dat ik iets positiefs voor het milieu zou moeten doen, vooral gezien de dingen die ik doe. Weet je, met al die chemische stoffen die ik moet gebruiken. Toen ik dus die advertentie zag en het toch hier in de buurt is, dacht ik: Nu heb je echt geen excuus meer, meid. En daarom ben ik hier.'

Ella zit tijdens het voorstelrondje stilletjes naast me. Aan haar stijve houding en haar absoluut onbeweeglijke, gevouwen handen kun je zien dat ze zenuwachtig is.

Ze draait zich naar me toe en fluistert: 'Mama, ik ben het enige kind hier.'

'Dat is wel goed, hoor. Dan vinden ze het vast nog veel leuker dat je er bent,' zeg ik en ik geef een kneepje in haar hand.

Na Lynette maken we kennis met David Peabody, een lokale dierenarts met een gezicht als een basset, en met Shelly Davis, die hier in de stad bij de Rijksdienst voor het Wegverkeer werkt. Ze is heel klein: net één meter vijftig, als je haar hoge hakken meerekent. Ze heeft een wipneusje en enorme ronde ogen. Alles aan haar doet verwaand aan. Dan komt de eigenaresse van de groene suède laarzen, een vrouw van ergens tussen de vijfenveertig en vijfenvijftig. Niet te zeggen. Voordat ze iets zegt, schuift ze een lok krullend kastanjebruin haar voor haar ogen weg, en begint te spelen met het lichtgekleurde stenen kruisje om haar hals. Alles aan haar is aards en levendig, tot en met de veelkleurige leren armband die ze om haar pols draagt.

'Hallo, ik ben Eloise. Ik ben de eigenaresse van Lilac Rose, de boetiek aan het einde van de straat. Ik woon hier ook in de buurt. Het is bij mij ongeveer net zoals bij Lynette. Altijd van plan geweest iets te doen, nooit aan toe gekomen. Toen ik hoorde over deze groep bij mij om de hoek dacht ik dat de tijd nu rijp was.' Eloise heeft een sterk Australisch accent.

Nancy is de volgende. Ze maakt een no-nonsenseachtige indruk, die waarschijnlijk wordt gecreëerd door haar rechthoekige gezicht en uiterst praktische kapsel: kort, donker, geen model. Aseksueel. Op het eerste gezicht heeft ze veel weg van Phyllis, maar misschien iets minder uitgesproken. Phyllis is na Nancy aan de beurt en zij begint te vertellen dat vrijwel iedereen hier is dankzij haar. Het blijkt dat wij in de afgelopen weken bijna allemaal in de bibliotheek zijn geweest waar Nancy ons een oranje poster voor de neus heeft gehouden.

Dan ben ik aan de beurt. Ik vraag me af hoe het komt dat alle anderen zich zo ontspannen hebben voorgesteld, terwijl ik een strak gevoel in mijn keel heb wat iedereen volgens mij kan zien. Het is al heel lang geleden dat ik tot een groep van meer dan zes personen heb gesproken.

'Ik ben Libby. Ik woon hier in de buurt, met mijn man en drie dochters. Dit is mijn jongste dochter, Ella. Zij is de reden dat ik hier ben; ze stelt me allemaal vragen waar ik eigenlijk geen antwoord op heb. Daarom hebben we besloten samen hiernaartoe te komen.' Ik zwijg even en zeg dan: 'En ik ben een eeuw geleden of zo afgestudeerd als marien bioloog en heb aan eenzelfde soort projecten meegewerkt. Ik zou het echt heel fijn vinden om weer zoiets te doen.'

'Geweldig. Ik weet niet zeker hoeveel mariene activiteiten we zullen tegenkomen, maar het is fantastisch dat je erbij bent,' zegt Daniel enthousiast. Dan kijkt hij naar Ella, net als alle anderen, en het is even stil terwijl ik me afvraag of ze moedig genoeg zal zijn om iets te zeggen.

'Ik ben Ella. Ik maak me al heel lang zorgen,' zegt ze ten slotte, met haar zonnige stemmetje. 'Je hoort zoveel afschuwelijke dingen en leest allemaal nare verhalen in de krant. Volgens mij staat ons een enorme ramp te wachten als we niet iets gaan doen. Maar het is zo moeilijk om te weten wat je moet doen. Mijn moeder zei dat we dat hier wel zouden kunnen ontdekken. Ik vind het echt heel, heel erg fijn dat ik hier ben, ook al ben ik, weet je, de jongste en zo. Ik weet waarschijnlijk lang niet zo veel als alle anderen, maar ik kan heel goed helpen. Nou ja, behalve met het opruimen van mijn kamer en zo.'

Ella's gegiechel wordt beantwoord met hartelijk gelach en allemaal vriendelijke glimlachjes. Daniel kijkt haar aan en zegt: 'Ik twijfel er niet aan dat je ons fantastisch kunt helpen.' Dan kijkt hij de vrouw die rechts van me zit aan, de eigenaresse van de bordeauxrode pumps. 'En jij bent?'

'Julia Harding,' antwoordt ze met een stem als van de koningin, maar dan warmer, en strijkt haar bordeauxrode wollen pakje recht met gevoelige, plompe handen. 'Ik ben de directrice van Carlisle Lodge. Deze beide meiden zijn Courtney en Michelle, die zich vrijwillig hebben aangemeld om me te helpen de leerlingen meer te betrekken bij de plaatselijke milieubeweging. Wij vinden het allemaal heel fijn om hier te zijn.'

Courtney en Michelle zien er niet uit alsof ze het fijn vinden hier te zijn. Courtney hangt ongeïnteresseerd in haar stoel en laat ons af en toe een glimp van haar kauwgum zien als ze die rond het puntje van haar tong rolt en tussen haar voortanden klemt. Michelle zit rechtop, maar met haar hoofd schuin en speelt met haar stroblonde paardenstaart.

Ik voel me heel even schuldig als ik me realiseer dat Courtney en Michelle waarschijnlijk klasgenootjes van Phoebe zouden zijn geweest als we hadden besloten om de meiden naar Carlisle Lodge te sturen. Nu moeten we krom liggen om voor de drie meiden een exorbitant hoog schoolgeld te kunnen betalen. Julia Harding is waarschijnlijk de directrice over wie ik heb gelezen, de vrouw die was aangenomen om de school nieuw leven in te blazen. Nu ik naast haar zit, schaam ik me een beetje voor wat zeker zal worden geïnterpreteerd als snobisme tijdens onze samenwerking in deze groep.

Barry is de volgende, maar ik moet bekennen dat ik niet heel goed heb opgelet tijdens zijn korte monoloog, die minder kort is dan hij had horen zijn. Ik let weer op als de vrouw die naast hem zit, Carole Watts, begint te praten. Het blijkt dat zij en haar vriendin, Marcie Gibbons, in een huurhuis vlak bij Carlisle Lodge wonen. Ze maken zich allebei zorgen over het gebrek aan respect voor de omgeving waar ze elke dag mee geconfronteerd worden: de toenemende graffiti, de lege patatbakjes op het gras, de lege blikjes in de goot.

Als de twee laatste aanwezigen zichzelf hebben voorgesteld, is er al bijna een halfuur voorbij. En dus moet je het Derek wel vergeven dat hij zijn kaken op elkaar klemt als Peter Ekenberry zich als laatste voorstelt. Peter is de verpersoonlijking van 'M&S voor mannen'. Zachtaardig, onschadelijk, gewoontjes, in zijn bordeauxrood met blauwe trui en grijze broek. Het blijkt dat Peter met zijn gezin naast Ron woont, een tere man met een bril van een jaar of zestig die als laatste het woord krijgt. Ron heeft een vogelopvang achter in zijn tuin en dat verklaart de kakofonie aan geluiden die je altijd hoort als je erlangs loopt.

Nu het voorstelrondje is afgelopen, wenden we ons allemaal tot Derek, zodat hij ons iets meer kan vertellen over Earthwatch en deze bijeenkomst. Ik voel me nog steeds onzeker, alsof ik een bedrieger ben. Ik ben hier ter wille van Ella, maar ook vanwege een diep gevoel van bezorgdheid over het milieu, terwijl de anderen – ik weet niet – authentieker overkomen. Dat komt gewoon omdat ik het nog niet zo zie: Libby – echtgenote en moeder... milieuactiviste. Nou ja, we zullen wel zien.

Daniel en Derek leggen samen uit dat het de strategie van Earthwatch is om honderden kleine lokale milieugroepjes te vormen. Mijn gedachten dwalen af als er over de opwarming van de aarde en het Kyotoverdrag wordt gesproken. Ik dwing mezelf om op te letten.

'Het leek ons nuttig om een paar van de acties te bespreken die in andere delen van het land succesvol zijn gebleken, en we stellen het op prijs een paar suggesties te krijgen voor een aanpak die hier effect zou kunnen hebben.' Dereks stem verstomt als hij wordt afgeleid door zijn gevecht met een antiek uitziende flip-over. De ene poot blijkt korter dan de andere, waardoor de flip-over begint te wankelen en de markers eraf dreigen te glijden.

Daniel springt op van zijn stoel om Derek te helpen en vangt de markers op voordat ze op de vloer vallen. Hij gaat achter de flip-over staan en begint ergens aan te prutsen. Kennelijk heeft hij iets goed gedaan, want de korte poot wordt opeens langer. Nu staat de hele flip-over prachtig stil.

Nu schrijft Daniel met een van de markers de ideeën op, terwijl

Derek er meer over vertelt. Naarmate hij meer ideeën oppert om actie te voeren, zie ik de leden van ons groepje zich steeds verder terugtrekken en merk ik dat ze zich steeds ongemakkelijker beginnen te voelen. Praten over afvalopruimacties voor schoolkinderen en posteracties om recycling te promoten, klinkt bevredigend, maar tegen de tijd dat Derek het heeft over acties zoals huisbezoeken afleggen om elk gezin over te halen een energiebesparingsplan van tien punten op te stellen, zijn de gezichten letterlijk grijs geworden. Volgens mij had niemand verwacht dat er zoveel van hen zou worden gevraagd. En zeker niet iets wat zo zichtbaar is. Misschien hadden ze hooguit verwacht dat ze een paar enveloppen zouden moeten vullen, zoals wel kan gebeuren als je de lokale politieke partijen je hulp aanbiedt.

Derek en Daniel zijn er kennelijk wel aan gewend dat de reactie van hun toehoorders er een is van sprakeloze verbazing, want ze lijken niet erg onder de indruk. Als ze hun lijst hebben afgewerkt, wrijft Derek in zijn handen en zegt: 'Zo, dat is het. Heel veel nuttige, plaatselijke initiatieven die echt wat kunnen betekenen. Wat vinden jullie ervan?'

Enkelen knikken zwakjes en er zijn een paar hoorbare hm's maar verder is er maar weinig reactie. Ik begin medelijden te krijgen met Derek en Daniel.

Mijn gedachtestroom wordt onderbroken door het geluid van Ella's stem; de lieve, optimistische klank ervan vormt een scherp contrast met de mistroostige sfeer.

'Ik vind vooral dat idee dat mensen hun auto minder vaak moeten gebruiken heel goed. Ik denk weleens dat we veel te vaak de auto pakken, zelfs als je de afstand heel gemakkelijk kunt lopen. Wij hebben een enorm grote auto. Een grote, zwarte Range Rover waar elke keer dat we tanken voor negentig euro benzine in gaat. Volgens mij hebben we helemaal niet zo'n grote auto nodig, nee toch, mama?'

Ik hoor gegiechel in de groep als ze zien dat ik me geneer door Ella's onthulling. Geweldig. Alweer een granaat gegooid in de grote 4x4-aanval, en ook nog eens door mijn eigen dochter.

'Maar het is een tweedehandse,' zeg ik verdedigend, omdat ik niet wil dat ze me verkwistend vinden en niet milieubewust. 'Hoe dan ook, het is een goed idee als mensen minder vaak de auto zouden pakken. Die andere ideeën vind ik ook goed. Ik kan me wel voorstellen dat dergelijke acties de bevolking betrokken maken bij dit onderwerp en in de praktijk echt iets kunnen uitmaken. Het is alleen een beetje intimiderend, vind ik.'

Ik kijk de kring rond om te zien of ik voor mijn beurt heb gepraat. Niemand zegt dat hij het met me eens is, maar er is ook niemand die me boos aankijkt. Een paar seconden later zegt iemand anders iets.

'Libby heeft echt gelijk,' zegt Barry, rechtop zittend, ernst uitstralend. 'Die lijst is intimiderend en zeker niet wat ik verwachtte toen ik hier vanavond naartoe ging! Maar het was dom van me om iets anders te verwachten. Wij kunnen niet verwachten dat we het milieu helpen verbeteren als we op onze krent blijven zitten en naar leuke praatjes luisteren. Nee toch? We moeten ons er echt voor inzetten.'

Ik had niet verwacht dat Barry zo opgewonden kon raken. Maar men is zichtbaar ontroerd door zijn woorden. De gezichten zijn ietsje minder wit en gespannen.

'Bedankt Libby en Barry, dat jullie zo open hebben gesproken. Ik hoop dat jullie het met hen eens zijn,' zegt Derek.

'Hé, luister,' zegt Daniel. 'Jullie zijn niet de enigen die dit intimiderend vinden. Toen ik een dergelijke lijst voor het eerst zag, werd ik doodsbang.' Iedereen schiet in de lach. Zelfs de gezichten van Courtney en Michelle ontspannen.

'En weet je,' vervolgt Daniel, 'niemand van jullie is verplicht mee te doen. Als je besluit dat dit niets voor jou is, is dat prima. Het enige wat we vragen, áls je besluit om mee te helpen, áls jullie hier volgende week weer terugkomen, is dat jullie je onverdeelde steun geven. We kunnen samen heel veel doen, áls we het samen doen.'

Dan kijkt hij glimlachend de kring rond. Die glimlach is veelzeggend. Er straalt vergeving uit voor diegenen die zich terug willen trekken, aanmoediging voor degenen die het nog niet zeker weten en kameraadschap voor degenen die al hebben besloten om te helpen.

Ik kijk naar Ella. Aan haar brede glimlach zie ik meteen in welke categorie zij en ik vallen. Er is nu geen ontkomen meer aan. Zij is overtuigd, terwijl ik een beetje duizelig ben. Misschien zijn het alleen maar de zenuwen, die vlinders in je buik zoals wanneer je tegelijk opgewonden en ongerust bent. Ik moet wel toegeven dat het wel iets bedwelmends heeft om bij zoiets als dit te worden betrokken. Iets nieuws dat echt een verandering in gang kan zetten. Maar ik heb het gevoel dat het, als ik hierbij betrokken raak, niet zonder gevolgen zal zijn.

En ik krijg ineens een bijzonder beschermend gevoel naar mijn Range Rover toe.

Phoebe

Ik streel de kleine geperforeerde bolletjes in de roze folie en zie dat er nog vijfentwintig pillen over zijn. In de beide andere strips zitten er dertig. Dat betekent dat het nog vijfentachtig dagen duurt voordat ik met Josh naar bed zal gaan. Ik buig me naar mijn nachtkastje toe, maak het open, haal mijn agenda eruit en zoek het jaaroverzicht op.

Ik omcirkel 6 mei, de dag die vanaf dat moment bekend zal staan als 'de dag waarop ik het zal doen'. Dat is de dag waarop hij verwacht dat we het gaan doen, en de kans dat hij dat vergeet is nihil. Nee, nee, nee. Hij kan dan misschien geen fatsoenlijk essay schrijven, maar je kunt er donder op zeggen dat hij de zesde mei al had uitgerekend op het moment dat ik hem vertelde hoeveel pillen ik al had geslikt en hoeveel er in elke strip zitten. Zonder kalender.

Als ik naar het rode cirkeltje om 6 mei kijk, voel ik een vreemd gevoel van opluchting. Het is gewoon ontzettend vermoeiend als je erover na moet denken wanneer je seks zult hebben en met wie. Nu deze beslissing is genomen, heb ik het gevoel dat ik er niet langer over hoef na te denken. Na mijn derde poging ben ik er eindelijk in geslaagd met de pil te beginnen. De eerste keer bleef de pil in mijn keel steken... dat super kleine pilletje! Maar nu, vijf pillen later, ben ik al een ervaren pilslikker.

Ik weet nog dat ik geschokt was toen ik een keer in de krant las dat meisjes van nog maar dertien zitten op te scheppen dat ze al drie of vier partners hebben gehad. Ik vroeg me af wie die jonge tieners waren die zich gedragen als een stelletje konijnen. Die gaan zeker niet naar Philmore High. Van de meisjes die ik ken, zijn er nog maar twee die geen maagd meer zijn: Natalie, omdat ze al meer dan een jaar verkering heeft met Guy, en Rebecca, denk ik. Van Rebecca weet ik het eigenlijk niet eens zeker. Ze heeft nooit echt een vriendje, maar je hoort weleens wat. Er ging een keer het verhaal rond dat ze naar bed ging met een knul van Westbury College met wie ze nog maar twee weken verkering had, maar dat kan ook wel geroddel zijn geweest. Ik probeer er buiten te blijven als haar naam wordt genoemd, want ik bevind me in een lastig parket. Ik ken Rebecca al sinds we allebei een jaar of vijf waren, vanaf dat haar moeder Julia mijn moeder leerde kennen bij hun vriendin Fran. Toen gingen onze moeders regelmatig met elkaar lunchen en zo. We zijn vriendinnen, maar niet echt, als je begrijpt wat ik bedoel. Ze is niet echt mijn type, maar ik heb een bepaald gevoel van loyaliteit naar haar toe. En ik vind Julia echt heel aardig.

Dertien, en zelfs veertien, is echt veel te jong. Maar het probleem is natuurlijk dat je ook niet te lang wilt wachten. Als je het nog niet hebt gedaan als je zeventien bent, dan eh... nou ja, dat zou gênant kunnen zijn. Dus als je er goed over nadenkt, heb je eigenlijk maar een jaar of twee om het goed te doen. En als je in die twee jaar de pech hebt dat je geen leuk vriendje hebt, ben je de pineut.

Ik weet nog dat mama een keer zei dat ze medelijden had met de meisjes van tegenwoordig, omdat ze in zo'n geërotiseerde periode opgroeien. Ze heeft wel gelijk. Seks is echt overal. Je kunt geen tijdschrift openslaan en niet langs een reclameposter lopen of naar een soap kijken zonder dat je iemand ziet vrijen. Je went er wel aan natuurlijk. Om eerlijk te zijn, valt het me niet eens meer op, tenzij zij erover begint. Daarna, zeker een dag of twee, valt het me steeds weer op. Mensen die vrijen. Mensen die praten over vrijen. Mensen die wanhopig graag willen vrijen. Vrijen, vrijen, overal.

Aangemoedigd door mijn plan stop ik een pil in mijn mond. Met een bijzonder slechte timing staat papa opeens in de deuropening. Hij staat daar alsof hij een heel lang gesprek in gedachten heeft. Hij vraagt naar de deadline voor mijn examenvakken en naar school in het algemeen en naar Josh, en al die tijd dwaalt dat pilletje door mijn mond. Gisteren kon ik hem nog zo gemakkelijk doorslikken, maar dit stomme ding wil gewoon niet weg. En ik denk maar steeds: Verdorie, hij weet het. Ik weet wel zeker dat hij het weet, want ik kan niet eens gewoon praten nu die pil aan mijn tong zit vastgeplakt.

'Alles goed me je, Phoebe?' vraagt hij ten slotte.

'Ja. Alleen een beetje een zere keel.'

'Kom eens, laat me er eens naar kijken,' zegt hij en loopt naar me toe. Hij zit altijd in onze keel te kijken op zoek naar de veelbetekenende groene aanslag die erop wijst dat we een keelontsteking hebben waarvoor we onmiddellijk een antibioticumkuur nodig hebben.

'Nee, nee, het is wel goed,' piep ik, een beetje te schel, en ik probeer wanhopig het pilletje met mijn tong tussen mijn gebit en wang te duwen.

'Al goed, al goed,' zegt hij. 'Rustig maar.'

Dan begint hij te lachen en loopt mijn kamer uit.

Wauw, gelukkig maar. Seks is dan misschien wel overal, maar het is veel beter voor iedereen als we gewoon blijven doen alsof dat hier niet het geval is.

Libby

Het leven zit vol verrassingen die op je weg komen als je net denkt dat je in een rustig vaarwater zit. Denk niet dat alles vanzelfsprekend is, fluistert het leven je toe. Blijf opletten.

Neem vandaag. Het ene moment lopen we nog in de zon met onze boodschappentassen te zwaaien en het volgende moment barst Phoebe in tranen uit.

Tot dat moment dacht ik nog dat het een heel fijne dag was geweest. De drie meiden en ik hebben allerlei noodzakelijke aankopen gedaan: een spijkerbroek voor Ella, zomerschoenen voor Phoebe en een zwempak voor Kate. Om halftwee, met alle aankopen in de tasjes en bijna zonder dat er een vervelend woord is gevallen, besluiten we naar de Organic Burger Bar te rijden om te gaan lunchen. Ik leg de laatste tas in de achterbak terwijl de meiden instappen. En dan, net als ik om de auto heen loop, gebeurt het. Ik hoor luid gefluit, kijk op en zie een getaande man met donker haar uit het raam van zijn vrachtwagen hangen en met zijn vieze handpalm tegen zijn portier slaan. 'Hé, schatje! Lekker ding!' roept hij. Hij trekt zijn hoofd naar binnen en begint samen met zijn twee maten die ook in de cabine zitten te lachen.

Het is heel onschuldig en helemaal niet ongewoon. Dat doen vrachtwagenchauffeurs nu eenmaal, altijd. Ik denk er niet echt over na tot ik naar rechts kijk en Phoebe's woedende gezicht zie.

'Mam, ik kan gewoon niet geloven wat er net gebeurde!'

'Wat dan?'

'Mannen die wellustig naar mijn moeder kijken en naar haar fluiten,' zegt ze beschuldigend.

'Phoebe, het stelt niets voor. Dat soort mannen doet dat altijd, tegen iedereen.'

'Ja, maar niet tegen mijn moeder. Daar word ik misselijk van. Echt waar.' Dan leunt ze achterover in haar stoel en vouwt haar armen vol walging over haar borst.   .

'Phoebe, ik heb niets gedaan om hen aan te moedigen. Het gebeurde zomaar.'

Stilte. Totale stilte. Volgens mij weten Kate en Ella niet goed wat ze hiermee aan moeten.

'Phoebe, hoor je me wel? Het is mijn schuld niet en het stelt niets voor.'

Ze kijkt me chagrijnig aan, een dunne sluier voor haar ontreddering.

'Ja hoor... Maar weet je, op zo'n manier wil je niet aan je moeder denken. Zo wil je gewoon niet denken.' Ze wendt haar hoofd af en gaat uit het raampje zitten kijken, haar armen stevig over elkaar, terwijl de vijandigheid uit elke porie druipt.

Het lijkt me niet zinvol om hier nu nog langer over te praten, dus start ik de motor en begin te rijden. Phoebe's ijzige houding verandert niet tijdens de lunch, ook al zit ik luchtig met de andere twee meiden te kletsen. Tegen de tijd dat we thuiskomen, is ze een beetje ontdooid, maar de rest van deze zaterdag blijft er een duidelijke kloof tussen ons bestaan.

's Avonds in bed begin ik me af te vragen of ik misschien toch iets verkeerds heb gedaan. De vraag die me om één uur 's nachts kwelt, terwijl Rob rustig en gelijkmatig ademt als iemand die diep en ontspannen ligt te slapen, is of ik wel een goede moeder ben.

Je kunt jezelf helemaal gek maken door te zoeken naar de definitie van een goede moeder. Ik weet dat. En ik weet ook dat er niet slechts één definitie is van een goede moeder. Maar ik heb wel altijd gedacht dat bepaalde moeders beter zijn dan andere.

Ik herinner me dat Phoebe toen ze nog klein was, een jaar of zes, bevriend raakte met Alice die ze nu al bijna negen jaar kent. Toen ze elkaar op school leerden kennen, was Alice de oudste van drie kinderen. Ze had een zusje van vier en een broertje van achttien maanden. Haar moeder, Christine, zat volgens mij ongeveer in dezelfde situatie als ik, met drie kinderen onder de zes. We hadden een jachtig leven: naar de supermarkt met twee of drie humeurige kinderen in het winkelwagentje of de oudste van school halen met twee vermoeide en slecht gehumeurde peuters aan de hand. Maar Christine kwam altijd nog drukker en gejaagder over, en daar maakte ik me zorgen over. Ze vergat altijd ergens naartoe te gaan, vergat terug te bellen. Ze kon aanbieden om een ander kind na schooltijd mee naar huis te nemen, maar dan vergat ze dat en liet het kind op school achter. Alice ontbrak vaak op verjaardagsfeestjes, omdat Christine het domweg was vergeten of het niet voor elkaar kreeg om er op tijd te zijn. En áls ze al kwam, dan was ze te laat en had ze geen cadeautje bij zich.

Toen gebeurden er twee dingen waardoor ik voor mezelf besloot dat Christine geen goede moeder was. Ze liet haar middelste kind Jemima een keer buiten bij de apotheek wachten en ging zelf naar binnen. Toen ze weer buiten kwam, was de wandelwagen verdwenen. Iemand vertelde me dat ze vijf minuten lang als een waanzinnige naar Jemima had lopen zoeken, tot het kind werd teruggebracht door de gekke oude vent met een klitterige grijze baard en smerige broek die altijd op straat rondhangt met een aantal winkeltasjes en een haveloze fiets. Hij had besloten dat hij een eindje met haar wilde wandelen, maar bracht haar vijf minuten later alweer terug omdat hij er niet tegen kon dat ze de hele tijd lag te huilen. Uiteindelijk was ze veilig en gezond, en er was haar niets overkomen. Maar dat had heel goed anders kunnen uitpakken.

Een paar maanden later reed ik door Richmond en zag een vrouw met kleine kinderen de straat vlak bij het zwembad oversteken. Van een afstandje van ongeveer honderd meter zag ik een van de kinderen de straat op rennen. Hij probeerde in de laadbak van een voorbijrijdende vrachtauto te springen, maar viel gillend op straat. En ik wist, zelfs nog voordat ik bij hen was, dat Christine de moeder was en het kind James, Alice' jonge broertje. Toen ik naast haar stond en haar papieren zakdoekjes gaf om tegen James' bloedende voorhoofd te drukken, dacht ik: Deze vrouw is geen goede moeder. Zij weet niet dat je, als je met een klein kind wilt oversteken, hem zo stevig bij de hand moet nemen dat je het bloed door zijn aderen voelt stromen. Zij weet niet hoe ze haar kinderen veiligheid moet schenken.

Ik vond haar aardig, maar besloot ter plekke dat ik Phoebe nooit en te nimmer onder haar hoede zou laten, tenzij de situatie absoluut veilig en voorspelbaar was. Even bij haar thuis spelen was prima, maar vrijwel elke andere optie niet. Geen uitstapjes naar het zwembad of de speeltuin tenzij ik mee kon gaan, geen enkele keer haar aanbod om Phoebe van school te halen accepteren. Toen de meisjes ouder werden en een keer bij elkaar wilden slapen, regelde ik het altijd zo dat het bij mij thuis gebeurde. Alice en Phoebe zijn nog altijd goede vriendinnen, en Christine en ik kunnen het best met elkaar vinden. Volgens mij heeft niemand ooit gemerkt hoe ik alles plande en als dat wel zo is, hebben ze er nooit iets over gezegd.

Sinds kort, nu Phoebe ouder is en voor zichzelf kan zorgen, kan ik me wat dat betreft ontspannen. Nu mag ze vaker naar Alice toe en daar ook blijven slapen. Maar er gaat nog altijd een onrustig gevoel door me heen als ik zeg dat ik het goed vind dat Phoebe naar haar toe gaat. Ik blijf me zorgen maken tot ze weer thuis is.

Ik wil een moeder zijn die weet hoe ze haar kinderen veiligheid kan bieden. Maar behalve dat heb ik het gevoel dat de basisregels behoorlijk vaag zijn. Er zijn zo veel regels, zo ontzettend veel dat je er gek van kunt worden. De afgelopen vijftien jaar heb ik in gedachten een steeds langer wordend doe-lijstje bijgehouden van de dingen waar ik op moet letten om ervoor te zorgen dat de kinderen gezond en gelukkig zijn en hun capaciteiten ontwikkelen. Inmiddels is die lijst een soort monster, met te veel tentakels. Mijn goede voornemens zijn compleet uit de hand gelopen. Er staan bijvoorbeeld dit soort dingen op, in willekeurige volgorde:

Vitaminen en supplementen: C tegen verkoudheid, omega-3 voor de hersenen, kalk voor de botten. O, maar hoe zit het met kankerverwekkende chemische stoffen in visolie? Zoek iets anders waar omega-3 in zit.

Niet te veel tv-kijken. Gemiddeld kind kijkt vier uur per dag. Echt? Hoe hebben ze daar tijd voor? Wat is nog acceptabel? Telt het nieuws ook mee? (Zouden ze eigenlijk wel naar het nieuws moeten kijken, elke avond al dat geweld, seks, dood en oneerlijkheid?)

Veel slapen. Kinderen lijden tegenwoordig kennelijk aan chronische vermoeidheid. Ze slapen tweeënhalf uur minder dan twintig jaar geleden. Wat moet je doen als je jonge tiener verslaafd is aan twee soaps die pas om elf uur 's avonds afgelopen zijn? Wat moet je doen als je tiener nog uren nadat het licht is uitgedaan naar haar iPod ligt te luisteren?

Pas op met gewelddadige computerspelletjes. Vooral dat spel dat prijzen weggeeft voor gestolen auto's en het doodschieten van onschuldige omstanders. Wat moet je doen als de ouders van een vriendinnetje de complete set van het computerspel 'Nachtelijke moordenaar' hebben gekocht en vinden dat ouderlijk toezicht benauwend en onnodig is? Wat moet je doen als de ouders van een vriendinnetje de complete set van het computerspel 'Nachtelijke moordenaar' hebben gekocht terwijl ze geen idee hebben wat het spel behelst?

Lichaamsbeweging: kinderen moeten elke dag ten minste een halfuur bewegen. Telt dansen in de keuken met een koptelefoon op ook mee?

Water! Dacht dat dit vooral belangrijk was voor volwassenen die hun huid elastisch willen houden, maar nee. Het schijnt zo te zijn dat kinderen elke dag ten minste een halve liter nodig hebben zodat hun hersens goed kunnen functioneren.

De 'vijf per dag'-regel. Elke dag vijf porties fruit of groente, want anders doen kinderen het niet goed op school, groeien niet, krijgen kanker. Patat telt niet mee, zelfs niet de luxe soort met heel veel aardappel erin. Hoe zit het met bonen uit blik?

Minder suiker. Veroorzaakt te veel en te weinig energie, slecht presteren op school en een angstaanjagend slecht humeur.

Maaltijden in het algemeen: zorg ervoor dat je vrijwel elke avond samen eet. (Is vier avonden per week een goede richtlijn?) Het gezin dat samen eet, blijft samen. Kinderen zullen afschuwelijke tafelmanieren krijgen als ze elke avond alleen mogen eten of voor de tv.

Complimentjes maken. Zonder complimentjes zullen kinderen geen gevoel van eigenwaarde ontwikkelen, wat waarschijnlijk weer leidt tot anorexia en/of drugsverslaving.

Nu we het toch over eigenwaarde hebben, je kind zal dat eerder hebben als hij een sport of hobby doet die hij leuk vindt. Een kind zonder interesses of dat niets presteert, zal al snel aan de drugs gaan en opstandig worden. Moet Phoebe zover krijgen dat ze iets nuttigs gaat doen.

Seks: je kunt het je niet permitteren om hierover te zwijgen. Je kinderen moeten zijn gewapend met zo veel mogelijk informatie om hen te beschermen tegen een stuk of tien soa's, tienerzwangerschap en aids, die stuk voor stuk een leven kunnen verwoesten of er een einde aan kunnen maken. Maar kom alsjeblieft niet op de proppen met die onzin over dat ze ermee moeten wachten tot ze zijn getrouwd, omdat inmiddels is bewezen dat mensen die voor hun trouwen niet aan seks doen, er uiteindelijk altijd vandoor gaan met iemand anders.

Er staan zo ontzettend veel dingen op de mentale lijst van een moeder, met daarnaast ook nog eens de dagelijkse beslommeringen zoals ervoor zorgen dat iedereen te eten krijgt, onder de douche gaat, zich aankleedt, op tijd naar school gaat en zijn huiswerk maakt, dat je alle punten onmogelijk kunt onthouden, laat staan uitvoeren. Ik zeg tegen mezelf dat een goede moeder iemand is die ervoor zorgt dat haar kinderen veilig zijn en die elke dag ten minste drie punten op de actielijst kan afvinken.

Maar zou een moeder een autonome persoon moeten zijn? Die vraag kwelt me, nu ik hier in het donker lig. En zou een moeder de soort autonome persoon moeten zijn die de ongewenste aandacht trekt van vreemde mannen in passerende vrachtwagens? Of degene die er op de afgesproken dag niet in slaagt noodzakelijke dingen te kopen bij de supermarkt of de boekhandel? Ik kan geen antwoord geven op deze vragen. Maar volgens mij heeft Mevrouw alle antwoorden al wel bedacht. Om de een of andere reden heeft ze in haar hoofd dat slechts één van ons een persoon kan zijn, en dat ik dat niet behoor te zijn.

Phoebe

Al zolang ik me kan herinneren, wil mama altijd heel graag dat we met z'n allen eten, het liefst vier keer per week. Dat heeft ze echt gezegd, alsof vier een heilig getal is of zo. Maar als je het mij vraagt, kun je iedereen veel beter z'n eigen gang laten gaan. Laat iedereen eten als diegene er zin in heeft en indien gewenst in verschillende vertrekken. Vanavond is duidelijk zo'n avond. De maaltijd is één lange discussie, elk nieuw gespreksonderwerp duwt ons weer terug op die gloeiende laag kooltjes waar we net veilig van af zijn gesprongen.

Het begint allemaal nogal onschuldig, op wat gemopper na over wiens beurt het is om de tafel te dekken. De eerste aanwijzing voor de komende problemen is het moment dat Ella de kip op haar bord opzij schuift.

'Ella, wat is er mis met de kip?' vraagt mam en ze zucht zoals alleen zij dat kan.

'Ik eet geen kip,' antwoordt Ella.

'Sinds wanneer niet?' vraagt Kate, met haar mond vol kip en aardappelpuree. Een onsmakelijk gezicht en ik kijk de andere kant op.

'Sinds ik heb besloten een echte vegetariër te worden.'

'Ella, je hebt altijd kip gegeten. Daarom heb ik het vanavond ook gemaakt. Ik dacht dat het gezellig zou zijn als we nu eindelijk eens een keertje allemaal hetzelfde zouden eten en ik niet allemaal verschillende gerechten hoef klaar te maken. Eet het alsjeblieft op.'

'Nee. Je kunt me niet dwingen om vlees te eten, mam. Dat is niet eerlijk.'

Mam verstopt haar gezicht in haar handen.

'Laat maar, Lib. Het is de moeite niet waard. Ze moet later maar een boterham eten,' zegt papa.

Maar de kip blijkt alleen maar het begin te zijn. Het volgende punt op de agenda ben ik.

'Waar wilde meneer Franklin vandaag over praten?' vraagt Kate.

'Hoe weet jij dat meneer Franklin met me wilde praten?' vraag ik, en ik kijk haar boos aan.

'Dat vertelde Amy. Ze was in het kantoor toen meneer Franklin je op de gang aansprak.'

'Wat was er, Phoebs?'

O, geweldig, denk ik. Nu papa zich ermee bemoeit, kan ik er niet meer onderuit.

'O, niks. Niets bijzonders, hoor.'

'Kom op, Phoebe, meneer Franklin hoeft niet met je te praten als er niets aan de hand is. Vertel op,' zegt mama. Ze legt haar vork neer en laat haar kin op haar handen rusten. Nu kijken acht ogen me vol verwachting aan. Kate en Ella genieten! Ze zijn dol op elk mogelijk schandaal, zolang zij er maar niet middenin zitten.

'Nou, als jullie het echt willen weten, wilde hij het over mijn inzet hebben. Hij zei dat ik heel slim ben, maar me niet genoeg inspan. Maar dat is onzin.'

'Wat denk je dat hij daarmee bedoelt?' vraagt mama en ik denk: begint ze weer met haar kletspraatjes uit zo'n opvoedboek. 'Stel je kind een open, niet bedreigende vraag in plaats van het te beschuldigen, dan is de kans groter dat je een eerlijk antwoord krijgt.' Een citaat uit een stukgelezen boekje dat ik twee jaar terug op mama's nachtkastje vond.

'Hoe moet ik verdorie weten wat hij daarmee bedoelt? Hoe dan ook, het is niet waar. Het is wel zo dat ik de vakken die ik nu heb saai vind en misschien besteed ik er niet zoveel tijd aan als zou kunnen, maar het gaat heel goed. Ik krijg nog steeds betere cijfers dan de helft van de klas.'

Nu laat ook papa zijn kin op zijn handen rusten. Ik bereid me voor op een preek en zie dat Kate bijna ongemerkt begint te grijnzen.

'Phoebe, meneer Franklin heeft gelijk. Je bent een bijzonder slimme meid en als hij denkt dat je het beter kunt doen, als hij denkt dat je nog beter je best zou kunnen doen, dan zou ik daar maar naar luisteren als ik jou was. Het komt juist doordat je slim bent dat hij meer van je verwacht. Hij wil dat je gebruikmaakt van je mogelijkheden. Dat willen we allemaal trouwens. Het is niet de bedoeling dat je er gewoon maar een beetje op los leeft.'

Grappig. Dat is bijna woordelijk wat meneer Franklin zei. Hij zei ook dat een leuk smoeltje en een goede afkomst niet genoeg waren voor een geweldig leven, zoals ik wel kennelijk dacht, en dat ik net als ieder ander hard zou moeten werken om iets van mijn leven te maken. Maar dat ga ik hun niet vertellen. Ze zouden het alleen maar beamen.

'Nou, als hij wil dat ik me meer interesseer voor die vakken, dan moet hij zijn docenten maar vertellen dat ze de stof wat interessanter moeten maken. En trouwens, waarom valt hij mij daarmee lastig? Ik was het niet die laatst een zes had voor dat dictee.'

'Dat is niet eerlijk!' roept Kate. 'Ik was ziek toen we dat rijtje woorden op kregen! Ik had niet geleerd!'

En zo gaat het maar door. Tegen de tijd dat we allemaal een vinnige opmerking hebben gemaakt, lijkt het wel alsof we allemaal zijn vergeten waarom we met z'n allen aan tafel zitten. Ik zie wel dat mama echt heel moe is. Misschien heeft ze er wel spijt van dat we samen aan tafel zitten te eten terwijl we het liefst met een bord op schoot voor de tv hadden gezeten.

'Hoe dan ook, Lib,' zegt papa, en hij schraapt de laatste aardappelpuree van zijn bord, 'Phil Baker van de Optometrievereniging heeft ons uitgenodigd om bij hem aan tafel te zitten tijdens het liefdadigheidsdiner voor het Optische Onderzoeksfonds. En volgens mij zou het goed zijn als we gingen. Ik zou graag bij een van hun projecten betrokken willen worden en dit kan mijn kansen alleen maar vergroten. Wat vind je ervan?'

Mama kijkt naar Ella en zegt dan: 'Ik kan niet. Woensdagavond is Earthwatch-avond. Weet je nog?'

'Maar toch zeker niet elke woensdag? Ze betalen je er toch niet voor of zo? Dan kun je best een keertje niet gaan.'

'Natuurlijk zou dat wel kunnen, maar waarom zou je je ergens voor inzetten als je het niet serieus neemt?'

Nu is papa geïrriteerd. 'Vertel het me nog eens. Waarom doe je dit ook alweer? Is het echt zo belangrijk?'

'Ja, dat vraag ik me eigenlijk ook af,' meng ik me in het gesprek. Ik heb erover nagedacht. Ik heb een keer samen met Peaches Geldof een programma gezien over een stelletje tieners dat de helft van het schooljaar bezig was in de bossen van Sussex zwerfvuil op te ruimen, en ik weet nog dat ik dacht: Wat zielig zeg! Peaches zei dat ze vond dat tieners zich druk moesten maken over jongens en kleren en pret maken in plaats van afval op te rapen, en ik was het eigenlijk wel met haar eens. Ik weet niet zo goed waar een vrouw van middelbare leeftijd met drie kinderen en een huis om voor te zorgen zich druk over moet maken, maar niet over afval, dát weet ik wel.

Ik kijk naar mama. Ze trekt een gek gezicht, en ze kijkt van papa naar Ella en terug alsof ze hem iets duidelijk wil maken zonder dat Ella het merkt. Ella merkt het voordat papa het merkt. Dan ziet mama dat Ella het heeft gezien en ontploft.

'Waarom ik dit doe? Waarom ik dit doe?' schreeuwt ze. Ze leunt achterover in haar stoel en slaat haar armen over elkaar.

'We doen het samen, papa,' zegt Ella op dat lieve, nonchalante toontje van haar, alsof dat alles duidelijk maakt.

'Dat klopt. Ik doe dit omdat onze dochter zich echt zorgen maakt over de wereld waar ze in opgroeit en omdat ik dacht dat het goed zou zijn, voor haar én voor mij, als ik daar iets constructiefs aan kon doen. En trouwens,' zegt mama, behoorlijk nijdig zoals je haar niet vaak ziet, 'sinds wanneer is het een misdaad als ik iets doe wat ik wil doen, of jij het nu een goed plan vindt of niet? Sinds wanneer is het een misdaad als ik het druk heb? Als ik een paar uur in de week geen tijd heb om dat te doen wat jullie willen dat ik doe?'

'Oké, wind je niet zo op. Ga maar naar je bijeenkomst. Dan ga ik wel alleen naar dat diner,' zegt papa verontwaardigd. Hij staat op en brengt zijn bord naar het aanrecht. 'Als jij liever een avond zit te navelstaren met een stelletje Greenpeace-achtige lui in plaats van je mooi te maken en samen met je man een mooie avond te hebben, moet je dat zelf maar weten.'

'Ja, zo is het,' zegt mama, en ze kijkt met een strakke blik naar de onaangestoken kaars die midden op tafel staat.

Zo gaat dat dus. Een avond met het gezin om de onderlinge banden wat aan te halen. Papa stormt naar de woonkamer en gaat de krant lezen. Kate en Ella glijden van hun stoel en mompelen iets over huiswerk, en ik ga naar boven om Alice op te bellen. En zodoende zit alleen mama nog aan tafel, met haar schouders woedend opgetrokken.

En alle borden en pannen staan nog in de gootsteen.

Libby

Fran heeft iemand leren kennen. Na zes jaar keihard werken, haar huishouden doen en boekenclubs met alleen maar vrouwen, leert ze opeens een man kennen. Het lijkt wel alsof hij uit het niets is opgedoken. Ze heeft hem niet via internet ontmoet, maar in een internetcafé. Ze was daar omdat haar laptop het had begeven en ze een paar dringende e-mails moest versturen. Daar zaten ze beiden te wachten tot er een computer vrijkwam en zo raakten ze aan de praat. Ze stelde het versturen van haar e-mails zo lang mogelijk uit, zodat ze tegelijk met hem het café kon verlaten en wachtte toen zogenaamd per ongeluk tegelijk met hem bij de kassa. Ongelooflijk, hij vroeg haar of ze zin had om in de koffiebar ernaast met hem een kopje koffie te gaan drinken. Hij heet Paul Carson en is leraar.

'En hij is,' zegt ze met een samenzweerderig giecheltje als ze me de dag daarna opbelt, 'nog maar zesendertig. Ik zie hem vanavond weer. De kinderen vinden het niet zo leuk dat ik op stap ga met een man die niet hun vader is, zelfs na al die jaren niet. Nou ja, Freddie in elk geval niet. Maar hij zal er wel aan wennen. Ik denk weleens dat je gewoon tegen je kinderen moet zeggen dat ze kunnen opvliegen.'

Opvliegen, opvliegen, opvliegen, herhaal ik in gedachten als ik naar papa's huis rijd. Ik ga naar die bijeenkomst, of ze dat nou leuk vinden of niet. Waar haalt Robbie het lef vandaan om er maar van uit te gaan dat ik altijd beschikbaar ben.

Deze week ga ik liever op woensdag dan op dinsdag. (Dinsdag was papa uitgenodigd voor een lunch bij de padvinders.) Behalve het gewone gedoe thuis en de urenlange martelende conversatie die ik hier zoals altijd heb ondergaan, raak ik nog meer geïrriteerd doordat ik als ik wil vertrekken per ongeluk de autosleutels in de achterbak van de auto opsluit. Ik leg de sleutels daar even neer terwijl ik controleer of mijn mobiel wel in mijn handtas zit. Dan draai ik me even om, één seconde maar, en duwt een enorme windvlaag de achterdeur dicht. Vol afgrijzen hoor ik dat het automatische deurslot dicht klikt door de kracht waarmee de deur dicht waait. Op datzelfde moment realiseer ik me al dat het een ramp is, maar de Wegenwacht bevestigt nog eens dat het echt een grote ramp is.

'Jeetje,' zegt de man van de ww en hij fluit even. 'De sloten op die Range Rovers zijn ongeveer zo veilig als maar kan. En er is geen ontgrendelknopje of zoiets, wat een beetje onhandig is als je het mij vraagt.'

En dus wacht ik drie kwartier op iemand van de Wegenwacht die Pete heet en nog een uur terwijl hij probeert de achterbak open te maken met behulp van allerlei scherp gereedschap. Papa, die irritant achter Pete heen en weer schuifelt, vraagt me voor de zevende keer of ik de handleiding wel heb gelezen om te kijken of er geen handiger manier is. Als Pete eenmaal klaar is, rijd ik nog eens een uur in een tergend traag tempo over de snelweg langs een rij oranje pionnetjes die suggereren dat er aan de weg wordt gewerkt. Het resultaat is dat ik bijna twee uur later thuiskom dan normaal. Daardoor is er geen tijd meer om net als vorige week voor iedereen een uitgebreide instructie te schrijven. Snel maak ik een ovenschotel met kip klaar die ik op de oven zet met op de folie een heel kort briefje geplakt: *30 minuten, 180 graden.* Dan haal ik snel Ella op bij Lilly (met de auto; ik weet het, dat is eigenlijk onvergeeflijk) en dan rijden we naar de bibliotheek.

Ik had me afgevraagd of Ella's enthousiasme al zou zijn verminderd, en of ze al tegen de woensdagavondverplichting zou opzien (waardoor we immers vrijwel zeker te laat thuis zullen zijn om naar *What Not to Wear* te kijken, een favoriet programma bij ons thuis), maar ze heeft er heel veel zin in. Ik ben een beetje zenuwachtig én heel nieuwsgierig. Ik vraag me af wie er deze week zullen zijn. Ik ga ervan uit dat een paar mensen niet meer zullen komen. Ach, wie kan het hen kwalijk nemen? Niet iedereen vindt het leuk, al dat georganiseer en gedoe en zo. Ik weet niet eens zeker of het mijn ding wel is, maar ik heb nu gewoon een ding nodig, wat voor ding dan ook, en hier moet ik het dus maar mee doen.

Als we aan komen rijden, zie ik Eloise op de trap en ik merk dat ik het fijn vind om haar te zien. Ze lijkt aardig, en interessant. In gedachten ga ik iedereen nog eens langs en ik vraag me af wie ik liever níet terug zou willen zien. Ik weet dat ik alleen op het uiterlijk afga als ik meteen aan Michelle en Courtney denk. Dan denk ik aan Barry. Breedsprakige, overijverige, serieuze Barry met zijn praktische gezondheidssandalen. Gek genoeg denk ik dat het heel jammer zou zijn als hij er niet is.

'Hallo, Libby, Ella. Geweldig dat we jullie de vorige keer niet hebben afgeschrikt!' hoor ik achter me iemand zeggen. Ik draai me om en zie Daniel met twee treden tegelijk de trap op komen om ons in te halen. Met een warme glimlach houdt hij de deur voor ons open en duwt ons bijna naar binnen. Hij duwt de band van zijn rugzak hoger op zijn schouder.

'O, maar wij laten ons niet zo gauw afschrikken, hoor,' zeg ik en ik glimlach terug. Ik zie dat hij een littekentje op zijn jukbeen heeft, vlak onder zijn rechteroog, en ik voel de vreemde drang het even aan te raken.

'Prima, want ik ben laat zoals je ziet en ik heb ergens hulp bij nodig.'

Dat 'iets' is het naar de wachtkamer slepen van twee enorme dozen vol boeken die naast de balie staan. Als we de eerste doos door de deuropening duwen (Daniel aan de ene kant die het grootste gewicht zeult en Ella en ik aan de andere kant), zetten anderen de stoelen alvast in een halve cirkel. Ik kan niet goed zien hoeveel mensen er zijn, er is te veel drukte. Ik zie een paar bekende gezichten en probeer me hun namen te herinneren met behulp van de geheugensteuntjes die ik de vorige keer heb bedacht. Trouwe Phyllis, Lieve Lynette, Elegante Eloise, Ron de Vogelman. Ik voel me schuldig over Saaie Barry en spreek met mezelf af dat ik een ander woord voor hem zal verzinnen. De man zelf zit al vlak bij de flip-over naast Daisy Hancock. Ze dragen hetzelfde soort schoeisel.

Als de tweede boekendoos ook tegen de muur staat, loopt Daniel doelbewust naar voren en laat ondertussen zijn versleten bruine leren jas en rugzak vallen. Hij gaat met zijn handen op de heupen naast de flip-over staan en schudt zijn hoofd. 'Nou, ik kan wel zien dat jullie me helemaal niet nodig hebben om alles klaar te zetten. Misschien kan ik maar beter vertrekken, dan kunnen jullie je gang gaan.'

'Ze leren snel,' knikt Barry.

'Ja, dat zie ik. Kom, ik zal je even helpen,' zegt Daniel en hij loopt naar Julia Harding die een stoel van de wankele stapel tegen de muur probeert te tillen. De man is gewoon een dynamo, zoals hij de trap op springt, moeiteloos een ruimte doorkruist, de wanhopige directrice te hulp schiet als ze door een stapel stoelen wordt bedreigd.

Zodra we allemaal zitten, kan ik gemakkelijker zien wie er zijn. Marcie Gibbons en haar vriendin Carole zijn er, maar Shelly van de Rijksdienst voor het Wegverkeer niet. De vriendin van Phyllis, Nancy, is er (ongetwijfeld onder dwang van Phyllis), net als David Peabody, de dierenarts. Lynette, in een strakke witte polyester jurk met in groene letters ECHTE SCHOONHEID op een van haar borsten geborduurd, zit links van Daniel. Net als ik denk dat ze niet meer zullen komen, sluipen Courtney en Michelle binnen met een blikje cola en kauwend op kaas-ui-chips die je al op twintig stappen afstand kunt ruiken.

Er ontbreekt nog één iemand die er de vorige keer wel was. Wie was dat ook alweer? O ja, meneer M&S, maar die komt net met een verontschuldigend knikje binnenlopen. Hij probeert zo zachtjes mogelijk een stoel voor zichzelf te pakken.

Toch ontbreekt er nog iemand. Derek, de wijze bebaarde man. Alsof hij voelt dat ik aan hem denk, geeft Daniel een verklaring.

'Hallo, allemaal. Goed dat jullie er zijn. Ik ben vanavond de enige van Earthwatch, maar vanaf nu zal dat meestal zo zijn. Derek is landelijk groepsleider en reist dus heel veel.'

Zo, Daniel heeft nu dus de leiding. Hij kan niet ouder zijn dan zeven- of achtentwintig. Denken ze nou echt dat hij deze groep in beweging krijgt, dit malle groepje milieubewuste lui tussen de zestien en de tachtig, met even weinig ervaring als een peuterklasje?

'Aha!' roept Daniel uit, en hij kijkt naar de twee tienerjongens die verlegen hun hoofd om de deur steken. 'Kom binnen, jongens!'

De jongens kuieren naar Daniel, die een arm om hen heen slaat. Ze glimlachen aarzelend naar ons.

'Dit hier is Harry', zegt Daniel en wijst naar de kleinste, donkerste jongen die een bril draagt. 'En dit is Gabriel.' Gabriel kijkt ons aan vanonder zijn golvende, blonde haar. Zijn neus zit vol sproeten. 'Deze twee goede jongens heb ik leren kennen toen ik vorige week een praatje hield op hun school. Ik heb hen het mes op de keel moeten zetten voordat ze beloofden onze groep te komen versterken', zegt Daniel. 'Ze zijn op school ook al heel actief met milieuprojecten bezig en daarom ben ik ervan overtuigd dat ze een goede aanwinst zullen zijn. Gabriel hier was lid van de groep die een halfjaar lang zwerfvuil in Sussex heeft opgeruimd. Die documentaire heb je misschien wel op tv gezien. Pak een stoel, jongens. Hier, vlak naast Libby lijkt een goed plekje.'

Ik schuif mijn stoel dichter naar David Peabody om ruimte te maken voor de jongens. Gabriel prikt een gat in mijn voet met de poot van zijn stoel als hij naast me gaat zitten, maar ik gil niet omdat hij er toch al zo onzeker uitziet.

Dan is Daniel weg. Hij haalt drie boeken uit de dozen die we naar de vergaderzaal hebben gesleept en hij bladert ze snel even door. We mogen ze met korting van Earthwatch kopen. Er is een roze boek, *Spaar geld en spaar de aarde*, een citroengeel boek, *Een ethisch leven* (maar dat klinkt niet goed, vind ik), en een derde, kleiner boek met verschillende tinten groen op de omslag, getiteld *De aarzelende milieubeschermer*.

'Weet je', zegt Daniel verontschuldigend, 'ik heb er de pest aan om dit te doen, je het gevoel geven dat je weer op school zit. Maar het zou geweldig zijn als we drie groepjes kunnen vormen en per groepje één boek bekijken. Dan kunnen we onderling even praten over bepaalde ideeën die erin staan en daarna kunnen we de andere groepjes erover vertellen. En als jullie die boeken deze week dan thuis gaan lezen, kunnen we er de volgende keer uitgebreid over praten. Goed idee?'

We knikken, best wel enthousiast.

Gelukkig krijgt mijn groepje (bestaande uit Gabriel, David Peabody, Eloise, Michelle, Phyllis, Ella en ik) het boek *De aarzelende milieubeschermer* dat er leesbaarder uitziet dan de beide andere boeken. Het staat boordevol cartoons en helder gekleurde kaders met prachtige, begrijpelijke kreten als *Maak je badkamer milieu-vriendelijker!* en *Let op dat afval!* Ik weet zeker dat Daniel het zo heeft gepland, om het wat gemakkelijk te maken voor Ella. Ze slaat haar boek meteen open en begint met een ernstig gezicht te lezen.

We spreken af dat we het boek eerst twintig minuten gaan door-bladeren, zodat we in elk geval enig idee hebben waar het over gaat voordat we erover gaan praten. Als we met ons zessen in een krin-getje ons boek doorbladeren, wordt de stilte alleen af en toe door-broken door gehijg (misschien door de ontdekking dat het gif in ons huis gevaarlijker is dan het gif buiten?) of een plotselinge uiting van vrolijke verrassing (misschien de onthulling dat linnen lakens niet alleen de luxere optie zijn, maar ook veel milieuvriendelijker).

Ik hijg ook een paar keer, nogal verbaasd over de hoeveelheid dingen waar je over na moet denken. Toen ik de laatste keer over dit soort zaken nadacht, meer dan vijftien jaar geleden, was het voldoende als je je zorgen maakte over de olievervuiling door weer-spannige olietankers of door de lage recyclingpercentages in lande-lijke gebieden. Nu lijkt het wel alsof dat soort zaken slechts het topje van de ijsberg van milieubewustzijn uitmaakt, en ik me evengoed zorgen moet maken omdat ik de verkeerde koffie drink (van bonen die in de zon groeien in plaats van onder een afdak van bomen) en thuis in een originele oven moet koken (in plaats van met een energiezuinige magnetron). Ik weet niet of ik dit wel kan, denk ik.

'Ik vind dit allemaal heel erg eng,' zegt Michelle ten slotte. Ze knikt als om haar woorden te benadrukken en heeft haar kauw-gum tussen haar beide voortanden geplakt. 'Het lijkt wel alsof er staat dat we met alles wat we doen het milieu vernietigen, vanaf het moment dat we opstaan. Waar moeten we verdorie beginnen? Sorry, ik bedoel, waar gaan we beginnen?'

Ella heeft zitten kijken en luisteren, en de reacties van de ande-ren in zich opgenomen. Aangemoedigd door de uitbarsting van Michelle besluit ze ook een duit in het zakje te doen.

'Ik wist al dat het heel eng was. Dat zei ik toch al, mam? Ik heb allemaal krantenartikelen over deze onderwerpen verzameld. Maar nu... ik weet niet... ben ik niet meer zo bang. In dit boek staan tenminste allerlei suggesties.' Ze houdt haar boek omhoog dat is geopend bij een bladzijde met milieuvriendelijke badkamers. 'Hier staat dat we, als we een douche nemen in plaats van een bad, meer dan tien keer minder water verbruiken. Dat is heel gemakkelijk. En ik heb toch al een hekel aan een bad.'

Daniel duikt achter haar op als ze met een triomfantelijke zucht weer achteroverleunt. Ik zou maar een heel klein beetje overdrijven als ik zou zeggen dat ik nog niet eerder zo dankbaar ben geweest dat er iemand aan kwam. Ella heeft er misschien minder last van, maar de anderen zijn helemaal overweldigd. Iemand moet ons een antwoord geven, een strategie, een route door het moeras.

'Ik neem aan dat jullie allemaal een beetje overweldigd zijn,' zegt hij tegen ons zessen. Op dit moment lijken we wel een groepje porseleinen hondjes met van die losse, bewegende kopjes bij iemand op de schoorsteenmantel.

'Maak je er nu nog maar niet al te druk over. Waarom proberen jullie geen samenvatting te maken van wat er in dit boek staat, dan kunnen jullie over een paar minuten aan de anderen vertellen waar het over gaat. Oké?'

Als de hele groep weer bij elkaar zit, wordt al snel duidelijk dat iedereen het gevoel heeft dat de taak te groot is voor ons.

Ook de groepjes *Spaar geld en spaar de aarde* en *Een ethisch leven* zien er ontmoedigd uit. Hierna volgt een discussie van een uur over alle gruwelijkheden waar we opeens aan zijn blootgesteld. Shelly maakt zich vooral druk over de giftige plekken in huis, terwijl Daisy er maar niet over uit kan dat er zoiets bestaat als een milieuvriendelijk graf en dat haar man niet in zoiets is begraven. Lynette houdt de bladzijden over chemische vervuiling omhoog en vraagt zich af of ze haar schoonheidssalon niet onmiddellijk moet sluiten. Als de bijeenkomst eindelijk wordt afgebroken, heb ik hoofdpijn. Aan Phyllis te zien, zij ook. De enigen die de ruimte zo te zien opgewekt verlaten, zijn Ella en Barry, en dat had ik misschien wel kunnen weten. Dat is het, denk ik als ik hem weg zie lopen: Opgewekte Barry.

Ella gaat even naar het toilet en ik til mijn stoel op de stapel tegen de muur en haal dan mijn spijkerjasje uit mijn tas. Ik trek het aan en ben nog steeds een beetje wazig, en dus zie ik niet dat Daniel van opzij naar me toe komt. Ik spring op als hij zijn hand op mijn schouder legt.

'En, hebben we je al afgeschrikt?' vraagt hij, met een glimlach die bijna troostend is.

'Wat? O. Nee, dat denk ik niet. Ik ben een taaie, hoor,' zeg ik, maar eigenlijk wil ik het liefst terug naar mijn huis met giftige schoonmaakmiddelen, uitpuilende prullenmanden en uiteenlopende bewijzen van ongeremd consumentisme en net doen alsof ik *De aarzelende milieubeschermer* nog nooit heb ingezien.

'Goed zo,' zegt hij. 'Ik dacht al dat je iemand bent die van aanpakken weet. Laat je niet ontmoedigen door wat er allemaal in dat boek staat. We kunnen heel veel doen zonder ongelooflijk te lijden.'

'O ja, dat denk ik ook,' zeg ik en probeer net zo welwillend optimistisch te kijken als hij en echt iemand te zíjn die van aanpakken weet.

'Geweldig. Tot volgende week dan.' Hij geeft me even een kneepje in mijn schouder. Dan doet hij zijn rugzak om en loopt naar de dubbele deuren. Als hij er bijna is, draait hij zich naar me om: 'Hé, bedankt nog voor je hulp met die dozen!' Dan is hij verdwenen.

'Graag gedaan,' zeg ik tegen niemand.

Ik hang mijn tas aan mijn schouder en loop naar de deuren. Ik voel een warm plekje op mijn schouder, precies daar waar hij me heeft aangeraakt.

Ik heb altijd wel geweten dat Ella vastberaden is, maar haar vastbeslotenheid kent geen grenzen in de week na de tweede bijeenkomst. Op vrijdag heeft ze *De aarzelende milieubeschermer* al helemaal uit. Als ze ontdekt dat ik het eerste hoofdstuk nog niet eens heb gelezen, fronst ze haar wenkbrauwen en perst haar lippen op elkaar. Dan licht haar gezicht op en zegt ze: 'Ik weet het. Als jij het zo druk hebt, kan ik wel een uittreksel voor je maken. Wil je dat?'

Zo'n aanbod kun je natuurlijk niet afslaan. 'Geweldig. Dat zou ik heel fijn vinden,' zeg ik en ik ga verder met het fijn hakken van rode paprika's voor een roerbakschotel. Na deze aanmoediging verdwijnt ze naar de studeerkamer en het geluid van het toetsenbord van de computer dringt door tot in de keuken.

Zaterdag ben ik haar belofte al vergeten, maar aan het einde van die middag vindt ze me in de douche. Ik probeer op handen en knieën het afvalputje los te halen in de hoop dat ik kan zien hoe het komt dat het water niet wegloopt nadat iemand heeft gedoucht. De stank die uit het putje komt is weerzinwekkend, een mengeling van rottend ei en verschimmelde aardappelschil.

'Mama, alsjeblieft!'

'Wat?' vraag ik. Ik ga op mijn hakken zitten en draai me naar haar om.

'De aantekeningen die ik voor je zou maken.'

'O, dat is geweldig. Waarom leg je ze niet op mijn bed, dan zal ik ze doornemen,' zeg ik.

'Je moet echt proberen ze vanavond door te nemen,' zegt ze vastberaden. 'Woensdag is de volgende bijeenkomst alweer.'

'Nou, misschien lukt het vanavond niet,' zeg ik een beetje geïrriteerd, maar ik houd me in als ik zie dat ze haar wenkbrauwen fronst. 'Papa en ik hebben vanavond een dinertje bij Gilly en David, maar ik zal proberen ze morgen te lezen. Goed?'

'Oké. Ik wil gewoon niet dat wij de slechtsten van de groep zijn. Het is immers behoorlijk belangrijk allemaal.'

'Maak je maar niet druk, liefje. Wij zullen heus de slechtsten niet zijn. Andere mensen hebben het ook druk. Ik vraag me echt af of iedereen het boek dan al heeft gelezen.'

Als ik er eindelijk aan toe kom om haar aantekeningen te lezen, ben ik verbaasd. Ik dacht dat haar plakboek vrij indrukwekkend was, behoorlijk uitvoerig zelfs, maar in feite was het een compilatie van andermans artikelen. Deze aantekeningen zijn veel persoonlijker, geschreven in Ella's eigen woorden, zodat de zaken waar zij zich echt druk over maakt nog duidelijker naar voren komen. Het blijkt dat ze het hele boek heeft doorgenomen en de meest verontrustende zaken van elk hoofdstuk heeft geselecteerd. De vierde bladzijde is een geheel eigen conclusie.

Kortom, elk gezin moet iets doen. Ons gezin dus ook! En dit zijn de dingen die we zouden moeten doen!

1. Meer recyclen. Als we echt ons best doen, kunnen we vrijwel alles recyclen. Kunnen we afvalbakken kopen zodat we er in elk vertrek eentje kunnen neerzetten?

2. Een composthoop maken. Achter de schuur is een perfect plekje daarvoor.

3. De lichten uitdoen. Vooral Phoebe en papa.

4. Een dikkere trui of zo aandoen in plaats van de verwarming hoger zetten. Volgens mij is het een goed idee om in elke kamer een stapel truien neer te leggen. Eén voor elk lid van ons gezin.

5. Een douche nemen in plaats van een bad. En niemand mag langer dan twee minuten douchen. Vooral Phoebe en papa niet.

6. De wasdroger niet langer gebruiken. (Sorry, mama, maar wist je dat wasdrogers gigantisch veel stroom verbruiken en dat ze je kleren verslijten?)

7. Een andere auto kopen. Het is verschrikkelijk. We hebben echt de slechtst denkbare. Een groot, zwart, benzine slurpend monster.

8. Al die schoonmaakspullen die in het aanrechtkastje staan weggooien en dan schoon gaan maken met dingen als water en azijn en citroen. Met citroen kun je vet echt heel goed weg krijgen.

9. Onze kleren bij Oxfam gaan kopen. Wist je dat ze echt leuke kleren verkopen? Zelfs Phoebe zou dat af en toe kunnen doen in plaats van haar kleren altijd bij de Top Shop te kopen. Mode is de vijand van het milieu!

10. Voedsel kopen dat in de buurt is geteeld. Het is gewoon zonde om bonen of kiwi's te kopen die al duizenden kilometers hebben afgelegd in een grote, vervuilende jumbo als we in Engeland ook heel goed voedsel hebben.

11. Biologische producten kopen. Ik weet wel dat biologische producten duurder zijn, maar denk er dan toch eens aan hoeveel beter we ons zouden voelen zonder al die pesticiden in ons lijf.

Ik stel voor dat we hier maandag mee beginnen. Ik wil de manager wel zijn, een beetje zoals toen ik de spelleider was. Zeg alsjeblieft dat je het goed vindt.

Liefs, je jongste dochter Ella

O jee, denk ik tijdens het lezen. We kunnen nu dus echt niet meer terug. Waar heb ik ons allemaal mee opgezadeld?

Ik laat me achterover in de kussens zakken en denk liefdevol aan mijn wasdroger en aan mijn grote, zwarte, slechte auto. Dan zie ik mezelf in gedachten de versleten zomen van truien controleren, en als ik dan ook nog denk aan slecht passende tweed rokjes van Oxfam voel ik me helemaal niet goed.

Verdorie, Libby, denk ik. Je moet hier gewoon volwassen mee omgaan. Een goede moeder ondersteunt haar kinderen bij hun passies en houdt daar niet mee op op het moment dat het een beetje ongemakkelijk begint te worden. We zullen het rustig aanpakken en beginnen met iets gemakkelijks, zoals de inhoud van de prullenbakken recyclen. Dat lukt ons wel. Wie weet, misschien ga ik het allemaal nog leuk vinden ook. Het zou weleens goed voor me kunnen zijn.

Fran stuurt me een sms'je.

Vierde afspraakje en ik vind hem nog steeds leuk! En wat belangrijker is: hij vindt mij ook leuk! Kan dit echt waar zijn? xox Fran.

Ik sms terug: *Kennelijk wel. Wanneer zie je hem weer?*

Heeft Fran de ware gevonden of eindigt het allemaal in tranen, wie zal het zeggen. Zal die lieve Paul voor de lol een beetje met haar spelen en haar aan de kant zetten als er iemand van zijn eigen leeftijd voorbijkomt en dan zelf kinderen krijgen? Of zal de liefde alles overwinnen? Hoe het ook zij, Fran is niet meer te houden en ik zou dat niet eens willen proberen. Na zes jaar zonder is zelfs een gepassioneerde affaire die nergens toe leidt de moeite waard om van te genieten, zolang als het duurt.

Phoebe

Ik was van plan het een tijdje aan te kijken, omdat Ella nog maar tien is en heel enthousiast. Maar mijn geduld begint op te raken. Ik raak geïrriteerd.

Het begon nog vrij onschuldig. Ella begon ons voor te lichten en zei dat we een lopende kraan moesten dichtdraaien en het licht uitdoen. Toen stonden er opeens overal van die gekleurde afvalbakken in bijna elke kamer. Walgelijke rode en gele dingen. Rood voor afval, geel voor recycling, kennelijk. Laatst kwam ik thuis van school en toen zag ik dat er met plakband op elke afvalbak in mijn kamer een handgeschreven lijstje zat geplakt. Ella vertelde me later dat ze alles had gecontroleerd en had ontdekt dat ik een lege tissuedoos in de rode in plaats van in de gele afvalbak had gegooid. Ramp, gruwel! 'Toen dacht ik dat je misschien een beetje hulp nodig had tot je eraan gewend bent,' zei ze, ontzettend liefjes en opgewekt. Ik waarschuwde haar: 'Waag het niet in mijn kamer rond te sluipen als ik er niet ben.' Ik kreeg een visioen van een roze pilstrip.

Zelfs mama leek een beetje geïrriteerd, maar zij gaat er wel in mee. Volgens mij heeft ze er zelfs aan meegewerkt. Ik merk wel dat ze ontzettend lang doet over de kleinste dingen, alsof ze ze in gedachten analyseert. Laatst zag ik haar iets in de afvalbak gooien. Het plastic van een karton voorverpakte appels. Ze deed de afvalbak dicht en liep weg, maar kwam even later terug en haalde het plastic eruit. Ze stond daar wel een halve minuut te staren naar dat stuk plastic in haar handen, die nu onder de yoghurt zaten. Het leek alsof ze had besloten wat ze ermee moest, want ze hield het plastic onder de kraan en gooide het in de afvalbak in de bijkeuken.

Ook zag ik een keer dat ze wat gemorst appelsap van het aanrecht wilde vegen, maar ze hield er halverwege mee op, nog voordat het stukje keukenrolpapier nat was. Ze draaide zich om, duwde het stukje papier in de rol en depte het sap op met een aanrecht-doekje.

'Wat kost volgens jou meer energie, Ella? De productie van een stukje keukenrol of het afspoelen van een aanrechtdoekje in heet water?'

'Wat geeft het?' zei ik. Maar ze luisterde niet naar me. Ze luisterde naar Ella, die zei: 'Ik weet het niet, maar ik zal het opzoeken in een van onze boeken.' Met 'een van onze boeken' bedoelde ze die roze en groene dingen die ze de hele week al van de ene naar de andere kamer sleept. Haar Earthwatch-boeken.

Raar gedrag is volgens mij besmettelijk. Vanmiddag zat ik samen met Josh, Laura en Dougie, Josh' vriend (Laura is gek op hem; dat is heel duidelijk te merken en een beetje beschamend ook wel) bij Carlos Coffee in de stad. Rebecca kwam binnen met een meisje dat ik niet kende. Ze kwam dag zeggen en vertelde dat haar klas de een of andere wiskundeleraar had gepest door zijn klasse-aantekeningen te verstoppen. Ze stond vlak naast Josh en dus weet ik dat hij haar had gehoord, maar hij staarde strak voor zich uit, alsof ze er helemaal niet was. En toen iedereen 'tot ziens' tegen haar zei, zei hij geen woord, maar ik zag wel dat hij en Dougie hun lippen krulden en een beetje vuil naar elkaar keken.

'Waarom was je zo onaardig tegen haar? Tegen Rebecca? Mijn moeder is heel goed bevriend met haar moeder, weet je dat wel?' zei ik tegen hem toen we naar huis liepen.

'Hoe bedoel je? Dat was echt niet zo,' zei hij verdedigend en liet mijn schouder los.

'Wel waar. Wat heb je tegen haar?'

'Ik mag haar gewoon niet. Dat is alles. Ze irriteert me.' Hij sloeg zijn arm weer om me heen, maar liet me los toen er een auto vol jongens voorbijreed.

'Ja, ik erger me ook wel een beetje aan haar,' zei ik, 'maar er zit helemaal geen kwaad bij. En ik heb een beetje medelijden met haar.'

'Er is niets waar je medelijden mee hoeft te hebben,' zei hij. 'Ze weet precies wat ze doet. Maar laten we het niet over haar hebben. Welke film zullen we dit weekend gaan zien? *Million Dollar Baby* draait volgens mij nog steeds.'

Om eerlijk te zijn, hoefde ik *Million Dollar Baby* helemaal niet te zien, maar ik stemde ermee in om hem af te leiden, ook al voelde ik een vreemde verwijdering tussen ons. Ik vond die kant van hem helemaal niet leuk. Hij had iemand als een hond behandeld en moest er daarna ook nog eens om lachen. Ik hield er een nare smaak aan over.

Papa kijkt even om de deur van mijn kamer. Ik denk weer aan het niet door te slikken pilletje van een tijdje terug en realiseer me dat hij hier een vervelende gewoonte van maakt.

'Hoi, Phoebs. Alles goed?' vraagt hij.

'Ja hoor, waarom niet?'

'Nergens om. Gewoon een vraagje.' En als hij zich omdraait om te vertrekken, zegt hij met een amper zichtbare grijns: 'Overleef je de grote milieu-aanval een beetje?'

'God ja, het is toch verschrikkelijk! Wanneer denk je dat het overgaat?'

'Ik vrees dat dit nog wel een tijdje zal duren,' zegt hij. 'Je weet hoe Ella is als ze zich ergens in vastbijt. En je moeder lijkt even enthousiast. Ik ga er wel in mee, hoor, maar binnen bepaalde grenzen. We kunnen best iets doen voor onze planeet, maar ik vrees dat die twee een beetje doordraaien.'

'Ja, nou, als Ella weer in mijn kamer komt en hier begint rond te snuffelen, dan heeft ze een probleem,' zeg ik met een opgeheven vuist en een boze blik. Dan glimlach ik en hij glimlacht terug, en we schudden ons hoofd, als de ouders van koppig kroost.

Libby

Ik weet zeker dat Rob denkt dat ik gek ben geworden. Toen ik vannacht eindelijk in bed kroop en probeerde niet per ongeluk een van zijn ledematen aan te raken, draaide hij zich naar me om en vroeg me, met dicht geknepen ogen, hoe laat het was. Toen ik zei dat het twee uur 's nachts was, zag ik op zijn gezicht van mengeling van pijn (bij de gedachte dat ik om deze tijd nog steeds wakker was?) en afkeuring (bij de gedachte aan wat ik om deze tijd had gedaan?).

'Libby, dit is belachelijk,' zei hij.

'Dat weet ik. Ik wilde deze boeken nog even lezen voor de volgende bijeenkomst, meer niet.'

'Waarom? Waarom is dat zo dringend?' vroeg hij en draaide zich van me af, op zijn andere zij. Het was dus een retorische vraag.

Tja, weet je, omdat er ijsblokjes zijn waar vroeger ijsbergen waren, dat soort dingen, wilde ik zeggen. Als ik daarvóór al niet doordrongen was van de ernst van de situatie, dan was ik het nu wel. Ella had dit soort feitjes steeds in onze gesprekken gevlochten. Niemand anders leek ze te horen. Ik hoor ze niet alleen, ik kan ze kennelijk ook niet van me af laten glijden.

'Wist je,' zei ze de volgende ochtend toen ze bij de bushalte uit de auto sprong, 'dat de ijskap zo snel smelt dat hij al heel snel niet meer zal bestaan? Dan zullen overal overstromingen plaatsvinden. We moeten écht iets doen! Dag!'

Diezelfde middag was ze de tafel aan het dekken en zei opeens, zonder zelfs maar op te kijken van de messen en vorken in haar hand: 'Wist je dat een kwart van het aantal dier- en plantensoorten binnenkort zal uitsterven door de klimaatverandering? Dat las ik vandaag tijdens informatica op internet.'

'Jee, dat is afschuwelijk,' zei ik. 'Zeiden ze ook wat we eraan kunnen doen?'

'Nou ja, ervoor zorgen dat de aarde niet langer opwarmt bijvoorbeeld. Maar mensen moeten ook ophouden die dieren dood te schieten. De mensen die bont dragen of ivoor van een olifant op hun schoorsteenmantel hebben staan, die zijn gewoon slecht.'

'Ik ken eigenlijk niemand met een bontjas of met ivoor op zijn schoorsteenmantel,' zei ik in een poging haar te troosten.

Toen stond ze daar, met één hand op haar heup, de messen en vorken staken als wapens uit haar andere hand en ze schudde haar hoofd. 'Ook al weten we het niet, dat wil nog niet zeggen dat zulke mensen niet bestaan, mama! Wat ben je toch naïef!'

Ik ben in mijn leven veel dingen geweest, maar nooit naïef. Ik ben er niet trots op als ik naïef ben. Bovendien beginnen deze verrassingsaanvallen van Ella me op de zenuwen te werken. Ik wilde er meer van weten, iets meer weten dan zij of in elk geval evenveel als zij, en dus begon ik te lezen.

Nu lijd ik aan slapeloosheid doordat ik zoveel afweet van de aarde.

Ik hoop maar dat ik er overheen kom, maar bij alles wat ik doe, word ik aangestaard door een milieudilemma. Kan ik die dingen echt wel kopen in de supermarkt als ik daar toevallig ben in plaats van bij de plaatselijke groenteboer waar ik later apart naartoe zou moeten gaan, terwijl ik weet dat de supermarkt de plaatselijke economie vernietigt en bijdraagt aan de vervuiling van de aarde? Zal ik de gootsteen met Cif schoonmaken of zal ik (natuurlijk) naar de winkel lopen om voor dat doel een paar dozen citroenen te kopen?

En al deze nieuwe kennis zorgt er ook voor dat ik andere mensen veroordeel. Ik viel laatst bij de drogist bijna een vrouw lastig die een pak wegwerpluiers kocht. Ik wilde ze van haar afpakken en haar vertellen dat er elke dag ongeveer acht miljoen van die dingen worden weggegooid en op de afvalberg terechtkomen.

Misschien heeft Rob wel gelijk. Misschien bén ik gek aan het worden. Ik merk dat de lijst met dingen die je moet doen om een goede milieuactivist te zijn zelfs nog langer is dan de lijst waarop staat hoe je een goede moeder moet zijn. Op die manier is het dus onmogelijk om niet maar een béétje gek te worden.

Ik zeg tegen mezelf dat dit ook wel weer zal overgaan. Op de een of andere manier zal ik hiermee leren omgaan en dan heb ik een gezonde, praktische manier gevonden om milieuvriendelijk te leven, een manier die voorkomt dat Ella ons allemaal tot wanhoop drijft.

Phoebe

'Waarom heb je zo veel citroenen gekocht?' vraag ik mama als ik iets zoek wat ik echt kan eten. Een appel of zo.

'O, dat komt door Ella. Ze heeft gelezen dat citroenen een heel goede vervanging zijn voor alle schoonmaakmiddelen die we gebruiken. Ze vroeg me gisteren om onderweg van school naar huis even wat te kopen. En natuurlijk mocht ik geen citroenen bij de supermarkt kopen omdat die helemaal uit Zuid-Afrika komen, en dus moesten we naar de overkant. De beste keus bleken citroenen uit Spanje!'

Mama rolt met haar ogen, maar ze grijnst en dus kan ik niet zien of ze er echt flauw van is.

'Lieve help, mam. Vind je niet dat je een beetje overdrijft?' De fruitschaal zit vol citroenen en er staat nog een schaal met citroenen naast de broodrooster op het andere werkblad.

'Ach, een beetje misschien. Maar ze heeft gelijk. Ik was behoorlijk sceptisch, weet je, maar het werkt echt heel goed. Vanochtend heb ik een overhemd van papa in een kom water met citroensap geweekt en het kwam er stralend wit weer uit.'

'Hm, fijn,' zeg ik, en ik kan mijn enthousiasme bijna niet verbergen.

'Phoebe, je zou je zusje hierbij best een beetje kunnen ondersteunen, weet je? Het is heel belangrijk voor haar en bovendien is het helemaal niet zo'n slechte zaak.'

'Ach ja, maar als gezin kun je niet meer dan je best doen. Zelf denk ik dat het allemaal vanzelf wel goed komt. Autofabrikanten kunnen nu elk moment een auto ontwerpen die op batterijen rijdt en dan is het probleem grotendeels opgelost. Maar ondertussen maakt het feit dat je de Cif hebt weggegooid helemaal geen verschil.'

'Phoebe, wees alsjeblieft niet zo cynisch. Je bent veel te jong om cynisch te zijn.'

'Cynisch zijn, lieve moeder, kan ik juist heel goed,' zeg ik en knipper met mijn oogleden. Ik moet het haar wel nageven. Ze ondergaat het allemaal heel moedig. Als ik mijn schoolboeken pak en naar de deur loop, probeert ze niet eens iets terug te zeggen.

Libby

'Weet je wel, die boom helemaal achter in de tuin? Die iep waarvan hij altijd beweert dat die het licht wegneemt? Nou, toen zei ik dus tegen hem dat ik die boom wel zou laten weghalen en dat dat misschien honderd pond of zo zou kosten. Maar hij bleef weigeren.'

Ik verplaats de telefoon naar mijn linkerhand, zodat ik met mijn rechter de spaghettisaus kan roeren. Maar halverwege laat ik de lepel in de pan vallen, zodat er vuurrode saus op het aanrecht, de vloer en mijn favoriete witte shirt spat.

'Wel verdorie! Nou ja, en dan kom ik dinsdag bij hem en weet je wat ik zie? Staat hij onder die boom, op dat kleine keukentafeltje, dat formica geval dat hij al in 1957 weg had moeten gooien. Daar staat ie bovenop, heeft zich met twee riemen aan die boom vastgesnoerd en staat alle bovenste takken eraf te zagen. Mijn god, hij is tachtig!'

'Lieve help, hij had wel dood kunnen zijn. Dat tafeltje is antiek en was toch al nooit bijzonder stevig,' zegt Jaime.

'En een week eerder belde ik en mevrouw Tupper nam op. En dus vroeg ik haar wat papa van de nieuwe afvalbak vond. Je weet toch wel dat hij altijd die plastic zak aan de deurkruk had hangen en altijd zei dat er in de keuken geen plek was voor een afvalbak? Nou, toen had ik die afvalbak meegenomen en hem gewoon rechts naast het aanrecht gezet. Nou ja, en toen zei ze, luister goed: "Libby, hij is er weg van. Om eerlijk te zijn staat hij hem nu kusjes te geven." En ze maakte geen grapje!'

'De afvalbak kussen! Lieve help, straks gaat hij de wasmachine nog knuffelen.'

'Hij kan binnenkort niet meer alleen wonen, Jaime. Hij moet gewoon naar zo'n tehuis. Of bij een van ons komen wonen.'

'O, god, ik moet er niet aan denken.'

'Ja, ik weet het. Ik ben dol op hem, hoor, maar het idee alleen al dat ik elke dag moet meemaken wat ik nu elke dinsdag meemaak, en dat in mijn eigen huis, waar ik niet weg kan lopen, daar word ik helemaal niet goed van. Maar dan voel ik me ellendig omdat ik dat denk.'

Op de achtergrond hoor ik mijn zusters pottenbakkersschijf tot leven komen. Ik zie haar in gedachten al zitten, met haar benen aan weerszijden van de schijf, de telefoon tussen oor en schouder geklemd, haar handen al bedekt met een laag dikke, natte klei.

'Wat moeten we doen?' vraagt ze. Wat ze echt bedoelt is, wat ík eraan ga doen. Jaime en Liz zeggen 'wij' op de manier zoals veel mannen dat doen. 'Hebben we dat ding met de bank nu al geregeld?' of 'We moeten nu echt de schuur eens een keer opruimen.'

'Ik heb geen idee. Misschien moeten we eens gaan kijken wat er vrij is. Zodat we weten welke mogelijkheden er zijn.' En daarmee bedoel ik: Ik zal weleens kijken wat er vrij is.

'Dat is een goed idee. Ik moet er niet aan denken dat hij ergens in een kille, klinische omgeving zit, maar dat zou misschien wel beter zijn. Hoe dan ook, ik moet ophangen. Deze schaal begint eruit te zien als de toren van Pisa.'

Ik hang op en als ik me omdraai, staat er een diplomatieke delegatie voor me. Ella, Kate en Phoebe staan in een halve cirkel voor me, alsof ze wachten tot ze me kunnen aanvallen. Nou ja, ze hebben tenminste gewacht in plaats van met hun armen voor mijn gezicht te gaan wapperen en door op elkaar geperste lippen vragen te stellen of haastig geschreven briefjes voor mijn neus heen en weer te zwaaien zoals gewoonlijk.

Daar staan ze dan, van groot naar klein en van oud naar jong; ze lijken wel een advertentie van L'Oréal Excellence. Phoebe met haar lange gouden krullen en Kate met haar dikke lichtbruine haar, achteloos van haar voorhoofd gestreken zodat het er een beetje slordig en ongekamd uitziet. En dan heb je Ella, met haar halflange donkerbruine, zachte pijpenkrulletjes. Zacht, maar toch steviger dan mijn eigen haar dat in de loop der tijd iets minder veerkrachtig is geworden.

Zijn er meer gezinnen, denk ik, waarvan de kinderen allemaal zo verschillend zijn qua haarkleur en sowieso qua uiterlijk? Ik ken er geen. Zelfs hun gezichten lijken niet op elkaar. Phoebe's gezicht is delicaat en perfect gevormd, met licht gewelfde jukbeenderen. Kates gezicht is zachter, ronder, minder scherp, minder intimiderend. Ella is de schattigheid zelve. Haar gelaatstrekken zijn compact, elfachtig, en het grootste deel van de tijd heel levendig.

Alleen aan hun gezichtsuitdrukking zie je af en toe dat ze familie van elkaar zijn. Als Kate bezorgd is, fronst ze op dezelfde manier als Ella. En als Ella lacht, zie je Phoebe soms. Ook zie ik Rob vaak in Phoebe en hij beweert dat hij iets van mij herkent in Kate, maar ik kan met geen enkele mogelijkheid iets van mezelf in hen herkennen.

Allemaal zo verschillend, maar toch eendrachtig, zoals vandaag, om iets van me gedaan te krijgen. Toestemming? Geld? Sympathie? De ontknoping van een heftig meningsverschil misschien?

'Mama,' zegt Ella, zonder een passende pauze in te lassen tussen het einde van mijn gesprek met Jaime en haar verzoek. 'Heb je het briefje van mevrouw Howard gelezen? Over de kostuums voor het toneelstuk van school? Ben je van plan mee te helpen, want ik moet het formulier vandaag inleveren.'

'Dat weet ik niet goed, Ella. Naaien is niet echt mijn ding en ik heb niet eens een naaimachine. Ik heb dit jaar al met heel veel andere dingen geholpen, dus ik denk dat ik die kostuums maar aan iemand anders overlaat.'

Op Ella's gezicht verschijnt een teleurgestelde blik. Een moeder die meehelpt, geeft je een soort status bij je klasgenootjes, heb ik wel ontdekt. Deel uitmaken van het groepje dat de kostuums naait, achter de schermen het haar en de make-up verzorgt en op miraculeuze wijze een afgedankt decor van een West End-show opduikelt, maakt dat je écht iemand bent. Ook word je bijzonder gewaardeerd als je iets alledaags doet en betrouwbaar bent, zoals meneer Pateks fruitkraampje tijdens de pauze. Iets simpels als het opstellen van een kraampje tijdens de kerstmarkt en het bakken van brownies telt echter helemaal niet mee.

Kate komt met haar verzoek op de proppen in de paar seconden die Ella nodig heeft om een passende reactie te verzinnen. 'Mam, weet je nog dat team voor de springruiterwedstrijd? Volgende maand in Longridge? Mag ik meedoen? Elaine stuurde gisteravond weer een mailtje.'

'Lilly's moeder helpt met de kostuums. Waarom kun jij dat dan niet?'

'Nou, in principe zou het geweldig zijn als je mee zou kunnen doen, maar het kost geld om een pony te huren en de paardentrailer...'

'Dat heb ik al geregeld. Ik kan een pony delen met Martha en dus hoeft het helemaal niet zo duur te worden.'

'En toen we *Midsummer Night's Dream* deden, was jij de enige die niet bij die koffieochtend was om slingers te maken.'

'Ella, dat is niet waar. Er waren veel meer moeders niet. En ik heb toen een paar toga's gemaakt, dus ik heb meer dan genoeg gedaan.'

'Alsjeblieft, mama. Het is zo'n geweldige happening en ik heb nog nooit met een team gesprongen.'

'Willen jullie nu even je mond houden?' roept Phoebe en ze duwt Kate opzij. 'Ik moet je snel even iets vragen, mama, en Laura wacht. Mam, je weet toch dat er zaterdag een feestje is bij de roeivereniging en dat ik tegen Josh heb gezegd dat ik wel mee kan? Daarna blijf ik bij Laura slapen. Oké?'

Dat is niet echt een vraag. Het is meer een zorgvuldige geformuleerde mededeling.

'Alsjeblieft!'

'O, mama, alsjeblieft!'

'Mama! Laura wacht.'

Uiteindelijk gaan mijn hersens in de wachtstand en sta ik hen met open mond aan te kijken. Ik vraag me af of Robs patiënten hem op dezelfde manier lastigvallen. Ik vraag me af of andere moeders op dezelfde manier worden overweldigd. Maar misschien kunnen de goed georganiseerde moeders deze chaos en overbelasting voorkomen. Wellicht met behulp van een apparaatje waar je een nummertje kunt trekken, zoals bij het postkantoor.

Phoebe haalt me uit mijn trance, houdt haar mobiel voor mijn neus en zegt: 'Mam? Laura, weet je nog? Wacht op antwoord!'

Ik vind het zó erg om Laura te laten wachten, denk ik, maar mijn hersens werken niet meer.

'Meisjes, kunnen we dit een voor een afhandelen? De jongste eerst. De andere twee, ga even weg en wacht een minuutje.'

En dus word ik het volgende halfuur blootgesteld aan diverse overredingspogingen, vergelijkbaar met die van een taakgroep van de Verenigde Naties die zich bezighoudt met armoede en kinderen. Als die dertig minuten om zijn, gaat Mevrouw naar het feestje bij de roeivereniging (in een nieuw, nog te kopen jurkje van de Top Shop, jawel), doet Kate mee aan de springwedstrijd in Longridge voor een bedrag vergelijkbaar met de maandelijkse hypotheeklasten en ben ik een gewaardeerd lid geworden van het *Guys and Dolls-*kostuumcomité.

Maar in feite voel ik me een beetje schuldig. De afgelopen weken lijken te zijn omgevlogen met allerlei Earthwatch-activiteiten. In die tijd ben ik erin geslaagd een belangrijk formulier van Kates school zoek te maken (waardoor ze bijna niet mee mocht met een uitstapje naar Folkstone), en ben ik heerlijk laconiek gebleven over Ella's Citotoets, zodat ze zich pas een beetje begon voor te bereiden in het weekend voor het zover was. Voor Ella's schoolmarkt had ik van alles moeten bakken, maar ik heb mijn toevlucht genomen tot Frans trucje. Bij de peuterspeelzaal vlak bij de bibliotheek heb ik een taart en een paar chocolademuffins gekocht en die heb ik ingeleverd als zelfgemaakt gebak.

Ik heb zelfs die toestand met de roze pilstrip van me af laten glijden. Ja, het klopt, ik ben de laatste tijd een beetje verslapt. En nu moet ik daar dus voor boeten en dat betekent dat ik mijn bezwaren moet inslikken en ja moet zeggen.

Maar we zijn wel heerlijk opgeschoten! Na die eerste week waarin ik mezelf dwong om te lezen en onderzoek te doen en in een soort halfslaap rondliep, dronken van alle informatie en verlamd door een kennelijk eindeloze lijst noodzakelijke acties, kwam ik tot rust. Ik kon weer ademhalen. En toen ik dat deed, was de mist opgetrokken, of in elk geval minder dicht geworden, en kon ik weer iets constructiever nadenken.

Dat kwam vooral door Ella. Het is bijna onmogelijk om naar haar heldere, open gezichtje te kijken of om naar haar opgewekte uitroepen te luisteren ('Maak je maar geen zorgen, mam, we kunnen het wel!') zonder dat iets van haar doelgerichtheid en enthousiasme op je overslaat. Ik zag hoe Daniel naar Phyllis, Courtney, Lynette en mij keek toen we elkaar vertelden wat ons het meest had verbijsterd. Hij moet dat al wel tientallen keren hebben zien gebeuren. De conversatie van de onwetenden.

Na die bijeenkomst leek het wel alsof we ons vooruit bewogen op een enorme planningsgolf, met Ella die er gelukzalig middenin dreef, die door de actie werd gekanaliseerd. (Wat is het toch een opluchting om naar boven te gaan en te zien dat ze al bijna slaapt in plaats van met wijd open ogen naar het plafond te liggen staren.) Inmiddels hebben we een wijkplan met tien punten erop dat we gisteravond hebben afgemaakt. Doordat er in de ruimte waar we meestal zitten muziek werd gemaakt, moesten Daniel, Eloise, Barry en ik ons in een klein kamertje helemaal achter in de bibliotheek proppen. We zaten rondom een tafel die wiebelde als er iemand op leunde en bespraken de laatste details van ons plan. En daarna gingen we dit op voorstel van Eloise vieren in Harry's Wijnbar ernaast.

Eerst wilde ik de uitnodiging afslaan. Het was twee uur 's middags en om vier uur moest ik de meiden ophalen. Ik drink 's middags nooit, behalve tijdens een feestelijke lunch of op een trouwerij of zo. Maar geen van de anderen opperde bezwaren. Barry zei dat hij zijn assistent had gevraagd op de winkel te letten en dus absoluut van plan was dit uit te buiten. Eloise benadrukte dat je elk succesje – hoe klein ook – moest vieren om te voorkomen dat je ontmoedigd raakte. Daniel zei dat ik meer dan wie ook een borrel verdiende en dat hij me niet zou laten vertrekken.

En dus zaten we in het vroege voorjaarszonnetje van onze wijn te nippen alsof we op vakantie waren in de Algarve in plaats van de boekhouding van het Poppenhuis bij te werken of een stuk of tien karweitjes af te werken voordat de meiden uit school kwamen. En zodra mijn eerste glas wijn halfleeg was, begon ik te denken dat ik écht een drankje had verdiend. Op een bepaald moment schoven het langzaam rijdende verkeer en alle voorbijgangers en Barry's geklets naar de achtergrond, en de warmte van de zon verplaatste me, heel even maar, naar een andere plek. Daniel glimlachte en gaf me een half knipoogje vanachter zijn glas, en tot mijn eigen verbazing knipoogde ik half terug.

Rob legt zijn boek op het nachtkastje en schuift naar me toe. Zijn arm rust op mijn maag. Ik heb zijn armen altijd heerlijk gevonden, nog steeds gespierd, een zachte huid, de arm van een sporter. Ik leg mijn eigen boek op het dekbed en sluit mijn ogen, wachtend tot het vertrouwde gevoel me overspoelt. Dat gebeurt ook, uiteindelijk, en als zijn handen hun gebruikelijke dans over mijn lichaam hebben afgerond en hij langzaam in me glijdt, voel ik, zoals altijd, een mengeling van warmte, genot en dankbaarheid. Niet iedereen is zo gelukkig het bed te delen met een man met wie ze al zeventien jaar is getrouwd, denk ik. Niet iedereen is zo gelukkig dat ze dat nog steeds wil.

En dan, zonder enige waarschuwing vooraf, komt er een herinnering naar boven aan de wijn en de zon en de glimlach, en ik voel een steek in mijn hart. Ik draai mijn hoofd op het kussen en probeer gelijkmatig adem te halen alsof er niets is gebeurd.

Phoebe

Ik laat mezelf binnen en roep mama voordat ik me bedenk dat ze een speciale Earthwatch-bijeenkomst heeft en dus niet thuis is.

Ik loop naar de keuken en doe het licht aan. Er dwarrelt een knalgeel zelfklevend notitieblaadje op de vloer. Ik pak het op en steek het terug onder het lichtknopje. DRAAI ME UIT staat er in Ella's handschrift. Mijn irritatie is, tot op dat moment, de gewone mix van naschoolse vermoeidheid en prehuiswerkchagrijn, maar dat kladje maakt mijn humeur er niet beter op.

Ik kijk rond, op zoek naar de gebruikelijke serie briefjes en de een of andere ovenschotel op het aanrecht. Maar vanavond zie ik niets van dat alles. Het is een enorme, smerige puinhoop op het aanrecht. Sappakken, lege glazen en borden vol kruimels van vanochtend. Een felrode gasrekening ligt half in een plasje gemorste thee. Een blouse van een schooluniform (van mij?) ligt slordig naast de telefoon, met naald en draad uit een van de knoopsgaten, weggelegd voordat de klus is geklaard.

'Jezus, wat is hier gebeurd,' mompel ik retorisch en ik trek de deur van de koelkast open op zoek naar ons avondeten.

Maar er staat geen avondeten in de koelkast. Er zit helemaal geen eten in, tenzij je één ei, een kom vol citroenen die al bruin worden en een halfvolle bak mayonaise meetelt.

'Lieve god, er is niets te eten!' roep ik, net op het moment dat de bel gaat. Het is Kate die door mevrouw Ireson is afgezet. Ik wil net de voordeur achter haar dichtdoen als papa het pad oploopt.

'Hallo, papa. Fijn dat je vroeg thuis bent. Er is niets te eten!'

'Ach, kom nou. Vast wel. Mama maakt altijd iets voor ons klaar. Laten we maar naar binnen gaan. Er is vast wel iets.'

Dan kijkt hij naar ons. 'Waar is Ella?'

'Ik weet het niet zeker, maar volgens mij heb ik mama horen

zeggen dat ze na de training bij Lilly zou wachten tot iemand haar op kon halen.'

'O,' zegt papa met een zucht. 'Dat zou ik geloof ik doen. Heeft iemand Lilly's telefoonnummer?'

'Nee.'

'Ik ook niet.'

'Nou, het zal wel in het adresboekje staan. Dat zoek ik zo wel even op. Oké, laten we even kijken,' zegt hij en verdwijnt achter de deur van de koelkast. Eén tel later komt hij weer tevoorschijn en krabt op zijn hoofd.

'Je hebt gelijk. Er is geen avondeten.' Dan ziet hij opeens de puinhoop op het aanrecht. 'Jezus. Wat is hier gebeurd?'

'Denk je dat mama is ontvoerd?' vraagt Kate, half voor de grap.

'Doe niet zo gek. Ze moest vast plotseling weg. Een spoedgeval of zo, hoewel ik niet meteen kan bedenken wat dat is,' zegt hij en schudt verbaasd zijn hoofd. 'Er moet wel een goede reden voor zijn.'

Hij klinkt niet erg overtuigd, maar hij doet echt zijn best om het met de mantel der liefde te bedekken.

'Zo!' zegt hij. Hij klapt in zijn handen en loopt naar de hoge kast waar alle blikken in staan. 'Laten we maar eens kijken wat we op kunnen duikelen. Zo te zien, is er voldoende tomatensoep voor twee. En er is een blik witte bonen in tomatensaus met worstjes. Wie heeft daar zin in?'

'Ik vind tomatensoep smerig,' zeg ik. 'Mag ik de bonen?'

'Ik lust ook geen tomatensoep,' zegt Kate achteloos.

'Goed dan, dan eten jullie de bonen met een stuk brood erbij,' zegt hij en hij loert in de broodtrommel. 'Niet dus. Jullie zullen er crackers bij moeten eten.'

Dan schudt hij zijn hoofd weer en loopt naar de hal om zijn jas op te hangen. Ik hoor hem nog een keer 'jezus' mompelen als hij denkt dat we hem niet meer kunnen horen.

Nadat we even hebben gezocht, vinden we Lilly's telefoonnummer. Het staat niet onder de L van Lilly of de S voor Sargent en zelfs niet onder de E van Ella's vrienden. Het staat onder W van Williams.

Zoals van Nancy Williams, Lilly's moeder, die haar meisjesnaam heeft gehouden voor het geval ze ooit nog eens de boel op stelten wil zetten nadat ze drie kinderen op de wereld heeft gezet. Papa belt haar op en krijgt het adres, en Ella komt veilig thuis. Ze is niet blij, want de bonen en worstjes zijn op, en zij is ook niet dol op tomatensoep. Papa kookt het eenzame ei en daarin doopt ze de laatste slappe crackers.

Mama komt zelfs nog later thuis dan anders. Kate en Ella liggen al in bed (waarschijnlijk met een knorrende maag) en ik ben in mijn kamer bezig om van papier-maché en oude lapjes stof een Virginia Westwood-jurk te maken. Als ik de voordeur dicht hoor slaan en mama's voetstappen op de stenen vloer van de hal hoor, loop ik zachtjes naar mijn slaapkamerdeur en open hem op een heel klein kiertje.

'Leuke bijeenkomst?' roept papa op een agressief-joviaal toontje. Zelfs hiervandaan kan ik dat horen.

'Geweldig. We hebben een heleboel gedaan,' roept mama terug. Ze is waarschijnlijk in de keuken, want ik hoor wat serviesgoed tegen elkaar slaan.

'Fijn. Nou, dan heeft ten minste één iemand een leuke avond gehad.'

'Wat wil je daar nou weer mee zeggen?' Verontwaardigde voetstappen door de hal.

'Wat ik bedoel is dat het nou niet bepaald aangenaam was om in deze puinhoop thuis te komen (nu wijst hij waarschijnlijk; misschien heeft hij haar zelfs wel mee naar de keuken genomen om naar het bewijs te kijken) met drie hongerige kinderen en niets in huis dat ook maar op eten lijkt.'

Geen reactie van mama.

'O, sorry. Nee, hier waren slechts twee hongerige kinderen. Ik moest er nog uit om die andere op te halen.'

Nog steeds geen reactie van mama. Niet dat ik kan horen tenminste.

'Ben je nog van plan iets te zeggen?'

Ik hoef nu niet langer door een kiertje te luisteren. Ik zou hem ook zo wel horen, met de deur dicht en in een uitstekend geïsoleerde slaapkamer.

'Wat wil je dan dat ik zeg, Rob? Het spijt me dat ik het lef heb weg te gaan? Het spijt me dat er iets is dat me afleidt van de steeds groter wordende behoeftes van dit gezin, voor niet meer dan een paar uurtjes per week? Misschien moet jij ook wel spijt voelen. Spijt dat je niet eens één avond zonder me kunt. Spijt dat je nooit hebt leren koken of voor jezelf hebt leren zorgen.'

Zo, dit wordt onaangenaam.

'Ik ben niet van plan daarop in te gaan, Libby. Maar jij weet net zo goed als ik dat het niet om één avond gaat. De laatste tijd zijn het meer avonden en ook nog eens bijeenkomsten in de middag, en god weet wat nog meer. Je bent hier bijna nooit! Ik bedoel, dat kan niet... kijk dan toch eens rond! En zelfs als je hier wel bent, ben je hier niet echt.'

'Wat wil je daarmee zeggen?'

'Je weet heel goed wat ik daarmee wil zeggen. Je bent afwezig. Niet hier. Alsof alles hier je niets kan schelen.'

Op dat moment doe ik mijn kamerdeur dicht en loop naar mijn bureau, waar mijn jammerlijke knutselpoging staat te wachten tot iemand het kan omvormen tot het eindexamenproject dat het zou moeten worden. Ik wil niets meer horen. Volgens mij heeft papa gelijk, natuurlijk. Het is de laatste tijd een puinhoop in huis. En ik heb er de pest aan als ik thuiskom en merk dat ik alles zelf moet regelen. Ik wilde dat ze eens ophield met die Earthwatch-onzin en alles weer werd zoals het was. Ze gaat er duidelijk heel raar door doen.

Maar ze heeft ook wel gelijk. Papa is een slechte kok. En hij zou er niets van krijgen als hij af en toe eens naar de supermarkt zou gaan.

Libby

Ik ben nat tot op mijn huid en mijn haar plakt aan mijn hoofd. Ik zou willen dat ik een sweatshirt met capuchon had aangetrokken, en ook dat je erop kon rekenen dat de Engelse zon beter zijn best zou doen voordat hij zich liet verslaan door de dreigend uitziende wolken en de onverwachte hoosbuien.

Ik sta in de bijkeuken en trek de doorweekte trainingsbroek van mijn bevroren, rode benen. Dan hoor ik de anderen boven wakker worden. Ik ren in mijn ondergoed naar de keuken om in de agenda te kijken. Ik probeer er elke ochtend consequent in te kijken om te zien of er dringende zaken zijn die ik moet doen, omdat ik de laatste tijd kennelijk een paar dingen ben vergeten. Formulieren die moeten worden ingeleverd, kinderen die moeten worden opgehaald, dat soort dingen. De ergste misser was dat ik niet ben komen opdagen tijdens de eerste bijeenkomst van het *Guys and Dolls*-kostuumcomité afgelopen donderdagochtend. Ik was van plan te gaan, maar toen besloten we om alvast te beginnen met de planning van de afvalrit en zodoende ben ik dat *Guys and Dolls*-gedoe helemaal vergeten. Ik werd opgebeld door een bijzonder bezorgde Rosie Blackburn die vroeg of me iets ernstigs was overkomen.

Ik kijk even in de koelkast op zoek naar inspiratie voor het avondeten en zie dat de planken griezelig leeg zijn. Het lijkt wel dat hoe vaak je ook boodschappen doet – en met boodschappen doen, bedoel ik het kopen van de enorme hoeveelheid wekelijkse boodschappen, het door de supermarkt zeulen met een onwillig winkelwagentje, tussen de schappen door en langs de paden die volgepropt zijn met stapels vol onuitgepakte artikelen en allerlei andere mensen die boodschappen doen, het bij de kassa op de lopende band zetten van ten minste duizend artikelen en het voorbij de kassa inpakken van diezelfde artikelen in milieuonvriendelijke draagtasjes en ze vervolgens terugzetten in dat onwillige bood-schappenkarretje en daarna in de kofferbak van de auto, gevolgd door het uitladen van de boodschappentasjes uit de kofferbak en het verplaatsen ervan naar de keuken, waarbij er ten minste twee van die tasjes scheuren en de volledige inhoud uitgestort wordt over de vloer van de hal, uitmondend in het super saaie klusje van het opbergen van die duizend artikelen, terwijl je ondertussen ziet dat de plankjes in de koelkast vol liggen met gemorst sinaasappelsap, rottende komkommer, opgedroogd eigeel of misschien wel met alle drie en dan spreek je met jezelf af dat je dat zult schoonmaken voordat je weer boodschappen gaat doen, maar daar kom je eigen-lijk nooit aan toe – alles twee dagen later alweer op is. Dan trekt iemand de koelkastdeur opent en jammert: 'Er is niets te eten!' De voedselvoorraad van een gezin is net zoiets als het takenlijstje van een moeder: onmogelijk bij te houden.

Boodschappen doen heeft altijd al vrijwel boven aan mijn lijst 'meest gehate klusjes' gestaan, maar de laatste tijd is de afkeer die ik voel als ik maar aan boodschappen doen denk buiten alle pro-porties. Al sinds ik weet hoeveel kilometers groente en fruit reizen, sta ik voor een moreel dilemma elke keer dat ik in de buurt van de groente- en fruitafdeling kom. Moet ik de arme Keniaanse boer steunen door zijn bonen te kopen of moet ik de brandstof voor de zesduizend kilometer besparen die die bonen hiernaartoe heeft gebracht en de zielig ogende exemplaren uit ons eigen land kopen? Als ze er zijn, tenminste. Vaak lijkt het gewoon gemakkelijker om zonder eten thuis te komen.

'Mama, waarom sta je in je ondergoed in de keuken?' Ella staat opeens achter me en ik spring bijna uit mijn klamme, met kippenvel overdekte vel.

'O, god, je liet me schrikken. Ik heb mijn joggingkleding in de wasmachine gedaan omdat alles zo vies en nat was. Ik kijk alleen even in de agenda om te zien wat jullie vandaag allemaal nodig hebben.'

'Dit vond ik in mijn schooltas,' zegt ze al zwaaiend met een hand-jevol wit papier. Ze geeft het aan me en ik zie meteen dat het een kopie is van het Earthwatch-actieplan met achtergrondinformatie. Het papier dat ik gisteren kwijt dacht te zijn.

'Daar heb ik gisteren de hele dag naar gezocht! Het moet per ongeluk tussen je huiswerk zijn terechtgekomen! Dank je wel, lieverd. Vergeet je niet dat je vanmiddag zou komen? We hebben die speciale bijeenkomst over onze ophaalactie van giftige producten. Ik heb jou niet ingepland en daarom ga ik iemand vragen, ik denk mevrouw Foster, om je na school bij de bibliotheek af te zetten.'

'Te gek,' zegt ze met een glimlach en geeft me een kusje op de wang. Dan loopt ze naar de hoge kast waar we de muesli bewaren. Ik doe de koelkast dicht, pak mijn Earthwatch-papieren en sleep mijn rillende, schaars geklede lichaam naar de douche. Ik weet precies wat er nu gaat gebeuren.

'Mam! Er is geen muesli! Wat moet ik nou eten?' roept ze.

Maar ik ben al halverwege de trap. Geen tijd om in de buurt te blijven. Heb het druk.

Als Ella de vergaderzaal binnenkomt, zit ik samen met Michelle en Gabriel aan tafel hun laatste posters te bekijken. Ik ben een beetje afgeleid door een van Frans recente sms'jes: *Paul heeft mijn slaaphoofd gezien en is nog steeds dol op me. Ik heb zijn b. kleine, b. rommelige flat gezien en ben nog steeds dol op hem. Zou dit de ware dan kunnen zijn? xox Fran.*

Michelle blijkt heel goed te kunnen illustreren en Gabriel is briljant met woorden, en dus vormen ze een geweldig paar. Ze zijn vast van plan om niet alleen een poster te maken, maar een kunstwerk dat niemand kan negeren; een kunstwerk met zoveel overtuigingskracht dat duizenden plaatsgenoten worden overgehaald om met plastic tasjes vol giftige schoonmaakmiddelen naar de verzamelpunten te gaan. Maar ik ontdek een klein probleem.

'Denken jullie niet dat dat stukje over foetussterfte en diarree een beetje té is?' vraag ik.

'Maar het is toch zo?' dringt Michelle aan. 'Te veel van die luchtverfrissers kan foetussterfte en diarree veroorzaken.'

'Dat weet ik wel, maar we moeten niet te paniekerig doen. Dan haken mensen helemaal af. Dan denken ze dat we een stelletje malloten zijn.' Ik huiver schuldig door mijn woordkeuze. Ik zou er nog niet eens zo heel lang geleden net zo over hebben gedacht.

121

Het is lastig om te beslissen in hoeverre je mensen nu eigenlijk aan het schrikken moet maken. En ik weet wel heel zeker dat bepaalde ideeën die we verkondigen bizar zullen klinken, of hilarisch. Eén ding dat nooit zal aanslaan, is het idee om stoffen zakdoeken te gebruiken in plaats van wegwerp. Behalve dat het ietwat walgelijk is, zal het de huidige generatie nooit kunnen bekoren. Toen ik de meiden vroeg of ze ooit een stoffen zakdoek zouden meenemen, vielen ze allemaal zowat kokhalzend op de grond.

'O, hallo, lieverd,' zeg ik als Ella haar hoofd om de deur steekt. 'We zijn hier.'

Ella loopt naar ons toe en glimlacht verlegen naar Gabriel en Michelle.

'Alles goed met je, Ella?'

'Ja hoor, dank je wel,' antwoordt Ella op de gouden, melodieuze manier van alle tienjarigen.

'Kom eens hier, dan laat ik je zien waar we mee bezig zijn,' zeg ik en ik leid haar naar de tafel waar Eloise gebogen zit boven een wijkkaart vol met rode plakkers. Ze kijkt op en glimlacht naar ons.

'Hallo, liefje. Je moeder en ik proberen te bedenken waar we de inzamelpunten voor al die walgelijke schoonmaakmiddelen moeten plaatsen. We moeten een keuze maken en vervolgens toestemming vragen van de gemeente. Heb je zin ons te helpen?'

'Tuurlijk,' zegt Ella. Ze laat haar schooltas met een plof op de vloer vallen. 'Maar waarom vragen we de mensen niet gewoon om naar het recyclecentrum te komen?'

'Dat is een goede vraag. Daar hebben we wel over nagedacht. Maar we hebben besloten dat we het de mensen heel gemakkelijk moeten maken, zodat ze geen enkel smoesje meer hebben om niet mee te doen. Bovendien willen we dat het allemaal heel zichtbaar wordt, als een soort statement, begrijp je? En dus gaan we ons een beetje verspreiden. We gaan die inzamelpunten een week lang bemannen. We maken het echt heel belangrijk.'

'O,' zegt Ella, gebiologeerd door Eloise. Het is moeilijk om niet geboeid te raken door Eloise. Dat komt door de mengeling van pragmatische vriendelijkheid en wereldvreemde romantiek die ze uitstraalt.

'We rekenen op jou om de stations die week te bemannen,' zeg ik, en ik leg mijn hand op Ella's schouder.

Haar ogen lichten op. 'Ja, dat zou geweldig zijn. Misschien kunnen papa en Phoebe en Kate ook wel helpen.'

Ja, die kans is écht wel groot, denk ik.

'Nou ja, ga maar zitten, dan proberen we hieruit te komen. Wat denk je van eentje hier, Eloise? Aan Station Road? Dat is een mooie grote ruimte, met heel veel parkeergelegenheid vlakbij, en genoeg plek voor een aantal containers.'

'Goed idee,' zegt Eloise en ze plakt zorgvuldig een sticker op de hoek van Station Road en Mickelson Crescent.

'Containers zijn duur, of niet dan? Wie betaalt dat?' vraagt Ella.

'Eh... dat ben ik,' zegt Daniel, die achter me staat. Hij is zo te zien net binnengekomen. 'Nou ja, ik niet, maar het Earthwatch-fonds. Het is maar een klein fonds, dus we zullen binnenkort moeten proberen wat geld in te zamelen.' Dan pakt hij Ella bij haar schouders en kijkt haar zogenaamd plechtig aan. 'En hoe gaat het met jou? Waar hebben we jouw aanwezigheid aan te danken vandaag? Het is immers geen woensdag?'

'Mama had afgesproken om te komen en er was verder niemand thuis, dus ben ik er ook. Ik vind het niet erg.'

'Nooit te jong om een milieuactivist te worden,' zegt hij. Dan loopt hij naar de koffiepot aan de andere kant van het vertrek. 'Wil iemand koffie?'

'Nee, bedankt,' zeggen Eloise en ik tegelijk.

Ik zie hoe hij de koffiepot optilt en de inhoud bekijkt en vervolgens de karige inhoud in een van de afgeschilferde bekers schenkt die op het dienblad staan. Hij gebruikt geen melk en suiker en neemt een slokje voordat hij tegen de tafel gaat leunen. Hij kijkt het vertrek eens rond en glimlacht naar me. Dan pakt hij zijn rugzak en haalt er het blauwe schrijfblok uit dat hij altijd bij zich heeft.

Ik concentreer me weer op Ella en Eloise en de rode stickers. 'Waar waren we?' vraag ik opgewekt.

Een uur later zit Ella in een hoekje een essay te schrijven over het leven van de Tudors, nadat ze Eloise heeft geholpen de kaart met rode stickers te beplakken. Ik heb geen idee hoe we de afvalstations allemaal moeten bemannen. Ik weet zeker dat we er een paar moeten laten vallen. Of we moeten tientallen nieuwe vrijwilligers zien te werven, en enkele duizenden ponden meer ter beschikking hebben voor containers.

Dan krijg ik opeens een idee. Ik loop naar waar Daniel bezig is met een aantal nogal ingewikkeld uitziende spreadsheets.

'Luister, denk je dat we een plaatselijk containerbedrijf kunnen overhalen ons te steunen, misschien door gratis een paar containers ter beschikking te stellen als wij hun naam en logo ergens vertonen?'

Daniel staart naar mijn vingers die uitgespreid op de rafel rusten en kijkt dan naar me op. Opeens ben ik me bijzonder bewust van mijn handen; ik ga rechtop staan en stop ze in mijn zak.

'Dat is een fantastisch idee. Wil jij een brief opstellen, een paar telefoontjes plegen?'

'Tuurlijk, doe ik vanavond meteen.'

'Ze is lief,' zegt hij en knikt naar Ella.

'O, dank je. En ook bedankt dat je zo aardig tegen haar bent.'

'Ze heeft heel veel van jou,' zegt hij dan en laat zijn blik over mijn gezicht dwalen.

Ik hap naar adem en voel een trilling door mijn maagstreek gaan. Ik hoop maar dat hij het niet merkt.

'O, was ik maar weer tien,' zeg ik vrolijk en draai me om.

'Nou, ik ben blij dat je dat niet bent,' zegt hij.

Ik bloos en kijk naar mijn voeten, zoekend naar een passende reactie. Maar daar blijft hij niet op wachten. In plaats daarvan vouwt hij de spreadsheets op, stopt ze tussen de bladzijden van zijn blauwe schrijfblok en staat op.

'Ik ga even kijken wat iedereen aan het doen is,' zegt hij en loopt naar Gabriel en Michelle die met hun voeten op tafel zitten te lachen en Diet Coke drinken. Zo te zien zijn ze erin geslaagd een mooie poster te maken, want als Daniel bij hen komt, laten ze hem trots het eindresultaat zien. Ik kijk naar hem en zie dat hij fanatiek knikt en hen elk een kneepje in de schouder geeft.

Misschien doet hij dat wel bij iedereen, denk ik.

Ik moet een vergadering met de gemeenteraad organiseren. De vraag is, met wie van de gemeenteraad. Daniel weet het niet. Hij zegt dat zover hij weet elke gemeente weer anders is georganiseerd en dat ik me eerst maar eens moet oriënteren.

Ik probeer het algemene nummer, maar dat is geautomatiseerd, natuurlijk, en ik moet zo ongeveer naar eenentwintig keuzes luisteren, maar die wil ik allemaal niet, totdat me wordt gevraagd of ik met een medewerker wil praten. Het lijkt erop dat iedereen met een medewerker wil praten, want de lijn is bezet. Elke keer dat ik probeer iemand te bereiken, is de lijn bezet en dus hang ik op en besluit dat ik me ga oriënteren zonder het geautomatiseerde telefoonsysteem.

Ik vind een telefoongids. (Vijf. Het heeft wel een paar voordelen om in de bibliotheek te zitten.) Ik loop de lijst met de verschillende afdelingen door en krijg hoop als mijn vinger terechtkomt bij een afdeling met de naam Milieudienst (informatie). Ook deze afdeling heeft een geautomatiseerd telefoonsysteem, maar hier hoef je maar drie opties aan te horen voordat je bij de optie bent waarbij je kunt aangeven dat je met iemand wilt praten. Maar met iemand praten, blijkt minder informatief dan ik had gehoopt. Die persoon kan me niet helpen met mijn algemene vraag (met wie moet ik praten om toestemming en steun te krijgen voor enkele door burgers geïnitieerde milieuplannen?) en ook niet met mijn specifiekere vraag (hoe kom ik aan toestemming voor het houden van een rally in Hill Road Park?). Die persoon heeft geen idee waar ik het over heb. Met haar praten voelt aan alsof ik door stroop waad in laarzen met zuignappen aan de zolen. Als we dat eindelijk allemaal achter de rug hebben, stelt ze voor dat ik de recyclingafdeling eens probeer. 'Daar weten ze alles van dat milieugedoe,' zegt ze behulpzaam.

De mensen bij Recycling willen me met alle plezier a) een rol oranje recyclingzakken sturen, b) de precieze ophaaltijden van elke straat doorgeven en c) opscheppen over een nieuwe efficiencyverbetering waarbij huiseigenaren hun vuilniszakken niet verder dan drie meter van de weg af hoeven te zetten, zodat rugletsel wordt voorkomen en de vuilophalers niet langer zwaar werk hoeven te doen, en over het handhaven van de gemeentelijke belastingen op een niveau dat een van de laagste van het land is. Wat ze niet kunnen, is me vertellen met wie ik moet praten over onze eigen plannen of me toestemming geven voor wat dan ook, laat staan voor het huren van een park voor een rally – 'Een rally? Bedoelt u een autorally?' – of de plaatsing van containers op straathoeken om te helpen bij het verwijderen van huishoudelijke schoonmaakproducten.

Tegen de tijd dat ik klaar ben met mijn gesprek met de Milieudienst (informatie) en Recycling, wil ik niet langer leven. Misschien kan ik beter een bejaardentehuis bellen of een tehuis voor mensen met psychische problemen. Ik realiseer me dat ik niet creatief genoeg ben en dat ik misschien meer zijpaden moet bewandelen. Ik vraag me af of ik de afdeling Verkeersborden/Verkeerszuilen moet bellen of de afdeling met de geheimzinnige naam Speciale diensten.

Ik bel Daniel met een voortgangsverslag. 'Ik kom helemaal niet verder,' zeg ik.

'Misschien moeten we proberen via een andere weg binnen te komen. Wat denk je ervan om een van de raadsleden te bellen? Misschien is een van hen in staat ons tussen de mazen van het net door te loodsen.'

Terwijl hij dit zegt, scan ik de alfabetische lijst met afdelingen en zie er eentje met de naam *Raadsleden – voor Informatie*. Ineens krijg ik weer hoop.

'Oké, ik probeer het nog een keer,' zeg ik, alsof ik me aan de noordkant van de Eiger bevind terwijl er een sneeuwstorm dreigt.

Phoebe

Als ik de koelkast open, zie ik dat hij vrijwel leeg is op een doosje bosbessen na met een zelfklevend stickertje van Ella erop. *Mam, deze bosbessen komen helemaal uit Chili!* schreeuwt de tekst. Ook zie ik een paar plastic bakjes.

'Wat zit er in deze bakjes? Avondeten?' vraag ik hoopvol, terwijl ik een pak melk pak. Er zit nog één drupje in. Misschien net genoeg voor twee kopjes thee, maar in geen geval genoeg voor een kom muesli.

'Wat? O nee, niet echt. Dat spul neem ik vanavond mee naar de bijeenkomst. Het is me opgevallen dat Courtney en Michelle niet bijzonder goed eten. Voor zover ik weet, leven ze op chips en chocolade en vage drankjes. Daarom neem ik een gezonde maaltijd voor hen mee die ze dan vanavond kunnen opeten.'

'En wat gaan wij vanavond eten?' vraag ik, zonder mijn irritatie te verbloemen.

'Lieve god, Phoebe, daar heb ik nog niet over nagedacht, hoor. Ik maak vandaag wel iets en laat iets over voor jou, dat beloof ik.'

Ze kijkt me bijna verontschuldigend aan. Of misschien is het geen verontschuldiging maar amper verborgen ongeduld; dat is lastig te zeggen.

'Goed. Want ik wil niet weer zoiets meemaken als vorige week,' zeg ik. Ik voel me opeens vijfenveertig.

Terwijl ik wacht tot het theewater kook, realiseer ik me hoe vreemd het is dat mama witte plastic bakjes meeneemt voor twee meisjes die ze amper kent.

'Mam, denk je dat die meisjes, Courtney en... hoe heet ze ook alweer... Rochelle? Denk je dat ze jouw eten eigenlijk wel willen hebben? Denk je niet dat ze dan zullen denken dat je een beetje bemoeizuchtig bent? Misschien vinden ze chips en chocolade wel lekker.'

'Dat is ook zo, maar dat komt doordat ze niet beter weten. Ze hebben niet het geluk gehad van ouders die letten op wat ze eten. Ze vinden het prima dat ik eten voor hen meeneem. Ik heb het ze gevraagd.'

'Je hebt het ze gevraagd? En, wat zeiden ze?' vraag ik ongelovig.

'De vorige keer, toen we het hadden over iets dat in een van onze boeken stond, zeiden ze dat ze zich nooit hadden gerealiseerd hoe slecht hun eetpatroon was. Maar geen van tweeën kan koken en hun moeders zijn bijna nooit thuis omdat ze in ploegendienst werken. En dus heb ik hen beloofd dat ik elke week wat te eten voor ze zal meebrengen, zodat ze kunnen zien hoe gemakkelijk het soms is om iets klaar te maken.'

'Je gaat dus elke week voor hen koken?' Mijn kaak hangt slap van ongeloof.

'Nou ja, koken is misschien een te groot woord. Het is vooral koud eten. Maar ik maak iets voor hen klaar, ja. En dan wil ik het recept opschrijven en op de doos plakken, zodat ze het zelf ook eens een keer kunnen klaarmaken. Wat vind jij daarvan?'

'Het enige wat ik wil zeggen is dat je papa maar beter niet kunt laten weten wat je aan het doen bent. Iets zegt me dat hij het niet helemaal met je eens zal zijn als hij vanavond zijn roerei laat aanbranden,' zeg ik en ik glip langs haar heen met mijn thee.

'Hij redt zich wel,' zegt ze, en ze kijkt naar de druppels thee die ik mors. Ik drentel terug en dep ze op met mijn sok.

Hij redt zich wel? Hij redt zich wel? Wie is deze vrouw en wat heeft ze met mijn moeder gedaan? Waar is die vrouw die zich zorgen maakte als ze geen toetje had gemaakt of als ze per ongeluk voor de tweede keer in één week gehakt had klaargemaakt? En nu ik er toch aan denk, waar is die vrouw die zich altijd bezorgd afvroeg wanneer ze de bedden de laatste keer had verschoond? Het lijkt wel alsof iemand een emmer zand over mijn moeder heeft uitgestort.

'O ja, mama, mijn bed moet hoognodig verschoond. Als je het niet erg vindt natuurlijk,' zeg ik met onverhulde spot. Ik ben dan al halverwege de trap en dat is wel jammer, want nu kan ik haar gezicht niet zien.

Ongeveer halverwege de ochtend moet ik heel nodig plassen en ook al weet ik dat ik dan te laat bij wiskunde zal komen, ik ga toch snel even naar het toilet. Als ik mijn handen sta te wassen, merk ik dat er nog iemand anders is en dat ze zit te huilen. Ik gluur onder de deur door en zie een paar gewone zwarte mocassins en een grijze panty met een gat erin. Dat kan iedereen zijn.

Ik overweeg een snelle ontsnapping. Het is natuurlijk mijn zaak niet en wie het ook is, diegene wil waarschijnlijk niet worden ontdekt. Maar het huilen wordt minder ingehouden en veel wanhopiger, en dus loop ik ernaartoe en leun met mijn voorhoofd tegen de deur.

'Hallo. Gaat het wel goed met je?'

Een stomme vraag, die wordt begroet met een spottende stilte.

'Kan ik iets voor je doen?' vraag ik, in een nieuwe poging.

'Nee,' is het benauwde antwoord.

'Kom alsjeblieft naar buiten, en laat me je helpen,' zeg ik, opeens vastbesloten.

'Je kunt niet helpen. Niemand kan dat,' zegt de stem.

Het is een bekende stem, maar ik kan hem niet meteen plaatsen. Dan opeens weet ik het.

'Rebecca? Ik ben het, Phoebe. Doe de deur open. Wat is er aan de hand?'

Ik hoor dat ze de grendel opzij schuift en de deur gaat een klein stukje open. Ik duw de deur voorzichtig open, bang voor wat ik erachter zal vinden.

Op Rebecca's wangen zie ik vegen natte mascara (ik vind toch al dat ze te veel opdoet) en haar huid is vlekkerig, maar behalve dat zijn er geen tekenen van hevig verdriet. Geen doorgesneden polsen of naalden.

'Wat is er? Wat is er met je?' vraag ik. Ik ga voor haar staan en kijk naar haar ogen, die leeg zijn, dood bijna. Hopeloos.

'Rebecca. Vertel alsjeblieft wat er aan de hand is. Ik beloof je dat ik zal proberen je te helpen.' Gek genoeg meen ik dat echt. Ik ken Rebecca niet heel erg goed, maar zoals ze er nu uitziet, wil ik haar helpen.

Mijn warme gevoelens worden niet beantwoord. Haar ogen worden staalhard en klein en gemeen.

'Je kunt me niet helpen! Hoor je me? Jij bent wel de laatste die me kan helpen! Ga toch weg en laat me alleen!' Ze schreeuwt de laatste zin alsof ik de reden ben van haar wanhoop in plaats van de onschuldige omstander die haar wil redden.

Ik sta op en loop het hokje uit, en laat haar jammerend achter.

'Oké, als jij dat wilt,' zeg ik hooghartig. Ik heb er meteen spijt van; dit is niet het goede moment voor zo'n goedkope sneer, dat weet ik wel. Maar soms is het er al uit voordat ik er erg in heb, en het is heel moeilijk om het weer goed te maken. En dus kan ik niets anders doen dan haar alleen laten.

Tegen de tijd dat ik de toiletruimte uit ben, denk ik vooral aan de straf die ik zal krijgen omdat ik te laat in de les kom.

Libby

Als ik de deuren openduw, zie ik Daniel meteen. Hij hangt over een van de tafels en kijkt de andere kant op. De tafel is bezaaid met stapels flyers en kartonnen dozen, en vlak bij de rand staat een papieren koffiebekertje. Ik weet niet zeker in wat voor bui hij is, maar ik heb wel een aardig idee. Bob Hunter is vanochtend overleden.

'Wie is Bob Hunter?' had Kate gevraagd, toen ze merkte dat ik schrok bij het bericht op de radio.

Een paar maanden geleden zou ik niets over Bob Hunter hebben geweten, maar nu weet ik dat hij een van de geweldigste milieuactivisten ter wereld was. Een held van onze tijd. En een van Daniels grote helden.

De meeste mensen hebben een held, denk ik. Toen ik nog jong was, had ik er ook een paar. Charlotte Rampling bijvoorbeeld, zoals ze op haar onnavolgbare koele en sexy manier op de bladzijden van *Paris Match* stond en met wie ik, helaas, nooit meer dan een vage gelijkenis zou vertonen. Ik denk dat ik net als mijn vriendinnen Farrah Fawcett en Linda Carter en Christy Brinkley had moeten bewonderen, maar die glamoureuze glimlachende wezens deden me niets. Ik wilde op Charlotte lijken, ook al was ze in die tijd al een jaar of veertig.

En dan had je David McAlpine, van het Nationaal Oceanografisch Centrum in Southampton, die alles leek te weten, niet alleen over zijn eigen specialisme, maar ook over die van elk ander mens. Op elke vraag die je hem stelde, bij alles wat je tegen hem zei, reageerde hij wel met een intelligente opmerking. Of het nu een vraag was over grote zeedieren (zijn specialisme) of over iemand die opeens een postvirale reumatische aanval had gekregen (waarover je verwachtte dat hij niets zou weten). Maar hij wist altijd iets te zeggen over welk onderwerp dan ook. Je kon er altijd op rekenen dat hij een paar onderzoeken kon noemen die zijn zienswijze ondersteunden. Ik was twintig toen ik altijd vanaf de derde rij van een muf klaslokaal naar hem zat te luisteren, of tegenover hem met een paar biertjes in de studentenbar, en dan dacht ik dat ik nooit weer iemand zou tegenkomen die het waard was zo volkomen te worden geadoreerd.

Maar ik weet niet zeker of een van mijn helden ooit zoveel impact op me heeft gehad als Bob Hunter op Daniel. Hij weet nog precies op welk moment hij besloot in zijn voetsporen te treden. 'Hij was grappig en moedig en dapper, en hij weigerde te accepteren dat er grenzen waren aan wat je kon bereiken. Hij geloofde in kleine wonderen,' had Daniel twee weken geleden op een avond enthousiast gezegd toen hij me vertelde hoe Bob Hunter hem bij de milieubeweging had betrokken. Ella en ik zaten na een gewone bijeenkomst nog even met hem te kletsen in de vergaderzaal. Hij had besloten nog even te blijven om informatie over onze groep in enveloppen te stoppen, en we hadden aangeboden hem even te helpen. En tijdens het vouwen en vullen en likken, vertelde hij hoe hij na zijn studie Milieuwetenschappen fulltime als milieuactivist bij Earthwatch was gaan werken en een stafpositie bij enkele respectabele universiteiten had afgewezen. 'Dat kan ik altijd nog wel een keer doen,' zei hij. 'Maar nu wil ik actief betrokken zijn bij de poging een omslag te bewerkstelligen.'

Ik vertelde hem dat zijn betrokkenheid zo vanzelfsprekend leek te zijn en dat hij niemand leek te veroordelen, en hoe ik dat bewonderde. Ook dat was volgens hem te danken aan Bob Hunter. 'Dat is de eerzame Canadees in me. Ook dat heb ik te danken aan Bob Hunter,' zei hij grijnzend. 'Het Canadese volk is een volk dat het meest de consensus zoekt, weet je.'

Vandaag draait Daniel zich om als hij de deuren hoort opengaan. Ik glimlach naar hem. Dan gaat mijn mobiel en verschijnt Robs naam op het schermpje.

'Hallo, wat is er?' vraag ik. Het voelt gek om met Rob te praten terwijl ik ondertussen probeer met een begrijpende blik naar Daniel te kijken. Misschien voelt Daniel wel hetzelfde, alsof hij zich opdringt, want hij draait me zijn rug weer toe.

'Niets bijzonders. Vroeg me alleen maar af of we dat gedoe met de buren en het nieuwe hek al hadden geregeld. Ik zag Bill vanochtend en hij keek me met zo'n kille blik aan. Ik kreeg de indruk dat hij een beetje ongeduldig wordt.'

'O ja, vergeten. Min of meer. Ik bedoel, ik heb de offertes binnen, maar daarna ben ik het eigenlijk een beetje vergeten. Ik regel het wel,' zei ik toen mistroostig.

'Gaat het wel goed met je?' vraagt hij, opeens bezorgd.

'Hm? Ja hoor, best wel. Ga nu naar Earthwatch.'

Aan de andere kant van de lijn maakt Rob een nietszeggend geluidje.

'Goed dan,' zegt hij. Even is het stil en dan zegt hij: 'Nou, ja, vergeet dat hek niet. We moeten dit echt even afhandelen.'

Ik heb zin hem, net als mijn vriendin Carrie een keer heeft gedaan toen haar man haar een getypte lijst van dringend noodzakelijke klusjes onder de neus schoof met de titel *Dingen die wij deze maand moeten doen*, te vragen: 'Wie zijn deze WIJ verdorie en waarom denk je dat ZIJ zin hebben ons te helpen?' Maar hij heeft gelijk. We moeten dat met dat hek echt afhandelen, evenals dat toilet dat pas na de derde poging doorspoelt, en de deurkruk van datzelfde toilet die er steeds af valt. We moeten ook iets doen aan dat beginnende probleem met die mieren, en iets dat griezelig veel lijkt op een vochtprobleem in de hal. En de koelkast die alweer leeg is, en dat nog steeds bestaande probleem met onze tienerdochter die, volgens mijn zeldzame naspeuringen, al anderhalve pilstrip heeft ingenomen.

Dat moet allemaal worden afgehandeld. Maar nu is mijn grootste zorg de dood van een held.

'Goedemorgen,' zeg ik en loop aarzelend naar hem toe.

Hij draait zich om en glimlacht, maar het is een zwak, vluchtig glimlachje. Zijn ogen staan somber.

'Hoi,' zegt hij zacht. 'Hoe gaat het?'

'Ik kan beter vragen hoe het met jou is,' zeg ik. Het heeft geen zin om te doen alsof er niets aan de hand is, alsof we ons vandaag met de antigifcampagne zullen bezighouden.

Hij laat zich in een stoel zakken en ik leun vlak bij hem tegen de tafel.

'Nou, ik heb me weleens beter gevoeld. Je hebt het dus gehoord?'

Ik knik en zeg: 'Op de radio.'

Dan weet ik even niet wat ik moet zeggen en dus zwijgen we. Hij tikt tegen de koffiebeker en ik staar naar de grond. Dan kijkt hij naar me op.

'Gek hoe dit soort dingen je raken, vind je niet? Ik bedoel, ik kende hem amper, heb hem drie keer ontmoet. Nee, om precies te zijn heb ik hem drie keer gezien en één keer ontmoet. En ik kende elke centimeter van zijn werk, wist hoe hij dacht.'

'Ik weet het. Je kende hem, echt wel. Een deel van hem in elk geval. Het is heel normaal dat je je nu zo voelt. Wil je vandaag misschien liever niets doen en naar huis gaan?'

Hij lacht aarzelend. 'Ik wil vandaag inderdaad liever niets doen, maar ik heb geen zin om naar huis te gaan en naar de muren te zitten staren. Die zijn zelfs op een mooie dag behoorlijk saai.'

'Oké, dan gaan we ergens naartoe,' zeg ik vastbesloten. 'Ik trakteer je op een ontbijtje en daarna ook nog op een lunch als je dat wilt.'

'Nou, dat klinkt nog eens goed,' zegt hij en staat op. Hij staat daar even, buigt zijn rug en kijkt met samengeknepen ogen naar het plafond. Dan kijkt hij me weer aan en glimlacht aarzelend.

'Oké. Laten we gaan.'

Je kunt heel veel dingen bespreken tijdens een vierenhalf uur durende maaltijd. We zitten zeker anderhalf uur te treuzelen met twee kopjes koffie en een paar chocoladebroodjes bij Amandine. En dan is het bijna middag en hebben we echt trek. Niet zozeer in eten, maar in voedsel. Wijn. Meer praten. Praten over dingen waar je alleen over praat met een glas wijn erbij.

Het voelt wel even vreemd als we bij de deur van de Italiaan zijn aangekomen, vlak bij Amandine. Als hij de deur voor me openhoudt, realiseer ik me opeens hoe andere mensen ons zullen zien, alle mensen die ik ken in dit kleine voorstadje en die hier de komende uren langs zullen komen. Met een beetje geluk zal Gilly – die altijd op zoek is naar een nieuwe roddel – me zien als ze hier langskomt met Hank. 'Misschien kunnen we beter ergens anders naartoe gaan,' zeg ik. Ik bijt op mijn lip. Hij kijkt me vragend aan, alsof hij niet kan bedenken wat me er in vredesnaam van kan weerhouden om dit onschuldige restaurantje binnen te gaan en ik voel me dom. Dan zegt hij: 'Oké, laten we naar het centrum lopen.' We lopen het voorstadje uit en mengen ons in de comfortabele, anonieme drukte van het centrum van Richmond. Daar belanden we in een Grieks restaurantje in een rustig straatje, een heel stuk van de doorgaande route.

Als ik naar de ober kijk die de wijnfles ontkurkt en geroutineerd een beetje van de lichtgouden vloeistof in mijn glas schenkt, voel ik me heel even schuldig. Ik zou dit niet moeten doen, midden op de dag, met een andere man, terwijl mijn man niet meer dan anderhalve kilometer verderop aan het werk is. Dan denk ik, waarom niet? Ik hoef me toch nergens voor te schamen? Ik ben hier samen met een vriend en collega die behoefte heeft aan gezelschap; ik help hem dit te verwerken. Rob heeft waarschijnlijk tientallen van dit soort lunches gehad, met receptionistes die waren verlaten door hun vriendje, of mannelijke collega's die gaan scheiden. Dat doen werkende mensen in tijden van nood. Ertussenuit gaan en dronken worden.

Niet zo gek dat ze dat doen, want het werkt. Tegen de tijd dat we halverwege de eerste fles zijn, zijn Bob Hunter en Daniels verdriet om zijn dood naar de achtergrond verdrongen – nog niet helemaal uit onze gedachten, maar niet meer op de voorgrond in ieder geval. Daniels ogen glanzen weer een beetje en dat schrijf ik toe aan zowel de herstellende werking van ons gesprek als aan de alcohol.

'Zo,' zegt hij opeens en leunt naar voren. 'Vertel me nu eens hoe het komt dat je zo'n optimist bent.'

'Een optimist? Ben ik dat? Dat heb ik me niet zo gerealiseerd,' zeg ik verrast.

'Ja zeker wel. Dan merkte ik meteen al. Jij bent iemand die wilt dat de dingen goed gaan. Jij wilt ervoor zorgen dat dingen gebeuren. En als er obstakels zijn, probeer je meteen iets te bedenken om ze uit de weg te ruimen.'

'Misschien heb je wel gelijk,' zeg ik en neem een slokje wijn. 'Daar heb ik nooit zo bij stilgestaan. Als je opgroeiende kinderen hebt, zie je niet zo goed meer wat voor iemand je bent, omdat je nooit feedback krijgt. En je bent zo veel tijd kwijt met het regelen van allerlei dingen, onbelangrijke dingen, dat het niet overkomt als een overwinning, laat staan dat je optimistisch bent. Begrijp je wat ik bedoel?'

Het zou niet vreemd zijn als dat niet zo was. Die halve fles wijn heeft me duf gemaakt.

'Volgens mij ben jij het middelste kind,' zegt hij zelfverzekerd. Hij leunt achterover in zijn stoel en slaat zijn armen over elkaar.

'Je hebt gelijk, dat is zo. Mijn zus Liz is bedrijfsjurist, heel intelligent en machtig. Altijd al geweest. En Jaime, mijn jongere zus, staat niet helemaal met beide benen op de grond. Ze is pottenbakker. Weet vaak niet eens welke dag het is. Kan haar ook niets schelen. Nu ik eraan denk, ben ik altijd degene geweest die de praktische dingen regelde.'

'Ja, zie je wel. Ik denk dat ik je maar Mrs. Blue Sky moet noemen.'

'Wat zeg je?'

'Mrs. Blue Sky, zoals in Mister Blue Sky?'

Niets. Mijn hersens zijn he-le-maal lazarus. Ik giechel bij wijze van verontschuldiging.

'Je weet wel, dat nummer van Electric Light Orchestra?' zegt hij, zogenaamd vermoeid, en begint te zingen.

Ik herstel weer een beetje van mijn 'begin jaren tachtig'-vergeetachtigheid en begin mee te zingen.

'Kijk, je weet het weer,' zegt hij glimlachend.

'Hoezo ken jij teksten van ELO? In hun beste jaren kun je niet ouder zijn geweest dan zeven.'

'Aha, maar ik heb een oudere broer en volgens mij is hij de grootste ELO-fan die ooit heeft geleefd. Hij heeft me al heel jong gehersenspoeld. En daar ben ik nooit van hersteld.'

Opeens verschijnt de ober met een nieuwe fles wijn. Ik kan me niet herinneren dat die is besteld. Daniel knikt hem bemoedigend toe. Dan leunt hij over de tafel naar me toe en fluistert: 'Ter herinnering aan Bob.'

'Natuurlijk. Als teken van respect,' zeg ik, een beetje onduidelijk fluisterend, en leun naar hem toe. Onze gezichten zijn nu zo dicht bij elkaar dat ik zijn adem kan ruiken. Nog een paar centimeter en dan kunnen we onze neuzen tegen elkaar aan wrijven. Ik ga abrupt rechtop zitten en probeer mezelf weer in de hand te krijgen.

'Vertel eens, hoe oud is je broer? Wat is hij voor iemand?'

'Hij wordt volgende maand veertig. Maar dat maakt hem niet uit. Hij is de aardigste, meest relaxte man die ik ken.'

'Dat is nogal een leeftijdsverschil.'

'Ja, ik was een ongelukje. Maar een gelukkig ongelukje. Na de geboorte van Neil zeiden ze dat mijn moeder waarschijnlijk niet meer zwanger zou worden en daar heeft ze het jaren moeilijk mee gehad. En toen opeens, toen zij en mijn vader de moed allang hadden opgegeven, kwam ik en gooide hun leven weer helemaal overhoop.'

'Vond je dat vervelend? Min of meer enig kind zijn, bedoel ik. Want Neil zal wel uit huis zijn gegaan toen jij nog heel jong was.'

'Nee, het was geweldig. Zoiets als twee vaders hebben, alleen had een van beiden meer kijk op de wereld, begreep me beter. Veel leuker. Ik heb echt mazzel gehad.'

'En wat doet hij? Neil, bedoel ik.'

'Werkt overdag op de verkoopafdeling van een uitgeverij en 's avonds is hij muzikant. Speelt bas in een band die Emerson Jack heet. En daar tussendoor is hij de vader van twee jongetjes, Cy en Ned. Die zijn echt geweldig. Je zou ze moeten zien.'

Zijn ogen lichten op en hij schudt even met zijn hoofd alsof hij aan een grappig tafereeltje met Cy en Ned denkt.

'Maar alle kinderen zijn op hun eigen manier geweldig, vind je niet? Ik weet zeker dat die van jou dat ook zijn. Ella bijvoorbeeld is een schat.'

'Ja, maar meiden zijn lastig, hoor,' zeg ik, en meteen wil ik mijn woorden weer terugnemen. Niet bepaald een Mrs. Blue Sky-opmerking. Een beetje een domper eigenlijk.

'Aha, maar lastig is goed. Dat betekent dat ze nadenken en leren en uitdagen. Je wilt toch geen stelletje jaknikkers opvoeden?'

'Ja, je hebt natuurlijk gelijk,' zeg ik. 'En dat zou Bob Hunter natuurlijk ook zeggen.'

En daar laat ik het bij, want ik heb geen zin om met Daniel over het opvoeden van kinderen te praten. Ik wil het liever niet met hem hebben over de afstompende verveling, de frustratie en het emotionele getouwtrek in een huishouden met drie meiden en een echtgenoot die allemaal niet weten hoe ze zich in huis nuttig kunnen maken. Met een hele fles wijn achter de kiezen en met de knieën van deze geweldig optimistische man tegen de mijne, richt ik me liever op de leuke dingen.

Dan, één tel later, realiseer ik me dat ik het nergens meer over wil hebben. Hier zitten met Daniel, hier en nu, en praten over mijn gezin, ergens anders, en volkomen vergeten de laatste vier uur, voelt opeens ongemakkelijk. En de rauwe realiteit begint langzaam tot me door te dringen. Ik ben dronken. Heel erg dronken. En over anderhalf uur moet ik de meiden van de bus halen en net doen alsof ik niet de hele dag wijn heb zitten drinken met een heel jonge man die mijn echtgenoot niet is.

Waar ben ik mee bezig?

'Ik moet een kop koffie,' zeg ik opeens. 'En dan moet ik echt gaan.'

Daniel schrikt. Hij vraagt zich natuurlijk af hoe het komt dat de meegaande, toegeeflijke stemming is veranderd in de lauwe houding van nu.

'Ja, natuurlijk. Dat kan ik ook wel gebruiken,' zegt hij. Hij wenkt de ober.

Ik houd mijn blik neergeslagen als we op de koffie zitten te wachten en rommel in mijn handtas op zoek naar portemonnee, sleutels, kauwgum. Ik heb het koud en trek mijn jasje over mijn schouders.

Pas als ik al bijna thuis ben, bedenk ik me dat ik de bibliotheekboeken vergeten ben die Kate nodig heeft voor haar aardrijkskundeproject. Ook heb ik de mensen van het hek niet gebeld en niets gedaan aan de mieren en het vocht in de hal, en ook de koelkast is nog steeds leeg.

Maar het is nu te laat. Ik heb geen tijd meer.

Phoebe

Uiteindelijk krijg ik helemaal geen straf. Meneer Lockhart houdt van me. Niet in de Bijbelse betekenis natuurlijk. (Dat zou een beetje ziek zijn, want hij is echt al heel oud.) Hij vindt me gewoon een goed meisje en geeft me vrijwel altijd het voordeel van de twijfel. Ik weet nog dat we vorig jaar met vijf man achterin niet zaten op te letten, en hij gaf iedereen een aantekening behalve mij. Ik heb me nooit afgevraagd waarom dat zo is. Misschien lijk ik op zijn dochter. Misschien heeft hij gewoon een zwak voor iemand die al twee jaar achter elkaar de beste cijfers voor wiskunde haalt. Hoe dan ook, ik ben opgelucht want tegenwoordig moet je vaak op vrijdagavond nablijven, gewoon uit kwaadaardigheid.

In feite is het met zo'n sisser afgelopen dat ik Rebecca zelfs bijna ben vergeten. Maar op de laatste dag voor de paasvakantie komt ze tijdens de lunch naast me staan.

'Kan ik even met je praten?' vraagt ze, terwijl ik ham-kaassaus over mijn aardappels schep.

'Tuurlijk. Kom maar bij ons zitten,' zeg ik en ik wijs naar de tafel waar Alice, Laura en Tilly hun dienbladen ontladen.

'Nee, ik wil graag even onder vier ogen met je praten,' zegt ze. Ze lijkt een beetje in paniek. 'Heel even maar, het duurt niet lang.'

En dus ga ik met tegenzin met haar aan een tafeltje bij de automaten zitten en kijk naar Alice. Ze staat met een strakke rug, één hand op haar heup en met wijd open mond naar me te kijken, vol onbegrip.

Zodra we zitten, leunt Rebecca naar voren en begint te fluisteren. Dit gaat zo te zien veel langer duren dan een minuutje.

'Luister. Het spijt me echt dat ik laatst zo stom tegen je deed. Ik was gewoon heel erg van slag, weet je.'

'Het is wel goed, hoor.' En dan zeg ik, en ik probeer de kilheid uit mijn stem te weren: 'Gaat het nu weer goed met je?'

'Nou nee, niet bepaald, zegt ze, expres nonchalant. Er springen tranen in haar ogen. 'O, god, o, god, ik wil niet weer huilen, zegt ze, en ze wrijft hard over haar ogen.

Ik kijk om me heen en leg dan heel even mijn hand op de hare. 'Het is al goed. Even diep ademhalen. En vertel me dan eens wat er aan de hand is.'

Een paar minuten blijft ze stil en schuift haar hamsalade op haar dienblad heen en weer. Ik neem een paar hapjes van mijn aardappels, die van binnen geel zijn en een beetje zoetig smaken, alsof ze te lang zijn gekookt en daarna te lang op een warmhoudplaatje hebben gestaan.

'Goed dan, het gaat hierom, zegt ze dan. 'Je moet me beloven dat je dit aan niemand vertelt.' Ze kijkt of ik akkoord ga voordat ze verdergaat. 'Ik heb een heel grote fout gemaakt. Ik zit vreselijk in de problemen.'

Wat kan er aan de hand zijn, vraag ik me af. Betrapt op afkijken tijdens een proefwerk? Winkeldiefstal? Ik kijk haar recht aan, wil dat ze verder vertelt.

'Ik ben zwanger, zegt ze dan. Ze knijpt haar ogen dicht.

O, mijn god. 'O, mijn god, Rebecca!'

'Ja, ik weet het. Wat moet ik in vredesnaam doen, Phoebe?'

'Hoe komt dat?'

'Ik weet het niet zeker, zegt ze. En dan, omdat ik zo verbaasd kijk, zegt ze snel: 'Wat ik bedoel is, een keertje gleed het condoom een beetje af en een andere keer hebben we geen condoom gebruikt, en dus weet ik niet precies wanneer... eh... het is gebeurd.'

'Rebecca, hoe kon je zónder condoom vrijen? Hoe kon je?'

'Kijk me alsjeblieft niet zo aan, zegt ze, en ze begraaft haar gezicht in haar handen. Dan realiseert ze zich dat ze de aandacht trekt, gaat rechtop zitten en trekt een onschuldig gezicht.

'We lieten ons gewoon gaan en hij beloofde dat hij hem eruit zou trekken voordat er iets gebeurde. Maar volgens mij heeft hij dat niet gedaan, want uren later druppelde er spul uit me.'

Ik vertrek mijn gezicht als ik me daar een voorstelling van probeer te maken. 'Wie is wij? Wie is hij? Heb je dan een vriendje waar ik niets van weet?'

'Nee, niet echt. Ik kan je niet zeggen wie het is.'

'Maar Rebecca, je moet het aan iemand vertellen. Je moet het in elk geval aan hem vertellen.'

'Nee, nee! Dat doe ik niet!' roept ze zacht fluisterend uit. 'Niemand hoeft het te weten. Ik laat het weghalen. Kun jij me helpen?'

En dit zou maar een minuutje hoeven duren? Ik kijk naar de anderen. Laura is al weg, en Alice en Tilly zitten nu met Chloe te praten. Ze letten niet meer op mij en Rebecca en waarom we hier zijn gaan zitten, maar dat zal niet lang meer duren. Bij de eerste de beste gelegenheid zullen ze me lastigvallen en eisen dat ik hun alles vertel.

'Beloof me alsjeblieft dat je niets zult vertellen, Phoebe,' zegt Rebecca alsof ze mijn gedachten kan lezen. Haar ogen branden gaten in mij. Ik denk aan haar moeder, Julia, van wie ik altijd heb gedacht dat ze een heel aardig, begripvol iemand was. Dan denk ik aan haar vader, Andrew, een strenge, afstandelijke man over wie mama een keer zei: 'Een vooringenomen klootzak die continu met zijn hoofd in zijn eigen kont zit.' Hij heeft Rebecca een keer een maand huisarrest gegeven omdat ze na een feestje tien minuten te laat thuis was! Tien minuten!

'Dat beloof ik,' zeg ik. 'Maar ik heb geen idee hoe ik je kan helpen, Rebecca. Ik weet helemaal niets van abortus en zo. Waarom dacht je dat?'

'Wie wel?' vraagt ze. Ze klinkt klein en hulpeloos, als een meisje van vier dat haar ouders kwijt is in een pretpark.

'Misschien kan ik het wel voor je uitzoeken. Als je wilt.'

'Wil je dat doen?'

'Ja, ik zal het proberen.'

Ze reikt over de tafel en knijpt me even in mijn onderarm. 'Heel erg bedankt, Phoebe. Ik heb verder niemand met wie ik kan praten. En je was laatst zo aardig.'

Ze heeft gelijk. Ze heeft echt niemand anders om mee te praten. Ze heeft wel vrienden, maar geen echte vrienden. Ze is een van die mensen die altijd alleen lijken te zijn, zelfs midden in een groep mensen.

De bel gaat voor de middaglessen. Rebecca staat op en wrijft nog een laatste keer over haar ogen. 'Ik moet nu naar meneer Wilkes. Spreek ik je later?'

'Oké,' zeg ik verdoofd en ik kijk naar mijn aardappels. Hufters, denk ik. Nu zijn ze steenkoud én te gaar.

Libby

Raadsleden – voor Informatie is niet de hulplijn die ik had verwacht. Het blijkt een nummer te zijn dat raadsleden kunnen bellen als zíj informatie willen, en geen nummer dat burgers kunnen bellen om informatie over raadsleden te krijgen. Dom van me.

Maar net op het moment dat ik van plan ben me de haren een voor een uit mijn hoofd te trekken, komt Marcie Gibbons met een oplossing op de proppen. Ze vertelt dat ze een jaar geleden contact heeft gehad met een raadslid toen ze problemen had met een buurman die een paar lastige honden in zijn bezit had. (De oude man woonde op de vijfde verdieping in zijn tweekamerflat met twaalf luidruchtige terriërs. Als er eentje begon te blaffen, begonnen ze allemaal en zelfs Marcie op de tweede verdieping kon ze horen blaffen.) Marcie heeft niet alleen de naam en het telefoonnummer van dit raadslid, ze heeft ook zijn mobiele nummer en dat klopt nog steeds!

Clive Prattley lijkt zelf ook wel een beetje een terriër. Zijn bezieling is zelfs door de telefoon voelbaar en in gedachten zie ik hem al aan allerlei touwtjes trekken. Hij is natuurlijk niet degene die ik moet spreken en weet ook niet wie dan wel, maar hij wil dat voor me uitzoeken. Als hij me belooft over een dag of twee terug te bellen met informatie, dan geloof ik hem zelfs.

En Clive belt me inderdaad twee dagen later terug en geeft me de namen van drie mensen die stuk voor stuk onze plannen moeten goedkeuren. De eerste moet me aan een parkvergunning helpen, de tweede aan een vergunning voor de containers en de derde moet toestemming geven voor het uitdelen van flyers. Clive raadt me aan hen meteen te bellen, want hij heeft ze al op de hoogte gebracht en ze verwachten een telefoontje van mij. 'Grijp je kans!' roept hij uit, en in gedachten zie ik hem met een kapiteinspet op op de boeg van een oorlogsschip staan. Ik wilde dat hij voor me stond, zodat ik hem kon knuffelen.

'Ik heb eens zitten denken en ik vind dat we een andere tweede auto zouden moeten nemen. Of hem gewoon helemaal wegdoen.'

Ik kijk naar Rob om zijn reactie te peilen, maar zijn gezicht zit verstopt achter de krant.

'Rob? Heb je me gehoord?'

Hij laat de krant met een zucht zakken. 'Libby, waarom zou je dat willen doen?'

'Omdat het zo overdreven lijkt, twee auto's. En, zoals Ella maar blijft zeggen, een Range Rover is echt de slechtste auto wat milieuverontreiniging betreft. We zouden zo'n Prius-hybrideauto kunnen nemen. Die rijdt op een combinatie van benzine en elektriciteit. Als het goed is voor Cameron Diaz zou het ook goed genoeg voor ons moeten zijn.'

'Lib, die auto's rijden niet harder dan vijfenveertig kilometer per uur en ze kosten waarschijnlijk een fortuin.'

'Maar dat zou goed genoeg zijn voor de noodzakelijke ritjes. En verder kunnen we eerder gaan lopen of vaker met de trein gaan. Het is bijvoorbeeld belachelijk dat ik de meiden naar de bushalte rijd. Ze kunnen best lopen. Twintig jaar geleden liepen kinderen wel twee keer zo ver.'

'Je klinkt precies als je vader, weet je dat wel?' zegt hij glimlachend.

'Maar het is zo, ja toch?'

Hij kijkt me even strak aan en schiet dan in de lach, alsof hij niet boos op me kan worden.

Ik heb het juiste moment gekozen. Hij heeft zich deze week eindelijk minder laten opnaaien door bovenmatig veel Earthwatch-activiteiten, onvoldoende levensmiddelen in huis en te veel mieren. Zelfs het feit dat ik ben vergeten die heklui te bellen heeft hem minder geërgerd dan gewoonlijk. Mijn dronken lunch heeft hij helemaal niet meegekregen omdat hij die avond heel laat thuiskwam. En de meiden hebben mijn dronkenschap ook niet opgemerkt. Toen ik hen ging ophalen, had ik drie grote glazen water gedronken en net zo lang op bed gelegen met een plakje komkommer op mijn ogen tot ik zeker wist dat ik kon doorgaan voor iemand die nuchter was.

'Lib, denk je dat het niet al genoeg is dat we verschillende kleuren afvalbakken in elk vertrek hebben staan en dat jij of Ella ons elke keer dat we zelfs maar overwegen om iets weg te gooien de les lezen? Of dat we zo ongeveer alleen nog maar biologische producten in huis hebben? Ik bedoel, wat is dat eigenlijk voor spul waarmee je mij mijn haar laat wassen? Havermout? Als je nog meer van dat soort ideetjes hebt, moet ik toch eens serieus een scheiding gaan overwegen.'

Ik neem het hem niet kwalijk dat hij een beetje geïrriteerd is. Ella en ik hebben de rest van het gezin met heel wat dingen opgezadeld de laatste weken. Er is biologische shampoo en zeep in alle douches; alle chemische schoonmaakproducten zijn verbannen en dat is wel goed, maar niet echt effectief tegen de kringen in de toiletpotten; de radiatoren in een vertrek waar we niet zijn, worden dichtgedraaid waardoor het huis aanvoelt als een enorme vriezer met verschillende vriesvakken; de tv's zijn natuurlijk altijd helemaal uitgeschakeld en dat betekent dat het heel lang duurt voordat er beeld is als je de tv aanzet; en Ella heeft me ervan overtuigd dat ik Phoebe en Kate geen nieuwe mobiele telefoon moet geven door te wijzen op de bergen perfect functionerende, maar net niet meer up-to-date telefoons die de mensen allemaal thuis hebben liggen. Phoebe vond dat maar niets en is nu echt zelf aan het sparen voor een nieuwe, want het is een te grote schande om te worden gezien met een mobiel van al wel achttien maanden oud.

Waar ik het zelf heel moeilijk mee heb, is de wasdroger. Niet langer warme, pluizige handdoeken uit de droger, alleen maar stukken schuurpapier waar je je mee moet afdrogen na het douchen. En in plaats van T-shirts en spijkerbroeken die gemakkelijk op te vouwen zijn als ze warm uit de droger komen, krijg je gekreukte, stijve dingen die je zeker tien minuten stevig moet strijken voordat je ze kunt dragen. Kost het niet evenveel stroom om ze te strijken als om ze in de droger te drogen? En dan heb ik het nog niet eens over degene die daar staat te strijken!

En die tl-buizen! Ik twijfel er niet aan dat ze een kwart minder stroom verbruiken om hetzelfde licht te produceren en dat ze acht keer langer meegaan, maar het licht dat ze produceren is spuuglelijk! Fel, absoluut niet subtiel, niet te dimmen. Er moet een andere oplossing zijn.

Rob zit nog steeds naar me te kijken. Nu schudt hij zijn hoofd en slaakt een zucht. Er glijdt een vaag glimlachje over zijn lippen. 'Kom eens hier,' zegt hij, en hij laat zijn krant op de grond vallen.

Ik loop naar de bank waar hij op zit en hij trekt me op schoot.

'Wat moet ik toch met je aan? Wanneer hou je eens op met die onzin? Ik wil mijn vrouw terug.'

'Ik ben hier, hoor,' zeg ik terwijl ik hem een kus geef. Zijn lippen smaken naar geroosterd brood met marmite.

'Je bent er wel, maar ook weer niet,' zegt hij. 'Je bent veranderd in een gek ding. Een gek, milieuvriendelijk ding.'

'Is het zo erg?'

Ik wriemel als hij in mijn taille knijpt.

'Rob, is het zo erg?' dring ik aan.

'Nee, ik denk van niet,' zegt hij, weinig overtuigend. Hij kijkt me aan, op zoek naar aanwijzingen. Waarvoor weet ik niet goed.

'Goed, dan ga ik ermee door,' zeg ik bruusk. Ik kus hem nog een keer en spring van zijn schoot. 'Eigenlijk moet ik vandaag ook weer aan de slag. We hebben om twee uur afgesproken om een paar dingen te regelen. Kate is op de manege; ik haal haar op als we klaar zijn. Kun jij Ella om een uur of drie ophalen? Ze is bij Charlotte.'

'En Phoebe?'

'Ik weet niet wat ze van plan is vandaag. Aan de studie, hoop ik. Ze hebben heel veel huiswerk voor tijdens de paasvakantie en ik hoop maar dat ze niet alles tot het laatste moment uitstelt. Op dit moment is ze in de douche,' zeg ik. 'Ik hoop heel kort.'

Ik loop naar de deur van de woonkamer, want ik wil vanuit de bijkeuken wat wasgoed mee naar boven nemen.

'Met wie heb je eigenlijk afgesproken?' roept Rob me achterna.

Ik draai me snel om en kijk hem verbaasd aan. Al die tijd dat ik naar deze bijeenkomsten ga en aan de telefoon met Eloise en Daniel en Phyllis praat, heeft hij nog geen enkele keer naar hen geïnformeerd. In feite is niemand in huis bijzonder nieuwsgierig geweest. Misschien gingen ze ervan uit, of hoopten ze, dat het een tijdelijke bevlieging was, iets dat zo kortstondig zou zijn dat ze niet nieuwsgierig hoefden te worden.

'Ik weet niet zeker wie er vandaag allemaal komen,' zeg ik ontwijkend. Maar ik weet heel goed dat Daniel en ik het eerste uur of zo alleen zullen zijn. Phyllis heeft gisteren afgebeld omdat ze onverwacht haar kleinkinderen op bezoek krijgt en Eloise kan niet komen voordat haar dochter de boetiek overneemt. De jongeren komen op een bepaald moment ook wel aanwaaien. Een bepaald groepje mensen is altijd de drijvende kracht bij zoiets, en bij deze Earthwatch-groep ben ik daar een van.

'Wat voor mensen zijn het eigenlijk? De meesten?' Zo te zien, is hij niet van plan het erbij te laten. Vreemd genoeg heeft zijn desinteresse me geïrriteerd, maar nu voel ik me op een merkwaardige manier ongemakkelijk door zijn vragen.

'O, heel verschillend eigenlijk. Een bonte verzameling. Er is een vrouw die bij de bibliotheek werkt, en iemand die een kledingboetiek bezit. Dan heb je de directrice van een school en een paar van haar leerlingen. En Barry van het Poppenhuis.'

'Aha, en zijn het leuke lui?'

'Ja, heel leuk. Nou ja, ik ken ze nog niet zo goed, maar we kunnen heel goed samenwerken.' Als ik terugdenk aan mijn lunch met Daniel hap ik naar adem.

'En wat gaan jullie vandaag allemaal doen? Wat precies?' vraagt hij, en hij kijkt me strak aan. Hij leunt naar voren met zijn ellebogen op zijn knieën, alsof hij verwacht iets bijzonders te horen.

'Nou, we hebben een plan. Dat houdt onder andere in dat we rond gaan rijden om giftige producten op te halen en we willen de luchtvervuiling helpen verminderen. En we denken erover om een soort rally in het park aan Hill Street te organiseren, weet je wel, een soort megamilieudag waarop we dit allemaal willen doen. Niet iedereen staat daarachter, sommigen willen het liever gedoseerd doen. Het een beetje verspreiden.'

'En denk je heus dat de mensen hierin mee zullen gaan?' Zijn stem klinkt niet scherp en ik denk niet dat hij me wil aanvallen. Het is vergelijkbaar met dat zijden ondergoed: hij ziet gewoon niet wat daar leuk aan is.

'Nou, we kunnen het alleen maar proberen,' zeg ik gemaakt opgewekt.

'Nou, succes dan. Maar wees alsjeblieft niet al te teleurgesteld als het niet zoveel effect heeft. Mensen kunnen behoorlijk cynisch zijn.'

'Mensen, of jij?' vraag ik, agressiever dan ik van plan was.

'Hé, ik zeg het alleen maar,' zegt hij terwijl hij de krant van de grond opraapt. Er verschijnen rimpels in zijn voorhoofd terwijl hij zich concentreert op het vouwen en rechttrekken en arrangeren.

Ik blijf even bij de deur naar hem staan kijken. De krant brengt een herinnering aan hem van vroeger naar boven. We waren in ons eerste huis en lagen op de grond voor de open haard de krant te lezen. Overal lagen katernen, om ons heen en onder ons, onder de borden vol broodkruimels en jam. Kate, die toen ongeveer één jaar was, lag naast ons in haar wipstoeltje te slapen en Phoebe lag waarschijnlijk boven te slapen. We keken elkaar aan, met blozende wangen door de warmte van het vuur en besloten de kans te benutten, ter plekke, op de krant en nog geen anderhalve meter bij onze slapende baby vandaan. Het ging allemaal heel snel, maar het was heerlijk. Ik weet nog hoe we die avond hebben gelachen toen we ontdekten dat er drukinkt op Robs billen zat – als een soort tatoeage. Het was een herinnering aan een moment van uitbundigheid, gestolen uit de klauwen van ons leven als uitgeputte ouders van twee hummeltjes met een veel te hoge hypotheek.

Nu vraag ik me af: wanneer is hij deze persoon geworden die met zo veel zorg een verkreukelde krant opnieuw in elkaar steekt? Waar is die optimistische, enthousiaste, gepassioneerde man gebleven die de ogen van de arme mensen op de wereld wilde genezen, die zich midden op de dag aan zijn vrouw wilde vergrijpen en dat boven op de krant, en hoe komt het dat ik niet heb gemerkt dat hij verdween? Is hij echt weg of verstopt hij zich, net als ik?

Ik draai me om en verlaat de kamer omdat ik wil ontsnappen aan de lucht in dat vertrek, die opeens zwaar en claustrofobisch aanvoelt. Als ik niet beter wist, zou ik durven zweren dat de muren naar elkaar toe kropen en alle lucht uit de kamer persten.

Phoebe

Ik heb nooit geweten dat je *Abortus* kon opzoeken in de *Gouden Gids*. Als je dat doet, word je doorverwezen naar de bladzijden over *Klinieken en Zwangerschap*, en dan vind je drie bladzijden vol nummers waar je uit kunt kiezen.

Ik had besloten dat internet te riskant was. Mama heeft een paar jaar geleden een parental control geregeld en ik weet dat ze bericht krijgt van elke website die we bezoeken. Ik ontdekte dat kortgeleden toen ze helemaal hysterisch werd omdat ze ontdekt had dat Kate de website *Hippische meiden* had bezocht. Kate dacht dat ze een nieuwe bron voor goedkope rijbroeken had ontdekt. Hoe kon zij weten dat ze zou worden getrakteerd op beelden van naakte vrouwen die bizarre dingen deden op (en met) paarden?

Vandaag is een perfecte dag om te bellen. Papa haalt Ella op, mama is zoals gewoonlijk naar de een of andere bijeenkomst. Ik zit op hun bed met de telefoon in mijn ene hand en een roze zelfklevend plakbriefje met het telefoonnummer erop in mijn andere hand. Ik zit daar al zeker tien minuten en probeer moed te verzamelen om te bellen. Mijn vingers trillen als ik het nummer intoets en zelfs als ik diep inadem, lijkt de lucht mijn longen niet te vullen.

De telefoon gaat drie keer over voordat ik een vriendelijke vrouwenstem hoor. 'Hallo, dit is Tienerzorg Advies. Wij zijn hier om jou te helpen. Als je met een adviseur wilt praten, bel dan ons gratis telefoonnummer 0800 900 900. Kies anders een van de volgende opties.'

Ik hang vlug op en wil het gratis telefoonnummer bellen, maar merk dan dat ik het nummer alweer ben vergeten. 'Klojo's,' mopper ik en loop naar mijn slaapkamer om een pen te zoeken. De enige die ik kan vinden, is fel turkoois en lekt. Ik toets hetzelfde nummer weer in en noteer het telefoonnummer: 0800 900 900.

Weer een vriendelijke stem. 'Hallo, met Becky Fisher, de directie-secretaresse van de algemeen directeur van Tienerzorg Advies.' Dan is het even stil en ik heb mijn mond al geopend om iets te zeggen, maar merk dan dat ik weer een antwoordapparaat heb. 'Ik ben even niet op kantoor, maar spreek alsjeblieft je naam en telefoonnummer in, dan bel ik je zo snel mogelijk terug.'

Dit wordt duidelijk net zo lastig als ik had verwacht. Hoe kan ik in vredesnaam mijn naam en telefoonnummer inspreken? Wie zou zoiets nou doen? Zelfs mijn mobiele nummer is te gevaarlijk. Zover ik kan nagaan, heb ik twee mogelijkheden. Ik kan een tijdje wachten en dan deze Becky weer terugbellen of ik kan een ander nummer opzoeken en dat bellen. Ik zit een tijdje naar het roze briefje te kijken waar de beide nummers op staan. Dan pak ik de telefoon weer.

Deze keer krijg ik Becky in eigen persoon. Voor de zekerheid wacht ik heel even voordat ik iets zeg. 'Hallo?' herhaalt ze, vriendelijk maar nadrukkelijk.

'Hallo. Ik vraag me af of u me kunt helpen,' zeg ik. Mijn stem klinkt zwak en onzeker, zelfs ik hoor dat, en ik kan me niet voorstellen hoe die bij Becky overkomt, gefilterd door duizenden meters telefoonkabel en omgeven door de onvermijdelijke kakofonie van kantoorgeluiden.

'Natuurlijk kan ik dat. Daar ben ik voor.' Hoe vaak per dag zegt ze deze woorden, vraag ik me af. 'Zeg eens hoe ik je kan helpen.'

'Nou, ik bel niet voor mezelf. Ik bel voor een vriendin.' Ik durf te wedden dat ze dát ook al duizend keer heeft gehoord. Ik durf ook te wedden dat dit de helft van de tijd complete onzin is.

Als ze al denkt dat het onzin is, dan laat ze dat niet merken. 'Oké, en wat voor soort hulp heeft je vriendin nodig?'

'Wat bedoelt u?'

'Ik bedoel of ze advies wil over anticonceptie of is ze zwanger?'

'Ze is zwanger, denk ik. Denkt zij!'

'En hoe oud is ze?'

'Vijftien.'

'Weet je ook hoever ze al is?'

Stom, nee. 'Nee, helaas. Dat weet ik niet. Ik zou gewoon even voor haar bellen. Ze is een beetje bang en daarom heb ik beloofd haar te helpen.'

'Nou, dat is heel lief van je. Maar we moeten het echt precies weten. Ze kan even langskomen voor een eerste consult, dat zou het beste zijn. Kun je haar overhalen om dat te doen? Misschien kun je met haar meekomen.'

O, mijn god. Ik wil helemaal niet met haar mee.

'Goed dan. Wanneer kan dat?'

'Laat me eens kijken...' Ik hoor haar zwaar in de telefoon ademen. 'Sorry, ik heb dit nieuwe agendasysteem in de computer nog niet onder de knie. Ik zou willen dat we nog steeds een papieren agenda hadden! Aha, hier is het. We hebben volgende week wel een gaatje, dinsdag, om halfdrie. Lukt dat, denk je? '

'Ja, dat denk ik wel. Ik vraag het haar wel even. Moeten we voor die tijd nog iets doen?' Ik weet niet goed wat ik precies bedoel, maar het lijkt niet mogelijk dat je gewoon maar naar een abortusconsult kunt zonder je op de een of andere manier voor te bereiden.

'Nee, neem alleen jezelf mee. Het is heel lief van je dat je meekomt. Ze zal je steun hard nodig hebben. Je bent vast een heel goede vriendin.'

Maar dat ben ik niet, wil ik roepen. Ik weet niet hoe ik hierbij betrokken ben geraakt. Is het te laat om niet-betrokken te raken? Zou het te erg zijn om Rebecca het roze briefje te geven en haar te zeggen dat ze het zelf maar moet regelen?

'Ja, misschien wel,' zeg ik. 'Volgende week dinsdag zijn we er.'

Klojo's, denk ik nadat ik de verbinding heb verbroken. Aanstaande dinsdag zou ik met mevrouw Thomason naar een wedstrijd van Josh kijken en daarna bij hen warm gaan eten. Heel even wil ik de kliniek weer bellen en een andere afspraak maken, maar dan denk ik: Wat voor iemand vindt een rugbywedstrijd van haar vriendje belangrijker dan iemand steunen die zoiets afschuwelijks moet doormaken?

Mijn overpeinzingen worden verstoord door de klap van de deur en een opgewekt 'Hallo' dat aangeeft dat papa en Ella thuis zijn. Ik leg de telefoon terug op de houder en smeer 'm naar mijn kamer en doe de deur zachtjes achter me dicht. Ik ga aan mijn bureau zitten en leg allemaal boeken om me heen, zodat het lijkt alsof ik de hele tijd heb zitten leren. Als papa zijn hoofd om de deur steekt en me groet, probeer ik er vermoeid uit te zien.

'Arme jij,' zegt hij. 'Moet je nog veel doen?'

'Heel veel,' zeg ik met een zucht. 'Ik ben hier de hele middag nog wel druk mee.'

Hij glimlacht meelevend, verdwijnt en doet de deur weer dicht.

Ik weet zeker dat als hij en mama zouden weten wat ik aan het doen ben, ze helemaal door zouden draaien. Maar ik kan het hen niet vertellen, want voor je het weet, zou Julia het weten en daarna Andrew en dan zou Rebecca de klos zijn. En trouwens, waar heb ik me dan precies schuldig aan gemaakt? Ik ben niet degene die zichzelf zwanger heeft gemaakt. Ik ben niet degene die besloten heeft een abortus te ondergaan. Het heeft niets met mij te maken. Ik help alleen maar. Dat is toch geen zonde?

Ik leun achterover in mijn stoel en staar naar de kalender op het prikbord boven mijn bureau. De man van april is niet veel bijzonders. Door het zwarte T-shirt en de spijkerbroek die hij draagt, ziet hij er een beetje sinister uit en bovendien staat hij in een bijzonder vreemde houding. Over een week ongeveer kan ik de kalender openslaan bij de foto van mei, die veel mooier is. Het is een close-up in zwart-wit, en door de manier waarop de man zijn gezicht naar de camera gericht houdt, laat hij je denken dat hij je wil kussen. Ik zie ernaar uit dat ik die foto een hele maand kan zien.

Libby

Daniel en ik hebben een meningsverschil. Voor het eerst. Het gaat erom of we een rallydag moeten organiseren waarop we al onze programmapunten gaan introduceren of dat we de programma's een voor een opstarten. Het gaat er allemaal heel rustig aan toe, voor een meningsverschil, maar ik was er niet op bedacht.

'Ik denk echt dat het beter is als we wachten,' zegt Daniel en hij schenkt melk in mijn koffie. 'Als we de dingen vlak achter elkaar doen, zien de mensen het als een samenhangende campagne.'

'Denk je niet dat mensen zich laten afschrikken door een grote campagne? Volgens mij kunnen we ze beter rustig laten wennen door de punten een voor een te presenteren.' Ik zie dat hij een snee heeft in de hand waarmee hij zijn koffie vasthoudt en probeer te bedenken hoe dat is gebeurd. Bij de gedachte dat hij een maaltijd klaarmaakt, word ik een beetje duizelig en daardoor voel ik me weer een puber.

'Nou, dat is theoretisch gezien ook waar. Maar meestal werkt het niet zo. Mensen moeten het grote geheel zien. Anders kunnen ze elk programmapunt veel te gemakkelijk afkraken.' Hij glimlacht, alsof hij zijn vasthoudendheid wil compenseren.

Ik realiseer me dat ik niet zozeer niet bedacht was op een meningsverschil, maar op het ongemakkelijke gevoel dat ik krijg doordát ik met hem van mening verschil. Ik zucht. Het lijkt allemaal een beetje ingewikkeld te worden.

'Hé, wie heeft Mrs. Blue Sky ontvoerd?'

Ik kijk naar mijn voeten en dan omhoog naar hem, tussen de slierten haar door die aan mijn speld zijn ontsnapt.

'Oké,' zeg ik dan. 'Jij hebt hier meer ervaring mee. We verschuiven de gifophaaldienst tot nadat we de flyers hebben rondgedeeld en het hebben aangekondigd op de bewustwordingsdag. Als we dat half juli doen, zou dat perfect zijn: warm genoeg, de scholen zijn nog in gang, en dus zullen de mensen nog in de organiseerstand staan in plaats van in de vakantiestand.'

'Halleluja. Ze is weer terug in mijn blauweluchtstand,' zegt hij en hij gooit zijn hoofd achterover en zijn handen in de lucht. Dan staat hij voor me en kijkt me met zijn diepbruine ogen aan.

Eloise komt net op tijd binnenlopen. Ze draagt zo'n lange jurk met laagjes die ik bij haar in de etalage heb zien hangen en een prachtig paar roze suède laarzen. Ze heeft ze kennelijk in allerlei kleuren.

'Hier zijn jullie! Een beetje voedsel voor de vermoeiden.'

Ze gooit haar rieten mandje op de tafel voor ons en trekt er een geruite doek vanaf zodat een mand vol muffins zichtbaar wordt. Ze lijken in niets op de gewone supermarktversie, want ze hebben een luxe goudbruine kleur en zijn bedekt met grote brokken vers fruit.

'Jeetje, Eloise. Verwacht je een heel leger vanmiddag of wil je ons vetmesten?' vraag ik. Ik buig mijn hoofd om de geur op te snuiven, ze zijn nog warm.

'Geen van beide, liefje. Wil jullie gewoon verwennen.' Ze kijkt naar mij, dan naar Daniel en dan weer naar mij. Ik zie dat ze haar rechter wenkbrauw een heel klein beetje optrekt.

'Zo, wat hebben jullie gedaan?' vraagt ze. Ze gaat op de rand van de tafel zitten en haalt een muffin uit het mandje.

'Heb je het al gemerkt? Er is echt iets aan de gang,' fluistert ze als we tienduizenden flyers in aparte stapeltjes verdelen. Daniel moet het hoofdkantoor van Earthwatch bellen en is naar buiten gelopen voor wat frisse lucht en een betere ontvangst.

'Wat bedoel je?' vraag ik terwijl ik vermijd haar aan te kijken.

'Ik bedoel dat hij dol op je is. Dat is heel goed te zien.'

'Eloise, dat is belachelijk. Ik ben vijftien jaar ouder dan hij. Minstens. En ik ben getrouwd.'

'En sinds wanneer heeft iemand zich daardoor laten weerhouden? Ik beschuldig je nergens van, liefje. Ik zeg alleen maar wat ik duidelijk zie.' Dan maakt ze er een grapje van: 'Volgens mij komt het door Demi en die Ashton-vent. Alles is anders sinds zij bij elkaar zijn.'

Ik staar, met een stapeltje flyers in elke hand, naar niets in het bijzonder en vraag dan aan haar: 'Eloise, hoe duidelijk is het?'

'Voor de meeste mensen? Misschien niet voor iedereen, maar voor mij is het heel duidelijk. Ik heb een neus voor dat soort dingen. En ik kan je zeggen dat hij heel gek op je is.'

Ik leg mijn beide stapeltjes op elkaar, scheidt ze weer en staar naar mijn handen alsof deze taak mijn totale concentratie vereist. Eloise zal niet de enige zijn die iets heeft gemerkt. Laatst, toen we ademloos achter Hank aanliepen, zei Gilly tegen me: 'Iets aan jou is anders, Libby. Ik weet niet precies wat, maar iets is anders. Je ogen glanzen. Vertel eens, wat is er?' Het leek erop dat ze mijn verhaal dat ik genoot van de herkenning van al die onderwerpen die ik zo lang geleden had bestudeerd, slikte, maar zelfs terwijl ik haar dat vertelde, voelde ik dat ik loog. Nou ja, liegen is misschien overdreven, want voor een deel is het wel waar.

'En hoe zit met jou, liefje?'

Ik draai me schielijk naar haar om. 'Wat bedoel je met hoe zit het met jou? Ik ben getrouwd, Eloise.'

Ze raakt me even aan. 'Hé, niemand zegt dat je iets verkeerds doet, liefje. Niemand beschuldigt je ergens van. Maar je bent ook maar een mens. Het moet gewoon heerlijk zijn om te worden bewonderd door een knaap zoals hij. Hij is geweldig.'

Ik sta abrupt op en loop naar het prikbord dat aan de muur hangt. Tientallen veelkleurige leeuwen en tijgers, de prachtige creaties van de speelgroep van die ochtend, staren me aan.

'Ik ben bang, Eloise. Dat is de waarheid. In zeventien jaar heb ik niemand anders leuk gevonden. Ik zag zelfs niemand anders. Het was altijd alleen maar mijn gezin, Rob en de meiden, en ik in het midden. Sinds ik bij deze groep ben, sinds ik hem ken, voel ik me... ik weet niet... heb ik het gevoel dat ik leef. Zo hoort iemand als ik zich niet te voelen.'

Ik draai me om en kijk haar aan. Ze zit met gekruiste benen in de stoel met haar jurk tussen haar benen. Ze kijkt me met een vriendelijk, wetend glimlachje aan.

'Maak je maar geen zorgen, liefje. Je bent een goed iemand. Een goede moeder. Jij gaat doen wat goed is. Maak het jezelf niet te moeilijk, gewoon omdat je een tijdje geniet van de aandacht van een geweldige man. Dat is toch niet erg?'

Op dat moment komt Daniel weer binnen. Ik probeer neutraal te kijken, maar weet zeker dat ik er niet in slaag. Eloise leunt achterover in haar stoel en begint een ontspannen gesprekje met hem.

'Hoi, lieverd. En, wat zeiden ze op het hoofdkantoor?'

Ik luister naar hun gesprek over de feedback van Derek en de nationale groep van Earthwatch en over een fantastisch succesvolle campagne in Southampton, maar de woorden bereiken mijn hersens niet echt. Ik begin me warm en licht in het hoofd te voelen. Ik moet gaan zitten.

'Gaat het wel goed met je, Libby?' vraagt Daniel, en hij hangt opeens boven me.

'Ik was alleen maar even duizelig. Misschien heb ik iets onder de leden.'

'Je kunt maar beter naar huis gaan. Je hebt al hard genoeg je best gedaan. Ja toch, Eloise?'

'Ja, je hebt gelijk. Ik kan beter naar huis gaan,' zeg ik. Ik wil mijn jas pakken die van de rugleuning van de stoel is gegleden en om de poten gekruld zit.

'Wil je dat ik je naar huis breng?' vraagt hij bezorgd.

'Nee, nee,' zeg ik snel. 'Ik moet gewoon naar huis.' Ik moet echt naar huis.

Phoebe

Ik bel Rebecca's mobiel tijdens het shoppen met Alice, maar wacht tot ze in het pashokje verdwijnt met een strakke grijze spijkerbroek zodat ze me niet kan horen.

'Ik heb een afspraak gemaakt voor volgende week dinsdag om halfdrie. Ik hoop dat je dan kunt,' fluister ik. Alice komt haar pashokje uit en staat zichzelf aan de andere kant van de kleedkamer van top tot teen te bewonderen. Ze maakt een kleine pirouette en kijkt me dan aan. Met opgetrokken wenkbrauwen en opgeheven handen vraagt ze om mijn mening. Ik steek mijn duim naar haar op.

'O, mijn god,' zegt Rebecca. In gedachten zie ik haar bleke gezicht met sproeten en haar ogen groot van angst.

'Wat? Ik dacht dat je wilde dat ik je hielp.'

'Dat is ook zo, maar een afspraak? Nu al? Het klinkt heel eng. Wat gaan ze doen?'

'Alleen maar met je praten. Daarna weet ik niet precies wat er gaat gebeuren. Ik neem aan dat ze ons dat wel vertellen.'

'Ons? Ga je dan mee?'

'Tuurlijk. Als je dat wilt.'

'Phoebe, wat doe je... dat is echt heel aardig. Echt aardig. Dat zal ik nooit vergeten.'

Dit overdreven gedoe is een beetje te veel voor me. Mensen hebben me wel vaker mooi of grappig genoemd, maar ik word zelden aardig genoemd. Integendeel zelfs. Thuis word ik er meestal van beschuldigd dat ik me misdadig gedraag tegenover Kate en Ella.

'Ja, nou. Het is al goed, hoor. Hoe dan ook, je zult je moeder moeten zeggen dat je gaat shoppen of zo. Zeg niet dat je bij mij thuis bent, want misschien controleert ze dat. En trouwens, dat zou ze wel gek vinden. Je begrijpt me wel. Als je opeens naar mij zou gaan.'

Ik zeg dat niet om onaardig te doen, maar ik realiseer me opeens dat ze het wel zo kan opvatten. Het is namelijk een feit dat ze nooit naar mijn huis komt; ik heb haar nooit uitgenodigd, en zou dat misschien ook nooit hebben gedaan als dit niet was gebeurd.

'Goed. Oké,' zegt ze aarzelend, alsof ze probeert te besluiten hoe ze mijn opmerking moet plaatsen.

'Nou, ik moet ophangen. Ik bel je nog wel, dan kunnen we wat afspreken voor dinsdag,' zeg ik en hang snel op. Dan is Alice bij me met de strakke spijkerbroek in haar hand. Ik verwacht dat ze me zal vragen met wie ik heb gepraat en ik probeer een geloofwaardig verhaal te verzinnen. Gelukkig is ze meer zelfingenomen dan nieuwsgierig en het enige wat ze zegt, is: 'Vind je hem echt mooi? Weet je het zeker?'

'Hij is prachtig, Alice,' zeg ik terwijl ik haar meesleep naar de kassa. 'Kom op nu, ik wil iets eten.'

Vannacht heb ik gedroomd. Ik was in een onbekend huis, in een slaapkamer. Eerst dacht ik dat het Josh zijn slaapkamer was, maar toen zag ik dat hij bruin en groen was, niet blauw en van vloer tot plafond beplakt met posters van Martin Johnson. En toen lag ik opeens op een bed en lag er een jongen op me aan mijn kleren te trekken. Ik riep Josh' naam, maar toen hij zijn gezicht optilde, zag ik wel dat het Josh niet was. Het was het gezicht van een knaap die ik helemaal niet kende. Ik probeerde hem van me af te duwen en schreeuwde: 'Ik heb me vergist. Ik heb me vergist.' Maar ik kon hem niet van me af krijgen. Hij was veel te zwaar. En opeens lag ik naakt onder hem. Zomaar.

Ik werd badend in het zweet wakker. Eerst wist ik niet waar ik was, maar langzaam maar zeker zag ik de omtrek van de stoel in de hoek van mijn kamer en voelde de gescheurde rand kant op mijn dekbedhoes, en toen wist ik dat ik thuis was, in mijn eigen slaapkamer. Ik kon het beeld van die vent maar niet uit mijn hoofd krijgen. Ik kneep mijn ogen stevig dicht en probeerde aan Josh' gezicht te denken, zijn lieve blauwe ogen, zijn sterke jukbeenderen en de lok donkerblond haar over zijn voorhoofd. Maar hoe goed ik ook mijn best deed, het lukte me niet. Het gezicht van die onbekende bleef maar op mijn netvlies staan. Uiteindelijk ging ik rechtop zitten, deed het licht aan en las een tijdje, tot ik bijna zeker wist dat het gezicht verdwenen was.

Zo gaat het dus niet worden. De eerste keer, met Josh, moet er geen getrek aan kleren zijn of het gevoel van een zwaar lichaam op me zodat ik amper kan ademen. Wat ik wil, is een scène uit *Cold Mountain*, als Jude Law terugkomt bij Nicole Kidman nadat hij haar jaren heeft gezocht en ze voor het eerst de liefde bedrijven in een blokhut, badend in het goudkleurige, glanzend licht van het openhaardvuur. Ik had nog nooit zo'n prachtige scène gezien, ben nooit eerder zo tot tranen toe geroerd geweest door twee mensen die vrijen. Op de een of andere manier was het teder en heftig tegelijkertijd. Zo wil ik het.

Ik weet natuurlijk wel dat ik het licht van het vuur niet zal krijgen, dat is misschien een beetje te veel gevraagd.

Libby

'Jeetje, wat stinkt daar zo?' roept Rob uit als hij de keuken binnenkomt.

'Schillen. Voor op de composthoop. Ik heb ze gewoon iets te lang hierin laten zitten en ze zijn gaan stinken. Sorry.'

Ik doe het aanrechtkastje open en pak de afvalemmer. Ik beloof mezelf dat ik hem naar de composthoop zal brengen voordat we allemaal vergast zijn.

'Zo, een composthoop? In een Londense tuin die amper groot genoeg is voor de tuinstoelen? Lib, denk je ook niet dat dit een beetje te ver gaat? Ik ben er zeker van dat we meer dan genoeg hebben gedaan voor de aarde.'

'Rob, als je wist wat er moet worden gedaan, zou je zoiets nooit zeggen. Je zou achter me aan rennen en de hele tuin vol composthopen zetten.'

In plaats van met me in discussie te gaan, opent hij de koelkast en kijkt erin. 'We zijn door de Evian heen,' deelt hij mee.

'We zijn niet door de Evian heen, ik koop het gewoon niet meer. Neem maar kraanwater.'

'Kraanwater!'

'Rob, dat is echt beter voor je dan dat spul uit een flesje. En dan hoeven er geen zware flessen te worden getransporteerd van de ene kant van het land naar de andere.'

Hij kijkt me met een vermoeide blik aan, kijkt dan nog een keer in de koelkast en pakt er een pak melk uit.

'Is melk wel goed of zal ik maar kraanwater op mijn cornflakes schenken, omdat de melkkoeien methaan in de atmosfeer spuiten wat tot klimaatverandering kan leiden?'

Ik besluit hier niet op in te gaan. Hij schenkt de melk op zijn cornflakes en neemt ze mee naar de tafel. Hij gaat zitten en opent de krant. Even heerst er een stilte, niet bepaald een ontspannen stilte, en dan kijkt hij op en zegt: 'Ik ben iemand van die Earthwatch-lui van je tegengekomen.'

Ik sta bij de gootsteen, met mijn rug naar Rob, en rasp wortels voor de wortel-rozijnensalade die ik voor Michelle en Courtney wil meenemen. Ik kijk uit het raam, maar ga door met raspen.

'Zo, en wie was dat?'

'Een kerel die Daniel heet. Leek me wel aardig.'

De rasp valt in de gootsteen, tegelijk met de wortel. Ik pak de wortel op en spoel hem af onder de kraan.

'Echt waar? Hoe heb je hem ontmoet?'

'Hij kwam naar de kliniek. Zei dat hij dacht dat hij nieuwe lenzen nodig had. Hij had gelijk.'

'Zo, en hoe kwam Earthwatch aan de orde? Ik bedoel, hoe kwamen jullie op dat onderwerp?'

'Ach, je weet wel. Zoals dat gaat. We zaten te kletsen. Ik vroeg wat voor werk hij deed. En toen hebben we twee en twee bij elkaar opgeteld en realiseerde hij zich dat jij mijn vrouw was. Hij zei dat je een hele aanwinst was voor de groep.'

Ik voel Robs ogen in mijn nek en dus draai ik me om met naar ik hoop een ondoorgrondelijke uitdrukking op mijn gezicht.

'Echt waar? Dat is aardig van hem.'

'Ja, hij leek wel aardig. Helemaal niet zo'n lelijk sandalen-dragend type als ik had verwacht.' Hij glimlacht naar me en trekt een wenkbrauw op. 'Best wel knap, vind ik. Je hebt me nooit verteld dat je zoveel tijd doorbrengt met jonge, aantrekkelijke mannen.'

Ik produceer snel een gedwongen lachje, want ik weet niet zeker of hij een grapje maakt of dat hij echt denkt dat er iets aan de hand is.

'Rob, doe niet zo gek. Ik werk helemaal niet met allemaal jonge mannen. We zijn met een man of twintig en de meesten zijn ouder dan veertig. De jongelui zijn vooral van Phoebe's leeftijd. We zijn gewoon een goed team, dat is alles.'

'Hm, dat zei je vriend ook al. Dat is goed,' zegt Rob knikkend. Hij zit me nog steeds aan te staren. Waar wacht hij op? Ik moet in beweging komen, iets gaan doen voordat ik iets doms zeg.

'Nou ja, ik moet dit naar buiten brengen.' zeg ik en pak de afvalemmer van het aanrecht.

Als ik naar buiten loop, voelt mijn gezicht warm aan in de vochtige ochtendlucht. Ik loop naar de hoek van de tuin, met een vreemd kriebelig gevoel in mijn maag. Het is geen schuldgevoel. Dat kan niet... ik heb niets verkeerds gedaan. Het is iets anders.

Terwijl ik over de composthoop gebogen sta en de laatste schillen uit de afvalbak schraap, weet ik wat ik voel. Het is dat onrustige gevoel dat je hebt als je een beslissing moet nemen en je niet weet welke. Besluiteloosheid. Zo voelt het aan.

'Het ziet er allemaal prachtig uit.' Dat vind ik echt. Alles past bij elkaar: de illustraties, de letters, de boodschap. Het lijkt wel een echte poster voor een echt doel, niet de een of andere amateuristische poging van een stelletje onervaren enthousiastelingen.

'Goed, ik ga de gemeente maar weer eens bellen. Ze moeten nu toch eindelijk eens bevestigen dat we op 10 juli het park mogen gebruiken. Die lui zitten nu gewoon uitvluchten te verzinnen.' Ik kijk naar de enige telefoon die beschikbaar is. Daniel hangt bijna meteen op, alsof hij mijn vraag heeft zien aankomen.

'Heb je hem nodig, Libby?' roept hij.

'Ja, graag,' zeg ik en loop naar zijn tafel.

'Alsjeblieft,' zegt hij. Hij staat op en duwt me naar zijn stoel. Hij kijkt naar me als ik de telefoon pak en als ik begin te praten, geeft hij me een knipoogje. Ik wilde dat hij dat niet deed, het is zo verwarrend.

Het uur tussen vijf en zes vliegt voorbij. Het opstapelen van flyers wordt al snel gevolgd door het verdelen van posters, en Ella helpt Lynette om de eerste in de bibliotheek op te hangen. Als Phoebe binnenkomt, trekt Ella een verdrietig gezichtje en smeekt me of ze langer mag blijven. Phoebe kijkt boos bij het vooruitzicht dat ze haar tijd heeft verspild en begint te discussiëren met Ella. Ik draai me even om naar Gabriel die me vraagt of we nu al toestemming hebben om de posters op te hangen en tegen de tijd dat ik me weer omdraai, lijkt het wel alsof Phoebe's irritatie is vervlogen.

'Het is al goed. Ze mag nog wel even blijven. Ik wacht wel op haar.'

Ik ben verbijsterd. Dat is zo niet-Mevrouw.

'O, nou, oké. Maar dat betekent wel dat jullie er tijdens de vergadering ook zijn. Waarom blijf je niet tot de koffiepauze en ga je dan naar huis?'

'Tuurlijk,' zegt Phoebe met een lief glimlachje.

Ik kijk haar nieuwsgierig aan. 'Wil je Kate dan even bellen en haar zeggen dat jullie wat later zijn? Je moet dan wel naar buiten, want hierbinnen heb je geen bereik.'

'Ja hoor, geen probleem,' zegt ze, en ze vist haar mobieltje uit haar tas. Als ze naar de dubbele deuren loopt, zie ik dat ze even met haar hoofd schudt en met haar hand door haar haren strijkt.

Iedereen is er vanavond. Het vooruitzicht dat de rally in het park al over twee maanden is, lijkt iedereen bij elkaar te brengen. Phyllis en Nancy, die er vorige week niet waren, nemen Phoebe en Ella meteen onder hun hoede. De meiden worden tussen de twee oudere vrouwen gepropt en krijgen meteen alle aandacht. Op een bepaald moment moet Daniel zelfs even ingrijpen omdat ze zoveel lawaai maken.

Als moeder krijg je niet vaak de kans je kinderen te observeren. Er zijn natuurlijk wel de toneelstukjes op school en de sportwedstrijden, maar dat is anders. Geregisseerd. Onnatuurlijk. Vanavond, nadat ik heb verteld hoe de gemeente heeft gereageerd en heb geluisterd naar het verslag van Lynette en Barry over de verspreiding van de posters, kijk ik naar mijn meiden: ze zijn vol aandacht, nemen deze nieuwe ervaring in zich op en realiseren zich absoluut niet dat ik naar hen kijk. Phoebe lacht beleefd als Phyllis zich naar haar overbuigt en haar iets vertelt, en Ella glimlacht terug als Nancy haar een blik van verstandhouding toewerpt als Barry een grapje maakt. Ik krijg een warm, trots gevoel.

Even na zeven uur pauzeren we voor een kopje koffie en Phyllis brengt de beide meiden naar me toe alsof ze een kostbaar bezit zijn dat zorgvuldig moet worden behandeld. Mevrouw heeft grote moeite om niet met haar ogen te rollen, dat zie ik wel.

'Geweldige meiden, Libby. Het was zo fijn om hen te leren kennen,' zegt ze, met een lieve glimlach naar Ella en Phoebe.

'O, dat gaat wel,' zeg ik.

'Ik heb geprobeerd hen over te halen ons te komen helpen. We kunnen echt iedereen gebruiken vanaf nu, vooral met de rally en dat ophalen van het gif.'

'Ik help immers al,' zegt Ella triomfantelijk.

'Ja, dat is zo, liefje,' zegt Phyllis.

'Ik zou ook heel graag komen helpen,' verkondigt Phoebe.

Ik sta versteld van haar aankondiging en kijk haar met open mond aan.

'Wat!' zegt ze snel. 'Wil je soms niet dat ik help?'

'Natuurlijk wel. Dat zou ik geweldig vinden. Ik ben alleen maar verrast, meer niet.'

'Weer een nieuweling, Libby?' vraagt Daniel die achter Phyllis opduikt.

'Het lijkt er wel op,' zeg ik. 'Daniel, Ella ken je al, maar dit is Phoebe, mijn oudste.'

'Geweldig je te ontmoeten, Phoebe,' zegt hij en hij steekt zijn hand naar haar uit.

Phoebe buigt haar hoofd een beetje en legt dan haar kleine, tere hand in zijn grotere, bruine hand. 'Hallo,' zegt ze, bijna onhoorbaar. Maar ze kijkt hem wel aan, zie ik, en dat is min of meer een verbetering ten opzichte van normaal. Toen de meiden nog klein waren, moesten Rob en ik steeds tegen hen zeggen dat ze mensen moesten aankijken als ze hen begroetten of antwoord gaven op een vraag; toen ze een jaar of zes waren, dachten we dat ze het onder de knie hadden. We hadden nooit verwacht dat we weer helemaal opnieuw konden beginnen tegen de tijd dat ze tiener waren en omhoog, naar beneden of weg begonnen te kijken – eigenlijk overal naar behalve in iemands ogen.

'Oké, korte koffiepauze vanavond, allemaal,' zegt Daniel en klapt in zijn handen. 'We moeten heel veel doen.'

'Slavendrijver,' zeg ik. 'Goed dan, meiden. Ik zie jullie straks. Ella moet nu echt naar huis.'

'Tuurlijk, goed hoor,' zegt Phoebe. 'Kom mee, Ella.' Ze raakt Ella even bij de arm aan en knikt richting de deur. Onderweg luistert ze aandachtig naar Ella. Als ze bij de deuren zijn, maakt ze een prinses Diana-achtige beweging met haar hoofd en kijkt tussen haar wimpers door omhoog alsof ze met de paparazzi speelt.

'Geweldig jullie ontmoet te hebben!' gilt Nancy hen na als ze de zaal verlaten. Dan loopt ze naar waar Phyllis al zit en geeft haar een kneepje in de schouder. Phyllis kijkt naar haar op en glimlacht, en legt dan haar hand op die van Nancy en laat hem daar even liggen. De blik die ze elkaar toewerpen, zegt even duidelijk 'ik hou van je' als de omslag van een boekje uit de Bouquetreeks.

Nou, deze dag zit vol verrassingen, denk ik. Eerst Mevrouw die enthousiast langskomt en bereid is mee te werken. Dan Phyllis en Nancy. Hoe kan het toch dat ik dat niet eerder heb gezien? Ik moet blind zijn geweest, want elke beweging lijkt dit nu uit te stralen. Ik voel dat ik glimlach. Het is heerlijk om mensen te zien die zo duidelijk verliefd zijn.

Phoebe

Dus zó voelt het.
   Kun je er dood aan gaan, vraag ik me af?

Libby

Een paar maanden geleden zou ik het heerlijk hebben gevonden als Rob of een van de meiden me had gevraagd wat ik aan het doen was en vervolgens ook echt langer dan een fractie van een seconde naar mijn antwoord zou hebben geluisterd. Ik zou het heerlijk hebben gevonden als ze trots waren geweest op wat ik deed. Nu voel ik me er vreemd ongemakkelijk bij. Ingekapseld. Bedreigd.

Ten eerste had je Rob die gezellig ging zitten doen met Daniel onder de letterkaart. Nu moet ik me ook nog bezighouden met Mevrouw. Mijn prachtige, chagrijnige tienerdochter is mijn wereld binnengedrongen en zendt signalen uit dat ze iets met mij wil delen, en in plaats van dat ik dat een heerlijk vooruitzicht vind, zie ik er tegenop met een bang voorgevoel en met wrevel.

Waar ben ik bang voor, vraag ik me af? Dat ze me bij mijn vrienden en collega's belachelijk zal maken? Dat ze me in de steek zal laten? Of word ik nerveus van haar oplettende blik?

De avond na de bijeenkomst stelt ze over iedereen vragen. Ze begint met Phyllis en Nancy, die ze eerder als lovers heeft gespot dan ik. Ze vuurt in een rap tempo vragen op me af. Is Barry echt zo gek als hij eruitziet? (Nee.) Is Eloise getrouwd? (Gescheiden.) Wat voor meisjes zijn dat, die twee voor wie ik eten meeneem, die meiden die zo slecht kunnen praten? (Heel lief, als je eenmaal door hun verdediging bent heen gebroken.) Hoe oud is Daniel? (Zevenentwintig, achtentwintig, denk ik.)

Haar vragen putten me uit. Ten slotte ben ik dankbaar dat de telefoon gaat en dat ik de stem van Liz hoor. (En dát is heel bijzonder.) Ze heeft papa voor het eerst in weken opgezocht en wil me elk verontrustend detail van haar bezoek vertellen. Ze verwacht dat ik geschokt ben, maar dat is niet zo. Ik zie het elke week. De verschillende sokken. De drie onderbroeken over elkaar heen. Het kuipje boter in het aanrechtkastje bij de Brillo-sponsjes en het bleekwater. Zijn portemonnee op het bovenste plankje in de koelkast, tussen oude bleekselderij en halflege blikken bonen.

Het stoort me dat Liz hier zo verbaasd over is. Het zou fijn zijn als ze met een oplossing zou komen. Er moet een oplossing komen. Het kan zo niet door blijven gaan. De langzame aftakeling lijkt een gevaarlijke, snelle afdaling te zijn geworden. Een afdaling waar geen enkel bezoekje van mij, mevrouw Tupper of de aardige mevrouw die schaak speelt, een einde aan kan maken.

'Wat gaan we hieraan doen?' vraagt ze, beschuldigend. Hoorde je dat? Wíj!

'Ik weet het niet. Misschien moeten we serieuzer op zoek gaan naar een tehuis. Of misschien moet hij bij een van ons komen wonen.'

Ze reageert onmiddellijk en afwijzend. 'Dat is onmogelijk. Hij kan hier niet wonen. Dat gaat echt niet lukken.' En dan begint ze alle argumenten op te sommen waarom het niet gaat lukken.

Als Liz met haar opsomming bezig is, houd ik de telefoon een stukje bij mijn oor vandaan en rol met mijn ogen. Niemand ziet dat ik me zo erger, want Phoebe is aan de andere kant van de keuken wanhopig op zoek naar iets in haar schooltas. Als ze vindt wat ze zoekt (haar telefoon kennelijk), gaat ze rechtop staan en zwaait met haar armen als een voetballer die de winnende goal heeft gemaakt, waarbij ze een stukje van de zijdeachtige huid op haar vlakke maag laat zien. Ik sta tegen het aanrecht geleund en voel mijn eigen maag, zachter, ronder. Ik probeer me te herinneren wanneer mijn maag er zo uitzag als die van haar, maar dat lukt me niet.

'Dat was niet precies wat ik bedoelde, Lizzy. Ik weet heel goed hoe jij leeft.'

'Jij werkt niet, Libby. Het zou logischer zijn als jij hem bij jou liet wonen.'

Dat is onze Lizzy. Direct. Naar de keel.

'Luister, ik heb het nu heel druk, Lizzy. Ik moet van alles regelen. Ik weet wel dat we dit moeten oplossen en dat gaan we ook doen. Alleen heb ik nu even wat rust nodig, oké?'

De reactie op mijn woorden is een ijzige stilte. We nemen afscheid van elkaar en beloven dat we later over een plan zullen praten.

Kennelijk gedraag ik me niet op de manier zoals Lizzy vindt dat deze familie zich moet gedragen. Ik realiseer me dat dit als een schok moet komen na zoveel jaar, en ik moet toegeven dat ik het wel grappig vind. Het feit dat Liz in de war is, geïrriteerd, uit haar hum. Door mij.

Phoebe

Het duurde nog geen minuut voordat ik hem zag. Ik liep naar binnen, zag mama en Ella... en toen... een paar seconden later, zag ik hem aan de andere kant van het vertrek. Hij stond tegen de muur geleund met een hand in de zak van zijn spijkerbroek te lachen met een jonge vent met een bril op die ik ergens van ken, dat weet ik zeker. Hij gooide zijn hoofd achterover toen hij ongedwongen, vrolijk lachte en zijn haar – dat prachtige, dikke, lange, bruine haar – zwiepte nonchalant tegen zijn schouders. Vanaf dat moment was ik bezeten.

Toen hij mijn hand vastpakte, dacht ik dat mijn knieën het zouden begeven. Ik heb nog nooit iemand gezien die zo ongelooflijk knap is. Zo gevoelvol. Zo intelligent. Naast hem zou Orlando Bloom op mister Bean lijken.

Ik heb gekeken hoe hij de vergadering leidde en dacht: Hij is ongelooflijk. Hij praat op een manier die je aantrekt. Je kunt er niets aan doen, je moet naar hem luisteren, zelfs als hij het heeft over iets dat zo platvloers is als de giftigheid van een flesje ruitenreiniger. Hij ademt charme uit en sexappeal, en is absoluut helemaal verrukkelijk. Dat begint al met zijn ogen, bruin en brandend en perfect gepositioneerd tussen twee scherpe jukbeenderen en de elegante, golvende boog van zijn donkere wenkbrauwen. En het eindigt met zijn lange, gespierde lichaam. Ik zag dat hij gespierd is toen hij naar voren boog en de mouw van zijn overhemd min of meer langs zijn biceps gleed en ik een prachtige spiermassa zag. Niet té. Niet zoals een gewichtheffer. De biceps van een man die er gewoon goed uitziet.

Ik had de hele avond wel naar hem kunnen kijken. Ik wilde blijven, maar mama wilde dat ik Ella naar huis bracht en ik kon het er niet te dik bovenop leggen. Ik heb geprobeerd om niets er te dik bovenop te leggen. Ik heb mama over iedereen daar vragen gesteld, terwijl ik alleen maar alles van hem wil weten. Hoe oud is hij? Waar komt hij vandaan? Heeft hij een vriendin? Hoe krijg je het voor elkaar om in hetzelfde vertrek te zijn als hij en hem niet aan te raken? Als je ouder bent, ben je vast immuun geworden voor dit soort dingen.

Het is vreselijk om te zeggen, maar toen ik hem zag, leek Josh opeens zo klein en onbelangrijk. We zagen elkaar na schooltijd bij Starbucks en zaten naast elkaar op een van de banken. Op een bepaald moment streelde hij mijn hand, onder de tafel, zodat niemand het kon zien. Ik voelde niets. Helemaal niets. Het enige waar ik aan kan denken, is Daniel. zoals hij in de bibliotheek heel even mijn hand vasthield. Vanaf dat moment heb ik bijna nergens anders meer aan gedacht. Ik heb zelfs over hem gedroomd. Het was geen echte droom, met een begin, middenstuk en einde, er gebeurde eigenlijk bijna niets in. Het was meer één enkele, stilstaande scène, waarin ik met mijn hoofd op zijn borst lag terwijl hij mijn haar streelde. Te gek gewoon.

Als ik had geweten dat een dergelijke mate van perfectie bestond, zou ik dagenlang in een rij bestaande uit duizenden mensen hebben willen wachten op een kans om in dezelfde kamer als hij te kunnen zijn. Ik zou zonder aarzeling samen met mama naar die eerste Earthwatch-bijeenkomst zijn gegaan.

En nu vind ik het natuurlijk heel logisch allemaal. De reden waarom ik het vrijen met Josh heb uitgesteld, me er zo onzeker over heb gevoeld, is dus gewoon omdat hij niet de Ware is voor mij.

Libby

We lopen. Hij en ik. Door een bos, kennelijk. Ik zie een vijver vol riet voor ons. Het is een warme dag en we zweten een heel klein beetje. Hij blijft staan, onder een boom, en trekt me zachtjes aan mijn arm. Ik blijf staan en draai me naar hem toe en hij strijkt mijn haar van mijn voorhoofd. Dan glimlacht hij en buigt zich naar me toe om me te kussen en drukt me tegen de stam van de boom. De sensatie is, nou ja, sensationeel.

Opeens, onverklaarbaar, is het bos verdwenen en liggen we in een bed. Het bed is groot (als er al zoiets bestaat als een super-de-luxe kingsize bed, dan is dit er een) en de vierkante meters perfect witte lakens liggen om onze ineengestrengelde ledematen gewikkeld. Hij kust me in mijn hals en streelt mijn arm. Mijn arm tintelt zo erg dat het pijn doet. Ik voel dat ik op het punt sta te ontploffen. Ik kan amper ademhalen. Zijn handen glijden naar mijn borsten en vanuit mijn tenen stijgt een intense kreun op.

Opeens doe ik mijn ogen open en zie knipperende rode lichtjes: 1:54 – 1:54 – 1:54 – 1:55. Heb ik dat hardop gezegd? Ik draai me om en zie de welving van Robs hoofd en schouders. Hij snurkt zachtjes, bijna onmerkbaar.

Ik lig op mijn rug te staren naar het maanlicht dat door de kieren van de gordijnen naar binnen sijpelt. Ik voel dat ik nat ben tussen mijn benen en instinctief willen mijn handen mijn gezicht bedekken, om mijn schande te verbergen. Ik kijk weer naar Rob, verwacht half dat hij me beschuldigend zal aanstaren, maar zijn rugspieren bewegen nog steeds gelijkmatig.

Ik sla het dekbed van me af en stap uit bed. In de badkamer wrijf ik het bewijs weg met drie tissues. Dan prop ik ze helemaal onder in de afvalbak, onder een leeg contactlenzendoosje dat Rob vanochtend heeft weggegooid en een lege tube Colgate met Extra Witmaker.

Ik besluit dat ik niet meteen terug in bed kan stappen, voor het geval Rob merkt dat ik tranen in mijn ogen heb. Als ik hier ben als hij wakker wordt, kan ik tenminste doen alsof ik op het toilet zit of een glas water drink. Ik zit op de rand van het bad, rillend, te wachten tot mijn tranen zijn opgedroogd en de wurgende druk op mijn keel is verminderd. Als ik denk dat het veilig is, sta ik op en ga terug naar bed. Ik zie mezelf in de spiegel van de badkamer: mijn gezicht is doodsbleek in het zilveren ochtendlicht. Ik herken mezelf bijna niet.

Phoebe

We moeten opeens lunchen. Geen gewone lunch, maar een grote, echte lunch met drie gezinnen. Dit soort dingen deden we altijd toen we nog klein waren, maar dit lunchgedoe met drie gezinnen uit de buurt op zondag hebben we al jaren niet meer gedaan. Niet sinds Rebecca en Kate en ik groter werden en in het weekend onze eigen bezigheden hadden.

Deze lunch zal lastig worden, omdat Rebecca en ik dat geheim hebben dat we voor iedereen verborgen willen houden. We moeten erop letten dat we ons niet raar gaan gedragen, ervoor zorgen dat we niet de aandacht trekken. Op de een of andere manier moeten we ons gedragen zoals we altijd hebben gedaan, als mensen die elkaar ooit heel goed hebben gekend, maar nu op een beleefde, afstandelijke manier met elkaar omgaan. In ieder geval niet als mensen die binnenkort samen naar een abortuskliniek gaan.

Volgens mama is het meest opwindende aan deze lunch het feit dat we Frans nieuwe vriendje zullen ontmoeten. Kennelijk vindt Fran dat de tijd nu rijp is. Volgens mama was het beter geweest als ze hem alleen had ontmoet, bij een kopje koffie of zo in plaats van tijdens een lunch met twaalf mensen. Maar Fran heeft kennelijk erg aangedrongen. Ze zei dat Paul gewend is aan kinderen (ik neem aan dat dit zo is, omdat hij immers leraar is) en zich absoluut niet laten afschrikken door de drukte en al het gedoe van een paar gezinnen.

Ik mag Fran heel graag en ben dus heel blij voor haar. Maar volgens mij zal het echt heel moeilijk zijn voor Freddie en Jake. Vooral voor Freddie. Het is niet gemakkelijk om je je moeder samen met iemand anders voor te stellen, zelfs als ze, zoals Fran, al jaren geleden van je vader is gescheiden. Ik zie Freddie niet zo vaak, omdat hij meer dan een jaar jonger is dan ik en naar een jongensschool gaat, maar ik weet nog hoe hij er jaren geleden uitzag vlak nadat zijn vader was vertrokken. Dat zal ik nooit vergeten. Hij speelde een rugbywedstrijd en om de een of andere reden waren we er allemaal; misschien was het een belangrijke wedstrijd en had Fran ons allemaal opgetrommeld om de afwezigheid van zijn vader te compenseren. Hoe dan ook, Freddie maakte een *try* en we waren allemaal als een gek aan het juichen toen hij opstond en glimlachend de bal boven zijn hoofd hield. Toen lichtte zijn gezicht op, alsof hij iets of iemand had gezien waar hij heel blij mee was. Hij kwam naar ons toe rennen en bleef toen opeens stilstaan. Hij viel op zijn knieën en begon te huilen, gewoon in aanwezigheid van zijn team, zijn coach en alle andere ouders. Daar bleef hij, snikkend, zitten tot Fran naar hem toe rende en haar armen om hem heen sloeg en hem van het veld haalde.

Fran zei dat ze meteen had geweten wat het probleem was. Freddie had gedacht dat hij zijn vader in het publiek had gezien, naast zijn moeder. Maar het bleek gewoon een andere man te zijn met een hond die even was blijven staan om te kijken. Ik moet wel toegeven dat hij griezelig veel op Freddies vader leek.

Libby

Fran geeft deze week een lunch voor twaalf man. Wij komen allemaal, plus Julia en Andrew en Rebecca, en dan Fran en haar twee zonen. En wat heel bijzonder is: ook Paul, sinds een maand Frans vriendje, is ook van de partij.

Ik heb geprobeerd Fran duidelijk te maken dat het veel beter zou zijn om Paul niet aan iedereen tegelijk voor te stellen, of ten minste één gezin per keer. Maar ze wist heel zeker dat dit de manier was waarop ze wilde dat wij hem leerden kennen. 'Hij komt uit een groot gezin en zijn hele leven draait om kinderen,' zei ze. 'Het zou juist vreemd voor hem zijn als hij zich niet in een enigszins chaotische omgeving zou bevinden.'

Het is dan misschien waar dat Paul iemand is die zich op z'n gemak voelt in een chaotisch huishouden, ik vermoed echter dat Fran het gewoon te gek vindt om hem aan iedereen voor te stellen tijdens een lange zondagse lunch, waarbij, dankzij een paar flessen wijn de sfeer ongetwijfeld ontspannen en de conversatie levendig zal zijn. Ze is verliefd en wil dat de hele wereld laten zien. Ze heeft behoefte aan publiek en wat achtergronddecors om haar nieuwe relatie in het beste licht te kunnen tonen.

Ik vraag me af of ze soms denkt dat haar romance nog meer zal glanzen in het gezelschap van vrienden met wie ze al meer dan tien jaar bevriend is. Al zes jaar lang is Fran degene die te lijden heeft gehad onder de smaad van verschillende rampzalige relaties; je kunt het haar niet kwalijk nemen als ze voor de verandering eens een romantische sensatie wil zijn.

Phoebe heeft weinig zin om te gaan en ook Kate is niet bijster enthousiast bij het vooruitzicht. Nu de kinderen ouder zijn, is het veel lastiger om ze mee te slepen, naar feestjes van vrienden en hun kinderen. Als ze drie en vier jaar oud zijn, of zelfs tien zoals Ella, passen ze zich heel gemakkelijk aan en voelen ze zich al snel thuis. Maar als ze ouder worden, zijn ze zich meer bewust van zichzelf en vinden ze het moeilijker om met andere kinderen om te gaan en alle beschamende, martelende vragen van de beschamende vrienden van hun beschamende ouders te ondergaan.

We lopen de vijfhonderd meter van ons huis naar dat van Fran. Het is ongelooflijk, maar omdat het een heel klein beetje motregent, stelt Mevrouw voor dat we de auto nemen. Er is echter niemand die zelfs maar reageert op haar voorstel. We hebben allemaal iets bij ons: ik de broodtaart en Rob de wijn, Ella houdt liefdevol de bloemen vast en Kate wankelt onder het gewicht van een stapel boeken die ik Fran zou lenen. Mevrouw is de enige die niets draagt, tenzij je het feit meetelt dat ze haar rok ophoudt als we tussen de plassen door laveren.

Paul doet de deur open. Ik mag hem meteen. Hij is lang, ruim één meter tachtig, slank en draagt een zwart overhemd en een donkergrijze spijkerbroek. Hij heeft een brede, vriendelijke glimlach – een echte glimlach, waardoor zijn ogen onder zijn zwarte bril beginnen te rimpelen. Zijn haar is pikzwart en nogal wild. Hij lijkt precies op wat hij is: docent Engels en drama.

'Hallo,' zegt hij en laat ons binnen. 'Jullie moeten Libby en Rob zijn. Fran heeft me al van alles over jullie verteld.'

'Dat zijn we inderdaad,' zegt Rob en hij steekt zijn hand uit. 'En jij moet Paul zijn. Heel leuk je te leren kennen.'

'Hallo, Paul,' zeg ik terwijl ik zijn hand schud. 'Dit zijn Phoebe, Kate en Ella.'

'Leuk jullie te ontmoeten, meiden. Kom binnen.'

Fran is in de keuken bezig jus over het lamsvlees te lepelen. 'Hallo!' zegt ze enthousiast als we binnenkomen. Haar wangen zijn felroze. Dat kan komen doordat ze boven een hete oven heeft gehangen, maar volgens mij komt het door de combinatie van wijn en opwinding. Ik zie dat Paul haar even in de pols knijpt als hij langs haar heen loopt naar het kastje waar de glazen staan.

Het is vreemd om hem zo op zijn gemak door haar keuken te zien lopen. Ik ken haar keuken zo goed, ik zou hem kunnen vertellen waar alles staat: glazen, borden, kaarsen, het goede tafellinnen en de alledaagse spullen. Maar dat is duidelijk niet nodig. Hoe heeft hij het voor elkaar gekregen om hier zo goed op zijn plek te lijken in zo'n korte tijd?

'De anderen kunnen ook elk moment komen,' zegt Fran, en ze zet het lamsvlees weer in de oven. 'Ik heb hen gevraagd of ze onderweg nog wat bouillonblokjes willen kopen. Hoe komt het toch dat je nooit die soort in huis hebt die je nodig hebt? Ik heb natuurlijk tientallen groene en gele, maar heb ik ook één rode? Nee, natuurlijk niet!'

'Wit of rood, Libby?' vraagt Paul.

'O, doe eerst maar wit,' zeg ik. 'Rob wil waarschijnlijk rood.'

Ik kijk naar Rob die op een van de barkrukken is gaan zitten die rondom het kookeiland staan. Hij steekt zijn duim op als reactie op Pauls vragende bik. Te oordelen naar de vriendschappelijke manier waarop hij naar Paul glimlacht, heeft hij hem al bestempeld als een goede vent en is hij tot de conlusie gekomen dat hij ter wille van Fran niet langer argwanend hoeft te zijn.

'Freddie en Jake zitten in de andere kamer een afschuwelijk spionnenspelletje te spelen op hun PlayStation,' zegt Fran tegen de meiden. 'Als jullie zin hebben kunnen jullie daar ook naartoe. Er staat ook een kleine biljarttafel.'

'Of je blijft hier zitten kletsen,' zeg ik snel, me bewust van het feit dat Mevrouw waarschijnlijk geen zin heeft om in een kamer te zitten vol jongere kinderen. De situatie kan gemakkelijker worden als Rebecca er eenmaal is, maar misschien ook niet; Rebecca en Phoebe zijn nooit echt bevriend geweest. Tijdens een samenzijn zoals vandaag, wat tegenwoordig steeds minder vaak gebeurt, merk ik dat de meiden zich niet echt op hun gemak voelen bij elkaar. Omdat Julia en ik elkaar zo goed kennen en omdat ze ongeveer even oud zijn, weten ze wel dat ze vriendinnen zouden kunnen zijn, maar om de een of andere reden heeft het nooit echt geklikt tussen die twee.

Ella en Kate verdwijnen en Phoebe schuift de keuken binnen. Ze doet net alsof haar aandacht wordt opgeslokt door Frans poes, een oud rood dier met de naam Simone (naar Simone de Beauvoir, een van Frans heldinnen) die het grootste deel van haar leven opgekruld in een mandje in een hoekje van Frans keuken ligt.

Rob en Paul raken al snel in gesprek; ik kan niet goed horen wat ze zeggen, maar aan de hoeveelheid fysieke energie die ze tentoonspreiden, neem ik aan dat het over sport gaat.

'Hoe is het met Josh?' roept Fran vanaf haar plekje bij het kookeiland waar ze heel secuur stukjes gerookte zalm op kleine driehoekjes bruinbrood legt. Ik kijk Fran veelzeggend aan, maar die ontwijkt me expres. 'Wel verdorie. Waar is Gordon Ramsay als je hem nodig hebt?' jammert ze. 'Deze dingen zien er altijd uit als hondenvoer als ik ze klaarmaak.'

Phoebe zegt: 'Wel goed.' Maar dan gaat ze door met het zorgvuldig aaien van Simone.

'Kom, laat mij dat maar doen. Doe jij maar iets anders,' zeg ik. Ik loop naar Fran toe en duw haar zachtjes opzij. Ik begin de zalm in perfecte driehoekjes te snijden zodat ze op de stukjes brood passen en ik bedenk net hoe fijn het is om dit te doen met op de achtergrond Vivaldi en een ontspannen gesprekje, als er opeens een soort chaos ontstaat. De voordeurbel gaat. Paul doet de deur open, Fran laat een pan kokend water in de gootsteen vallen zodat het kokende water eroverheen spat en ze haar arm verbrandt. Ik schrik van haar schreeuw en het mes waarmee ik de zalm snij maakt een snee in mijn vinger. Als Andrew, Julia en Rebecca de keuken binnenkomen, smeert Fran zalf op haar pols en sta ik met mijn vinger onder de kraan, terwijl Rob in de kastjes naast de koelkast rommelt op zoek naar een pleister. Het lijkt wel een beetje op *Casualty*, en geen van ons is in staat om naar de nieuw aangekomenen te lopen en hen te verwelkomen.

'Sorry, hoor,' zegt Fran, en ze rolt met haar ogen. 'Het goede nieuws is dat het lamsvlees perfect is en dat er voldoende wijn is.'

'Och, zielenpoten, wat is er gebeurd?' roept Julia uit. Ze snelt naar ons toe terwijl Andrew zich een beetje ongemakkelijk op de achtergrond houdt. Volgens mij heeft zijn shock niets te maken met het feit dat er een paar lichtgewonden zijn; hij voelt zich altijd een beetje ongemakkelijk als hij net ergens binnenkomt. Hij is vrij gesloten, je moet echt je best doen om hem een beetje aan de praat te krijgen, en als dat eenmaal lukt, krijg je een soort verkort college over je heen. Hij is zo totaal anders dan Julia dat ik me nog altijd afvraag hoe ze elkaar hebben gevonden.

Al snel is de keuken niet langer een soort eerstehulppost, maar heerst er de warme, ontspannen sfeer van een zondagse lunch. De lucht is vervuld van de geur van rozemarijn en knoflook, en het gekletter van de deksels op de pannen met kokende groenten veroorzaakt een geruststellend klinkende achtergrond voor de gesprekken. De volwassenen hebben zich rondom het kookeiland verzameld, en Phoebe en Rebecca zitten met gekruiste benen op de grond Simone te strelen. Ze proberen duidelijk hun ongemakkelijke gevoel te camoufleren. Er is een soort explosie van geluid als Freddie, Jake, Kate en Ella, die het computerspelletje kennelijk beu zijn, vanuit de woonkamer de keuken binnenstormen en de achterdeur uit rennen de tuin in, met een voetbal bij zich.

Julia en ik kijken elkaar veelbetekenend aan als we Fran en Paul samen zien. Het verbaast mij, net als haar, dat ze samen zo ontspannen zijn. Hij is heerlijk attent, maar niet op die licht misselijkmakende manier van bepaalde mannen. Hij doet het met kleine dingen: hij geeft een kusje op haar voorhoofd als hij haar helpt de zware braadpan uit de oven te halen of legt even zijn hand op haar rug als hij haar wijn bijschenkt. Ik durf er iets onder te verwedden dat Andrew en Rob niet half doorhebben hoe Paul zijn bewondering voor Fran uit. Maar Julia en ik schijnen een ingebouwde antenne voor dat soort dingen te hebben.

Het gaat allemaal heel ontspannen, totdat Julia, heel onschuldig natuurlijk, zegt: 'Wat vonden jullie van die uitspraak vrijdag? Dat ouders niet het recht hebben om te weten dat hun dochter om anticonceptie vraagt of zelfs een abortus wil, ongeacht hoe oud ze is? Ik werd woedend toen ik dat las.'

Andrew, een jurist met vastomlijnde meningen over het ouderschap, is heel duidelijk. 'Het is verdorie te gek voor woorden,' zegt hij. 'Het slaat nergens op om ouders wel verantwoordelijk te stellen als hun kinderen spijbelen, maar hen tegelijkertijd buitenspel te zetten als hun tienerdochter een zwangerschap wil afbreken. Of ouders zijn verantwoordelijk of ze zijn het niet.'

'Maar denk je niet dat het anders is als het om seks gaat?' vraagt Fran, met zachte stem. De aandacht van de meiden is al getrokken: ze kijken naar ons en luisteren mee. Simone is op haar rug gaan liggen met haar pootjes in de lucht als om te tonen dat ze ervan baalt dat ze zo onverwacht in de steek is gelaten.

Ik probeer de uitdrukking op Phoebe's gezicht te ontleden. Ze zal het natuurlijk afkeuren dat we het lef hebben om een dergelijk onderwerp in haar bijzijn te bespreken, maar ik vraag me af welke andere ongemakkelijke emoties ze voelt. Angst dat ze wordt betrapt? Bezorgd omdat ze misschien iets verkeerds doet? Paniek bij de gedachte dat ze ooit zal worden geconfronteerd met een beslissing om wel of geen abortus te laten plegen?

'Hoe bedoel je dat?' vraagt Andrew die de onderhuidse spanning in de keuken kennelijk niet aanvoelt.

'Wat ik bedoel,' fluistert Fran, 'is dat seks een van de dingen is die ouders en hun kinderen niet graag met elkaar bespreken. Kinderen willen niet dat hun ouders iets weten van hun seksleven en wat ze al helemaal niet willen, is iets weten van het seksleven van hun ouders. Geloof me, ik weet het.'

Voordat ik er erg in heb, kijk ik naar Paul; hij glimlacht verlegen naar me. Arme kerel, denk ik. Hij moet zich wel een bijzondere attractie in een pretpark voelen.

'Maar vind je dan niet dat ze het wel moeten bespreken, ongemakkelijk of niet?' vraagt Julia op het moment dat Andrew zijn mond opendoet om weer iets te zeggen. 'Ik bedoel, ik zou zeker willen dat mijn dochter zoiets met mij bespreekt. Ik zou het vreselijk vinden als ze zoiets ingrijpends moest doormaken zonder dat ik dat zou weten. Wat zou dat zeggen over onze relatie?'

Rob, Paul en ik zwijgen. Ik durf mijn mening niet te geven, omdat ik weet hoe ongemakkelijk Phoebe zich nu moet voelen. Ik schaam me ook wel een beetje, omdat ik weet wat ik weet. Wat zegt het over de relatie tussen Phoebe en mij dat ze me niets over de pil heeft verteld? Zou ze het me vertellen als ze een abortus moest ondergaan, of zou ze gebruikmaken van de geheimhouding die de rechtbank zojuist heeft verleend?

'Wat vinden jullie ervan, meiden?' vraagt Paul. Hij heeft gelijk, het is eigenlijk onbeleefd om zoiets te bespreken zonder hen om hun mening te vragen. Tegelijkertijd moet hij weten dat ze weinig zin zullen hebben om betrokken te raken bij dit gesprek.

Rebecca bijt op haar lip en Phoebe haalt haar schouders op. Ze kijken naar elkaar en dan naar ons. Simone gaat bij Phoebe op schoot liggen in de hoop dat haar massage zal worden voortgezet.

'Of is dit onderwerp te walgelijk om te bespreken?' vraag ik.

'Wel een beetje,' zegt Rebecca met een zwak glimlachje.

Dan komt er weer een stomme opmerking van Andrew. Hij roept luid: 'Ik weet wel dat als ik ooit tot de ontdekking kom dat een van mijn kinderen voordat hij of zij meerderjarig is seks heeft, laat staan een abortus ondergaat, er heel wat zwaait. Ik vind echt dat je hier heel duidelijk over moet zijn. Als wij de regels niet bepalen, wie doet het dan?'

Niemand weet kennelijk wie dat dan wel zal doen, want we laten zijn vraag in de lucht hangen en gaan naarstig op zoek naar een bezigheid. Ik denk dat we allemaal het liefste zouden doen alsof ons zoiets nooit zou kunnen overkomen. Het schiet door me heen dat Rebecca zich vooral ongemakkelijk zal hebben gevoeld door het feit dat ze 'een van zijn kinderen' is genoemd alsof ze een soort hypothetisch geval is.

Als we weer naar de meiden kijken, zijn ze verdwenen en ik weet niet goed of Simone er nu verontwaardigd of eenzaam uitziet.

Gelukkig snijdt niemand tijdens de lunch een onderwerp aan dat zo controversieel is als de recente uitspraken over abortus. Het is allemaal best gezellig en alleen als we *Celebrity Big Brother* bespreken wordt het gesprek enigszins verhit. (Arme Andrew. Hij is de enige die het een walgelijk, belachelijk programma vindt. Ik zie dat Rebecca en Julia elkaar even aankijken als hij zijn mening beargumenteert en dan weer achteroverleunen in hun stoel.) Vlak voor het dessert, en als antwoord op een beleefde vraag van Paul, geeft Ella een beschrijving van onze Earthwatch-groep en begint aan een van haar colleges over waarom je beter kunt douchen dan een bad nemen, waarom je beter lokale producten kunt kopen en waarom je zuinig moet zijn met elektriciteit.

'Andrew zit altijd te zeuren dat ik het licht moet uitdoen,' zegt Julia. 'Maar volgens mij denkt hij dan vooral aan de elektriciteitsrekening in plaats van aan het milieu,' voegt ze er uitdagend aan toe. 'En hij is een echte badman. Heeft de pest aan douchen, ja toch, lieverd?'

Haar donkerblonde haar, anders altijd zo netjes in vorm, is nu een beetje in de war en haar wangen hebben een blosje doordat ze te veel heeft gedronken. Toch ziet ze er keurig uit, ingesnoerd in haar kleding. Ik zou willen dat ze haar mintgroene jasje met de rij perfecte parelknoopjes opentrekt zodat een stukje sleutelbeen te zien is. Of dat ze over de tafel gaat hangen. Maar Julia hangt niet – dat zou Andrew nooit goedvinden.

'Tja, bij ons thuis zondigen we allemaal, nietwaar Ella?' sneert Rob. 'Wij gaan onder de douche, maar kennelijk heel, heel lang. Weet je, Ella, dit is mijn verlate goede voornemen voor het nieuwe jaar: niet langer douchen dan, wat, twee minuten? Wat vind je ervan?'

'Wat je ook kunt doen, is de kraan niet laten stromen als je je tanden poetst en de douche niet uren voordat je eronder stapt aanzetten,' stel ik voor, met een duidelijke glimlach zodat niemand zal denken dat ik Rob echt aanval. Ik ben niet van plan Frans lunch te bederven met een huiselijke discussie.

'Denk je nou heus dat zoiets echt iets uitmaakt?' vraagt Andrew. Hij leunt achterover in zijn stoel en dept zijn mondhoekjes met een servet. Het is maar een vraag, maar op zo'n spottende manier gesteld dat iedereen even stilvalt. Op Ella's gezicht verschijnt een verbijsterde uitdrukking.

Ik wil Frans lunch ook niet bederven door een verhitte discussie over een milieuramp te beginnen en dus tel ik tot tien. De enige van wie ik serieus verwacht dat ze hierop ingaat, is Fran zelf. Van Rob verwacht ik dat zeker niet.

'Maar wat is het alternatief, Andrew? Vanochtend nog stond er een artikel over in de krant. De aarde heeft nog maar twintig jaar om een ramp af te wenden. Kunnen we echt dit soort dingen blijven lezen en vervolgens de krant opzijleggen en gewoon doorgaan met alles? Dat komt me steeds meer voor als een soort bijna-psychopathische ontkenning.'

'Nou, om te beginnen zou je wel stom zijn om te geloven wat je in de krant leest; negentig procent van wat erin staat is sowieso niet waar. Ten tweede, áls het al waar is, dan zou het volgens mij veel zinvoller zijn om geld te investeren in een technologie waardoor we in staat zijn de gevolgen van de klimaatverandering ongedaan te maken. Ten derde' – Andrews argumenten bestaan meestal uit drie delen – 'wat de meeste mensen zich niet realiseren is dat, als ze de ideeën van die Greenpeace-lui omarmen, dit tot een veel grotere economische ramp zal leiden dan de een of andere overstroming.'

Ik zie dat Rob zich afvraagt of hij hier nu wel of niet op in moet gaan. Op een ander moment zouden we misschien hebben besloten dit gesprek aan te gaan zonder venijn of boosaardigheid. Maar Andrew heeft dit, zoals zo vaak, vrijwel onmogelijk gemaakt. We zouden gewoon niet vaker op deze manier bij elkaar moeten komen. Ik vind het veel leuker om alleen met Julia af te spreken.

'Denk maar wat je wilt, Andrew,' zegt Rob na een tijdje. Hij neemt een slok wijn en door de manier waarop hij achterover in zijn stoel gaat zitten, geeft hij aan dat hij deze discussie niet wil voortzetten. Hij is duidelijk niet van plan Frans lunch te bederven, maar Fran is kennelijk niet de enige met wie hij rekening houdt. 'Zelf vind ik dat we mensen als Ella en Libby eeuwig dankbaar moeten zijn dat ze ons wakker hebben geschud uit onze zelfvoldaanheid en ze een aantal kleine dingen doen die wel een verschil maken. Ik stel voor dat we een toost uitbrengen op onze eigen gekke Greenpeace-lui.'

'Je hebt gelijk. Op onze eigen Greenpeace-lui!' roept Fran en dan toosten we allemaal. Rob glimlacht naar me vanachter zijn arm. Opeens gaat er een golf warmte en dankbaarheid door me heen en wenste ik dat ik naast hem zat zodat hij dat ook kon voelen.

'Wat denk je?' fluistert Fran. Ze komt naast me staan als ik de brood-taart uit de oven haal. 'Vind je hem niet te gek?'

Ik draai me om en kijk haar aan. 'O, Fran, hij is echt geweldig. Ik ben zo blij voor je.'

Fran haalt met een brede glimlach haar schouders op. 'Ik moet mezelf gewoon blijven knijpen. Ik had nooit gedacht dat ik ooit nog een tweede kans zou krijgen. Weet je, volgens mij is het zelfs beter dan de vorige keer. Na alles wat ik heb meegemaakt, dacht ik toch echt dat ik mezelf kende en ik weet wel dat Doug helemaal de verkeerde voor me was, helemaal verkeerd gewoon.'

Ik ben bijna jaloers als ik haar zo zie. Hoop en opwinding sijpelen uit elke porie naar buiten. Niets is vergelijkbaar met die eerste, helemaal absorberende gevoelens in de eerste fase van een liefdesrelatie. Ik kijk naar haar lippen en denk: Wat een bofkont ben je toch. Al die eerste kussen die zo heerlijk zijn.

'Maar hoe is het met jou? Hoe gaat het met Earthwatch? Volgens mij heb je het er maar druk mee.'

'Prima. In het begin wist ik niet zo goed wat ik ervan moest denken, dat weet je wel. Toen voelde het als een rare en tegelijkertijd onmogelijke uitdaging. Bovendien heb ik de pest aan grote groepen. Om de vrijdag hardlopen met Gillie en de anderen is zo ongeveer het maximum van wat ik aankan. Maar ik sta verbaasd over mezelf. Ik vind het nu heerlijk en volgens mij is het te gek voor Ella.'

'Rob vindt het nu niet meer zo erg, wel?'

'Nee, maar hij vindt het volgens mij nog steeds een beetje raar. Toch vond hij het ook niet goed dat Andrew er de draak mee stak. Het echte probleem in het begin was volgens mij dat hij het niet kon uitstaan dat ik me zo intens bezighield met iets waar hij niet bij betrokken was. Al die jaren was hij eraan gewend om alle aandacht te krijgen, waardoor hij een paar nare gewoontes heeft ontwikkeld.'

Ik kijk door de deuren naar Frans volle eetkamer en zie dat Rob uitgelaten lacht. Dan buigt hij zich naar voren en begint een verhaal te vertellen waar iedereen aandachtig naar luistert. Julia giechelt en houdt haar handen voor haar ogen als reactie op iets dat hij vertelt en Phoebe gaat achter hem staan en geeft hem een speels klopje op zijn hoofd. Dan blijft ze met haar handen op zijn schouders staan luisteren.

'Fran, wat betekent het volgens jou als je droomt dat je met iemand samen bent die niet je man is? Denk je dat dit iets betekent?'

'Hangt ervan af. Hoe vaak heb je dat gedroomd?'

'Eén keer.'

'O, dat stelt niets voor. Ik zou er maar niet meer aan denken. Waar ik me wel zorgen over zou maken, is als je overdag aan wie het ook is zou denken.'

Omdat ik niets zeg, vraagt ze: 'Dénk je overdag ook aan hem?'

'Soms wel,' zeg ik, en ik staar naar de goudkleurige korst van de broodtaart.

'Wie is het?'

'Iemand van Earthwatch. Hij heet Daniel. Ik denk vaker aan hem dan zou moeten en daar maak ik me zorgen over.'

'God, Rob heeft zijn naam genoemd. Denk je dat hij iets vermoedt?'

'Wat? Wat zei hij?' vraag ik en mijn stem klinkt paniekeriger dan ik wil.

'Niks bijzonders, alleen maar dat hij hem in de kliniek heeft ontmoet en dat hij zo aardig leek. Maar toen zei hij hoe goed hij eruitzag en dat vond ik wel een beetje vreemd. Dat is niet iets dat Rob normaal gesproken zegt. Maar hij maakte een grapje, het klonk niet alsof hij zich zorgen maakte of zo.'

'Nou, hij hoeft zich ook nergens zorgen over te maken,' zeg ik. Ik voel me opeens verontwaardigd. 'Er is niets gebeurd. Zoals je al zei, het stelt niets voor, nee toch?'

Fran kijkt me aan. 'Natuurlijk niet. Je bent al bijna twintig jaar getrouwd. Het zou wel heel vreemd zijn als je in al die jaren niet een keer naar iemand anders zou hebben gekeken. Het wil niet zeggen dat je niet meer van Rob houdt. Het betekent niets. Trouwens, het zal wel overgaan. Nog een paar maanden en dan vraag je je waarschijnlijk af wat je ooit in deze Daniel hebt gezien. Een verliefdheid verdwijnt even snel als ie opkomt. En dat geldt niet voor wat je voor Rob voelt.'

Opeens is Rob er; hij staat achter Fran met een stapel vieze borden.

'Waar zitten jullie over te roddelen?' vraagt hij goedgemutst.

'O, over van alles en nog wat,' zegt Fran, een beetje in paniek en met grote ogen.

'Heb je met Fran al over dat Phoebe-ding gesproken, Lib?'

'Ja, maar dat had niet veel zin. Ze zei zoiets als dat ze blij was dat het haar probleem niet was, of iets van die strekking.'

'Daar geloof ik niets van,' zegt Rob. Hij slaat een arm om Frans schouders en trekt haar naar zich toe. 'Niet onze Fran, verspreider van wijsheid over ieder onderwerp, van *Big Brother* tot de juiste interpretatie van röntgenstralen.'

'Kijk eens, Robbie, als jij de broodpudding meeneemt, nemen wij de kommen,' zegt Fran, en ze geeft Rob een paar ovenwanten.

'Heel graag,' zegt Rob. Hij tilt de puddingschaal van het aanrecht en loopt naar de eetkamer. Hij roept 'Pudding wordt geserveerd!' op zo'n manier dat je zou denken dat hij hem zelf heeft gemaakt.

Fran geeft me de kommen en buigt naar me over.

'Je moet niet denken dat ik je de afgelopen jaren niet heb benijd, Libby,' fluistert ze. 'Wat me nu overkomt, ziet er in jouw ogen misschien heerlijk uit, maar ik heb er een heel hoge prijs voor moeten betalen. Je moet niet denken dat ik niet veel liever had gehad wat jullie tweeën hebben gehad.'

Als ik aanbied de afwas te doen, staat Julia op van tafel en biedt aan af te drogen. Als ik nog op zoek ben naar het schuursponsje, zegt ze fluisterend: 'Mag ik je iets vragen?'

Mijn eerste gedachte is dat ze Fran en mij heeft horen praten over Daniel en mijn droom. Ik weet wel dat dat eigenlijk niet kan, omdat ze de hele tijd in de eetkamer was, maar toch hap ik naar adem en zeg: 'Tuurlijk. Vraag maar.'

'Ik maak me zorgen over Rebecca. De laatste weken, misschien iets langer, is ze in zichzelf teruggetrokken. Ik weet wel dat ze een rustige meid is, misschien niet zo zelfverzekerd is als Phoebe, maar ze is stilletjes, zelfs voor haar doen. En ze eet ook niet goed. En als ik haar vraag wat er aan de hand is, zegt ze dat er niets is. En als ik het dan nog een keer vraag, begint ze tegen me te schreeuwen. Je weet immers hoe ze zijn op deze leeftijd? Ik weet gewoon niet wat ik moet doen.'

'Wil je dat ik Phoebe vraag om met haar te praten?'

'Ja, dat is precies wat ik je wilde vragen. Denk je dat ze dat zou willen? Rebecca mag natuurlijk nooit weten dat ik je dit heb gevraagd.'

'Nou, ik zal het haar zeker vragen. Volgens mij hebben ze op school niet veel contact met elkaar, maar vandaag lijken ze het goed met elkaar te kunnen vinden.'

'Ja, dat dacht ik ook. Weet je, ik maak me echt zorgen over haar. En Andrew is echt een ramp met dit soort dingen. Hij moppert alleen maar op haar. Zijn laatste theorie is dat ze een eetstoornis heeft, en dus dwingt hij haar om dingen te eten. Het is afschuwelijk om te zien.'

Wat echt afschuwelijk is om te zien, is hoe Julia van alles voor Andrew heeft moeten doen of laten. Volgens mij moet ze zich af en toe verscheurd voelen. Als ze gewoon zichzelf zou mogen zijn, zou ze een veel communicatievere, meer open ouder zijn, maar op de een of andere manier lijkt ze wel gehersenspoeld door deze bijzonder traditionele visie op huwelijk en ouderschap, een visie waarin geen sprake is van openlijke meningsverschillen tussen man en vrouw.

Ik steek mijn handen die onder het sop zitten naar haar uit en geef haar een knuffel. 'Maak je maar geen zorgen, Jules. Ik weet zeker dat het niet meer is dan een fase. Wij hebben net zoiets meegemaakt met Phoebe. Iedereen zegt dat je ze weer terugkrijgt als ze zestien worden en dat duurt nu niet meer zo heel lang.'

Ik voel me behoorlijk uitgeput door de lunch. Ik word altijd al moe van rode wijn, maar volgens mij is het de ongebruikelijke hoeveelheid gedeelde geheimen die me zo uitputten. Eerst voelde ik me een extra personage op de set van *ER* en nu voel ik me als een personage op de set van een soap. Seks voordat je meerderjarig bent. Vrouwen van middelbare leeftijd met onacceptabele dromen. Waarom hebben we het niet gewoon over scholen en huizenprijzen?

Phoebe

Er zijn twee Tienerzorgklinieken in Londen, maar die liggen niet bepaald in de buurt. Rebecca en ik moeten eerst met de ondergrondse en dan met de bus om in de buurt van Stockwell te komen. Vervolgens moeten we nog een redelijk stuk lopen door niet al te frisse straten, maar de kliniek zelf zelf ziet er aardig uit. Modern, schoon. Veilig.

Niemand vond het vreemd toen ik vanochtend zei dat ik na school nog even wilde gaan shoppen. Mama had het te druk met papa de mantel uitvegen over het feit dat hij de tv gisteravond op stand-by had laten staan. Ze beschuldigde hem ervan dat hij verspillend bezig was en hij antwoordde dat hij tenminste niet zo bezeten was als zij. Ze vroeg hem waarom hij haar niet gewoon kon steunen bij haar pogingen ons gezin de eenentwintigste eeuw binnen te loodsen en toen vroeg hij haar sinds wanneer het niet meer beschouwd werd als steun aan het gezin als iemand vijfenhalve dag per week keihard werkte. Waarop zij antwoordde: 'Doe niet zo stom, je weet heel goed wat ik bedoel.' Op dat moment voelde ik me geroepen om in te grijpen. Ik zei: 'Toe nou even, denken jullie nu echt dat wij hiernaar willen luisteren?' Vervolgens heb ik met veel vertoon zelf de televisie maar uitgeschakeld.

We lopen de kliniek binnen en meteen kijkt de vrouw die aan de balie zit ons glimlachend aan. 'Hallo, meiden. Kan ik jullie helpen?' vraagt ze op het toontje dat Becky ook weleens gebruikt. Rustig, gastvrij, als een warme deken. Misschien leren ze wel om zo te praten.

Er zitten slechts twee mensen in de wachtkamer: jonge meisjes. Eentje bladert in een tijdschrift met haar ogen kordaat neergeslagen; de andere staart niets ziend voor zich uit. Ik probeer zachtjes te praten, zodat ze ons niet kunnen verstaan.

'Dit is mijn vriendin Rebecca,' zeg ik zo zacht mogelijk zonder echt te fluisteren. 'Zij... eh... wij hebben een afspraak om halfvijf.'

'O ja, ik zie het,' zegt de glimlachende vrouw die volgens haar naamplaatje Tara heet. 'Hallo, Rebecca.'

Rebecca staat naast me en kijkt afwezig om zich heen, bijna alsof ze niet naast me staat. Het lijkt wel alsof ze Tara niet hoort. Ik kijk haar aan, geïrriteerd. 'Rebecca!'

'O? Wat?' vraagt ze, geschrokken.

Tara glimlacht, zichtbaar niet verbaasd door Rebecca's afwezigheid. Dat is misschien wel normaal in dit soort situaties.

'Ga daar maar even zitten, meiden. Dan komt er snel iemand bij jullie,' zegt ze, en ze gebaart naar de stoelen langs de muur.

We gaan zo ver mogelijk bij de andere meisjes vandaan zitten. Eentje kijkt ons heel even aan als we gaan zitten, zie ik, maar slaat dan weer snel haar blik neer. Het is ontzettend stil, ondanks het enkele bliepje van de telefoon en het geluid van Tara's opgewekte stem.

Opeens hoor ik dat er een deur opengaat. Een vrouw in een witte bloes en een zwarte broek loopt resoluut op ons af. Ze knielt voor ons neer en glimlacht, met een klembord op haar knieën.

'Hallo, meiden. Ik ben Caroline. Ik ben een van de adviseurs hier. Ik neem jullie mee en zal dan vertellen hoe het er hier allemaal aan toe gaat, wat we voor jullie kunnen doen. Oké?'

Rebecca en ik knikken zonder iets te zeggen. Ik krijg een onplezierig gevoel, het gevoel dat ik hier deel van uitmaak, en, al gebeurt het niet opvallend, op dezelfde manier word behandeld als Rebecca. De manier waarop ze ons hier behandelen... het lijkt wel alsof we een nieuw behangetje komen uitzoeken in plaats van komen praten over zwangerschapsonderbreking.

We lopen door een gang achter Caroline aan naar een kamertje waarin drie leunstoelen staan. Een spreekkamer, zo te zien. Er staat geen onderzoekstafel met wit papier erop of met griezelige metalen kniesteunen.

'Oké. De bedoeling is dat we het nu over jou gaan hebben, Rebecca, klopt dat?' vraagt Caroline. Ik heb het me dus niet verbeeld. Ze heeft de mogelijkheid opengehouden dat ik degene ben die in de problemen zit, dat dit hele circus is bedacht om mijn broze waardigheid op te houden.

Ik zorg snel voor duidelijkheid: 'Ja, het gaat om Rebecca.'

'Goed dan, Rebecca. Ik wil graag beginnen met je te vertellen wat we hier kunnen doen en hoe we je kunnen helpen. Daarna wil ik je een paar vragen stellen, oké?'

Rebecca knikte en blijft Caroline strak aankijken. Carolines vaste blik lijkt wel een reddingslijn, zelfs in mijn ogen.

Caroline vertelt een paar minuten over de gang van zaken bij Tienerzorg. Ik probeer me te concentreren op wat ze allemaal vertelt, voor het geval Rebecca zo zenuwachtig is dat ze het allemaal niet in zich op kan nemen. Ik hoor dat er in het hele land tien centra zijn die allemaal drijven op donaties en daardoor helemaal gratis zijn voor de cliënten. Je kunt daar een afspraak maken met een verpleegkundige, een adviseur, een arts, of met alle drie als dat nodig is. Het onderwerp van de adviesgesprekken is alles wat te maken heeft met seksualiteit – anticonceptie, seksueel overdraagbare aandoeningen, zwangerschap – of waar je maar problemen mee hebt, zoals een relatie. Ik overweeg heel even om haar om advies te vragen over een relatie tussen een onweerstaanbare zevenentwintigjarige activist en een bijna zestien jaar oud meisje, maar besluit het maar niet te doen.

Caroline onderbreekt haar informatieve praatje en vraagt: 'Waarom ben je hier, Rebecca? Om welke van de redenen die ik heb genoemd?'

Rebecca kijkt me aan. Ik knik bemoedigend richting Caroline. 'Het is... volgens mij ben ik zwanger.'

'Denk je dat? Waarom?'

'Ik ben al twee keer achter elkaar niet ongesteld geworden. Dat is nog nooit eerder gebeurd. En ik ben wat misselijk, deze week.'

Caroline reageert gelaten op deze informatie. 'Goed dan. Dan zullen we eerst maar eens een zwangerschapstest doen. Dat kan vandaag nog, als je wilt. Als de test positief is, zullen we je advies geven, zodat je kunt beslissen wat je wilt doen. Als je besluit tot zwangerschapsonderbreking, zullen we je doorverwijzen naar een ziekenhuis dat dit kan doen. Normaal is het zo dat je daar drie tot vier weken op moet wachten. Begrijp je dat?'

'Ik wil het niet houden. Dat weet ik nu al. Dat kan niet.' Rebecca's stem is hoog, afgeknepen door haar paniek.

'Dat is misschien wel zo, en niemand zal proberen je over te halen om de baby te houden als je dat niet wilt, maar wij vinden het beter voor je als je dit heel goed doorspreekt met een adviseur. Pas dan zullen we helemaal tevreden zijn met je besluit.'

'Moeten jullie het mijn ouders vertellen?' Dit is de cruciale vraag, de vraag die ik als eerste zou hebben gesteld.

'Tja, als je zestien of ouder bent, dan hoeven we dat niet te doen. Maar nu je vijftien bent, hangt het af van de discretie van de arts.'

'Wat betekent dat?' roept Rebecca. Ze buigt zich voorover in haar stoel. 'Jullie mogen het mijn ouders niet vertellen. Ze mogen het absoluut niet weten.'

Caroline steekt haar hand uit naar Rebecca en legt haar hand op haar knie. 'Rustig maar, Rebecca. Als je echt problemen krijgt als je ouders het te horen krijgen, dan zal de arts daar rekening mee houden. Zullen we maar gewoon bij het begin beginnen? Met de zwangerschapstest?'

Rebecca knikt en leunt weer naar achteren. Haar ogen vullen zich met tranen, haar gezicht is zo bleek dat het bijna doorzichtig is. Opeens slaat ze haar hand voor haar mond en ik weet zeker dat ze zal gaan gillen. Maar dat doet ze niet. In plaats daarvan geeft ze over, in haar hand, zodat het kleverige, brokkelige braaksel tussen haar vingers door en op haar schoot druppelt.

Caroline springt snel op en grijpt een keukenrol uit een kastje in een hoekje van het kamertje. Ze scheurt een paar vellen af en legt ze op Rebecca's schoot. Dan opent ze haar handen en veegt de troep van haar handen. Haar gezichtsuitdrukking verandert niet. Ze trekt niet eens haar neus op voor de stank.

'Zo, alweer klaar,' zegt ze als Rebecca weer een beetje schoon is. 'Je zult je broek moeten wassen als je weer thuis bent, maar verder is het wel goed zo. Wij zullen wel voor je zorgen. Daarvoor zijn we hier.'

Het is fantastisch hier. Misschien wel een beetje te fantastisch. Als je niet oppast, ga je misschien nog denken dat wat je van plan bent te doen helemaal niet belangrijk of ingrijpend is of zelfs maar een stomme blunder waar je spijt van moet hebben.

Rebecca's test is positief. Over een week heeft ze een afspraak met een adviseur. Als we die afspraak willen nakomen, zullen we weer een lange reis moeten maken. In de trein onderweg naar huis zegt ze amper iets. Ik zit te wachten op tranen, een zenuwinstorting, braaksel. Ik weet dat, nu de heilige Caroline niet in de buurt is, ik de troep zal moeten opruimen. Als ik er goed over nadenk, denk ik dat ik de voorkeur geef aan braaksel.

Als de stilte te drukkend wordt, probeer ik iets te bedenken om te zeggen.

'Ik denk dat Josh en ik uit elkaar gaan,' zeg ik. Misschien gaat ze zich beter voelen, als ze weet dat iemand anders ook verdriet zal hebben. Dan weet ze dat ze niet de enige is die niet in een perfecte wereld leeft.

Ze lijkt behoorlijk geschokt door mijn openbaring. 'Waarom?'

'Nou, je mag het niet doorvertellen. Ik vertrouw je, beloofd?'

Ze knikt heftig. Nu ze zo in de problemen zit, ben ik er absoluut zeker van dat ze me niet zal verraden.

'Ik heb iemand anders leren kennen. Ik zou willen dat je hem kon ontmoeten.'

'Wie? Iemand bij Kings?'

'Nee, helemaal niet. Hij is heel bijzonder. Zo iemand heb je nog nooit ontmoet.' Ik buig me naar haar toe en voeg eraan toe: 'Hij is veel ouder.'

Rebecca hapt naar adem en glimlacht zwakjes. 'Dat is heerlijk, Phoebe. Wat fijn voor je.' Dan zakt ze terug in haar versleten, nepfluwelen stoel en in haar zwijgen.

Ik heb het gevoel dat ze zich helemaal niet beter voelt door wat ik haar heb verteld.

Libby

Kate bekijkt Phoebe van top tot teen. Ze kijkt naar haar lange soepele jurk en laarzen, haar geborduurde bloes en de lange halsketting.

'Waar ga je naartoe? Het is een doordeweekse avond,' zegt ze.

'Ik ga met mama mee. Naar de bijeenkomst,' verkondigt Mevrouw.

'Is dat zo?' vraag ik en ik krabbel overeind nadat ik een kleverig vlekje van de vloer heb gewreven. Straks krijgen we nog muizen. Minder tijd aan het huishouden besteden en regelmatig te volle afvalbakken zijn niet bepaald de beste manier om ongedierte buiten de deur te houden.

'Mam! Dat hebben we vorige week afgesproken! Ik zei dat ik wilde helpen en jij zei dat het goed was,' zegt ze verontwaardigd, met één hand op haar uitgestoken heup en met haar hoofd opzij zodat haar prachtige haar over haar ene arm golft.

'O, nou, goed dan. Ik weet wel dat je zei dat je wilde helpen, maar ik had niet begrepen dat je mee wilde naar alle bijeenkomsten. Ik dacht dat je ons misschien op een van de rallydagen wilde helpen of met het uitdelen van flyers.'

'Ja, dat ook. Maar ik heb echt het gevoel dat ik naar een paar bijeenkomsten moet, zodat ik begrijp waar het allemaal om gaat. Begrijp je wel?'

'Tuurlijk, klinkt logisch. Maar heb je het deze eerste schoolweek niet te druk met je huiswerk?'

'Nee, dat is wel in orde,' zegt ze, en ze rent naar de hal en het toilet beneden. Deze nieuwe hartstocht verbaast me. Dit is wat ik heb gewild, heb gehoopt, op heb gewacht. Maar nu ik mijn zin krijg, vertrouw ik het niet.

Opeens begrijp ik het. Phoebe heeft iets meegemaakt waardoor ze is veranderd. Iets heeft haar kijk op de wereld veranderd. Ze is met Josh naar bed geweest. Of ik dat nu leuk vind of niet, het is gebeurd, en ik zal het moeten accepteren. Is het mogelijk dat het goed voor haar is geweest? Dat we Mevrouw nooit meer zullen meemaken? Misschien hebben zij en Josh wel echt een bijzondere band en is het goed wat ze doen.

'Mama, hoorde je me wel?' Kate trekt aan mijn arm.

'Wat?'

Ze zucht. 'Ik zei dat ik voor school een nieuw tennisracket moet hebben. Mevrouw Walker zegt dat de mijne te klein is. Kunnen we morgen na school een nieuwe kopen?'

'Oké, lieverd,' zeg ik.

'Wat is er toch met iedereen aan de hand? Iedereen doet zo raar,' zegt ze en ze loopt hoofdschuddend de keuken uit.

Als ze weg is, bedenk ik dat ik heb afgesproken om met Michelle en Courtney te werken, en dat ik liever heb dat ze Phoebe's oude racket gebruikt, maar ik heb geen zin in een scène en laat het dus maar zo.

Tijdens de bijeenkomst, te midden van alle Earthwatch-mensen, blijf ik naar haar kijken. Ik vind opeens dat ze er zelfs jonger uitziet, nog onschuldiger. Maar dat is natuurlijk niet meer zo. In gedachten bereken ik over hoeveel weken ze zestien wordt en ik houd mezelf voor dat als het eenmaal zover is, ik er niets meer mee te maken heb, dat ik er geen invloed meer op heb. Dat zeggen ze toch? Onze huisarts, die lieve dokter Sarah, heeft me verteld dat de zestiende verjaardag het beslissende afscheid is voor ouderlijke betrokkenheid bij beslissingen over anticonceptie, abortus en alle andere zaken die met seks te maken hebben. Eenentwintig weken, meer staat er niet tussen mij en absolutie.

Courtney, Michelle en ik staan op het punt aan onze tour door de buurt te beginnen. We hebben drie zware zakken met flyers die we deur aan deur willen verspreiden. We lopen richting bushalte en verdelen de straten.

Phoebe en Ella zouden ons oorspronkelijk helpen, maar op de

een of andere manier gaan ze nu Gabriel helpen. Harry en Daniel nemen de straten ten westen van het park. Mij maakt het niet uit; met Harry en Gabriel zullen ze meer lol hebben. Phoebe is er eindelijk achter waar ze Harry eerder heeft gezien. In een programma over jongelui die tijdens een schoolvakantie hebben geholpen een bos op te ruimen. Ik weet nog dat Phoebe hen toen 'zielig' noemde. Misschien vindt ze dat nog steeds, maar dat laat ze niet merken. Ze zat geconcentreerd te luisteren toen Harry vertelde over alle initiatieven die zijn school had ontwikkeld.

We spreken af dat we de eerste twee straten samen zullen doen, zodat ik de meiden in de gaten kan houden en we ons praatje klaar hebben. We verwachten niet dat we vaak iets hoeven te vertellen, maar we moeten er wel op voorbereid zijn. Voor het geval dat iemand zijn voordeur opent en een flyer aanneemt, willen we ons verkooppraatje gereed hebben.

We hebben al zeker honderd huizen gehad als ik een huis zie met een bekende auto ervoor geparkeerd. Die auto zou ik overal herkennen, omdat hij zo schoon is. Schoner dan een auto in Londen hoort te zijn. Het moet de Mercedes van Claire Thomason zijn. Maar het is niet haar huis.

Het geheim wordt ontrafeld als ik me buk om de flyer door de glimmende chromen brievenbus te schuiven. Ik hoor de klik van de klep aan de andere kant, gevolgd door het ritselen van de flyer die over de tegelvloer glijdt en vervolgens de zachte tonen van Claire Thomasons stem.

'Hartelijk bedankt, Anne. Dat was geweldig,' zegt ze terwijl ze de voordeur opent. 'O, lieve help! Wat hebben we hier?'

'Het spijt me als ik je heb laten schrikken,' zeg ik snel. Ik wil niet dat ze denkt dat ik een Jehovagetuige of zo ben, of iemand die een iPod aanbiedt in ruil voor een lagere gas-, elektriciteit- of waterrekening.

'Jou had ik hier niet verwacht. Anne, dit is Libby. Haar dochter heeft verkering met Joshua.' Anne glimlacht afgemeten. 'En wat is dit?' vraagt ze terwijl ze de flyer bekijkt.

'Dat is een actieplan met tien tips om het milieu in je eigen wijk te bevorderen. Eenvoudige tips, heel gemakkelijk uit te voeren, maar ze kunnen wel veel verschil maken. Hoeveel verschil kun je op de achterkant lezen. Het is ook een uitnodiging om langs te komen tijdens een actiedag op 10 juli in het park aan Hill Road. We zouden het geweldig vinden als je komt en mee wilt helpen.'

Dit praatje put me uit. Volgens mij heb ik het supersnel afgeraffeld uit vrees dat ze hun interesse verliezen. Maar die had ik dus toch al niet. Aan de uitdrukking op hun gezicht kan ik wel zien dat ze niet van plan zijn om op 10 juli te komen of om zelfs maar de achterkant van de flyer te gaan lezen. Ik realiseer me dat ze ook niet bepaald het soort mensen zijn die zich laten betrekken bij iets waarvoor ze huis aan huis flyers moeten uitdelen.

Als Claire iets zegt, heeft dit niets te maken met dat wat ik heb gezegd.

'En wie zijn deze beide jongedames?' vraagt ze. Ze gebaart naar Michelle en Courtney, die op de een of andere manier achter me zijn opgedoken. Ze zijn niet dom. Antipathie herkennen ze wel.

'Dit zijn Michelle en Courtney, leerlingen van Carlisle Lodge. Ze zijn lid van de Earthwatch-groep die dit organiseert.'

Claire bestudeert de meisjes van top tot teen en haar blik blijft even hangen bij Courtneys stevige paardenstaart. Ik durf te zweren dat ze begint te rillen als de meisjes hun mond opendoen om dag te zeggen.

'Nou, dat is vast een heel goed doel, denk je niet, Anne?' zegt ze neerbuigend. 'Dagdag, allemaal. Moet rennen,' zegt ze, en ze glipt langs ons heen.

'Bedankt hoor,' zegt Anne. Ze zwaait met de flyer en doet de deur voor onze neus dicht.

Ik sta daar nog een seconde met de meisjes en zie Claire in haar auto stappen en wegrijden.

'Arme Phoebe,' zegt Michelle ondeugend en ze kijkt me onderzoekend aan naar tekenen van afkeuring, maar die laat ik niet zien.

Courtney voegt eraan toe: 'Arme Phoebe? Hoe zit het met die arme Joshua?'

De meisjes geven me een arm en we lopen de oprit af, de heuvel op.

De volgende avond word ik gebeld door mevrouw Walker. Dat verbaast me, want het is heel ongebruikelijk dat een docent een ouder belt. Maar zodra het woord tennis valt, weet ik het weer.

'Ja, het spijt me. We wilden er gisteren een kopen, maar ik moest dringend iets anders doen,' leg ik uit.

'Waar het om gaat, mevrouw Blake, is dat ik Kate al weken geleden heb gezegd dat ze een nieuw racket moet hebben. Al een hele tijd voor de paasvakantie. Heeft ze u dat niet verteld?'

'Eh.. nee... nou, misschien. Ik weet het niet zeker. Misschien ben ik het vergeten,' zeg ik. Ik klink als Mevrouw die op heterdaad is betrapt. 'Ik heb het de laatste tijd heel druk gehad,' voeg ik er als een lamlendig excuus aan toe.

'Dat geloof ik graag, mevrouw Blake,' zegt ze, maar op een toon alsof ze zegt: Ja hoor, natuurlijk.

'Nou ja, ik zal ervoor zorgen dat ze volgende week een nieuw racket heeft,' zeg ik. 'Het spijt me heel erg.'

Het spijt me. Niet zozeer van dat racket, maar van het feit dat ik zo duidelijk niet veel aandacht voor Kate heb gehad. Heeft ze me dit echt al een paar keer gevraagd? Ben ik het vergeten of heb ik het domweg niet gehoord?

Ik sla het aantekenboekje open dat ik altijd bij me heb. Ik heb er nooit een nodig gehad; tot voor kort was ik in staat om alles te onthouden zonder iets op te schrijven. Dat is duidelijk niet langer het geval. Ik schrijf in hoofdletters VRIJDAG op de eerstvolgende lege bladzijde met het woord *tennisraket!* eronder. Dan grom ik tegen mezelf als een voetbalcoach die zijn verliezende team aanmoedigt: Libby, verman je!

Phoebe

Aanstaande zaterdag is het 6 mei, vroeger bekend als 'de dag waarop ik van plan was met Josh te vrijen', of misschien, en gedenkwaardiger, 'de dag waarop ik vrouw ga worden', maar vanaf nu bekend als 'de dag waarop Josh heel, heel erg teleurgesteld was'.

Josh heeft me de hele week al sms'jes gestuurd, om te proberen samen iets voor het weekend af te spreken. Hij is heel toegewijd, Josh, en houdt regelmatig contact, maar vijf berichtjes op één dag is een beetje veel, zelfs voor hem. De zaak zag er deze week voor hem niet bijzonder hoopvol uit. Het lijkt wel alsof iedereen in ons gezin dit weekend thuis zal zijn, zonder afspraken. En de ouders van Josh, die van plan waren zaterdagavond weg te gaan, dreigen daar nu van terug te komen omdat mevrouw Thomason weer last heeft van haar tussenwervelschijven. Josh' wanhoop spat van de letters op mijn scherm af. 'Maak je niet dik. Niets aan de hand,' sms ik terug. Maar daardoor voelt hij zich waarschijnlijk alleen maar ellendiger.

Ik heb nog niet goed bedacht hoe ik het hem moet vertellen. Ik heb nog nooit eerder een verkering uitgemaakt. Met Ben Halliday bloedde het gewoon een beetje dood. De hoeveelheid telefoontjes en sms'jes werd gewoon langzaam minder, totdat – dankzij een paar gefluisterde berichtjes van gezamenlijke vrienden – iedereen het wel begreep. Ik zie hem nog weleens en dan is het net alsof we nooit iets hebben gehad. Alsof we niet zoveel uren hebben zitten kussen, totdat onze lippen helemaal beurs waren.

Ik ben veel gekker op Josh dan ik ooit op Ben ben geweest, en dit gaat dus heel moeilijk worden. Eerst was ik van plan om hem gewoon te vertellen dat ik Het toch nog maar niet wilde doen en zo onze relatie gewoon op z'n beloop laten. Toen besloot ik dat ik alleen maar echt met hem kon breken. Nu ik Daniel heb leren kennen, is hij de enige aan wie ik kan denken. Ik ben continu opgewonden en kan me nergens op concentreren. Als ik hoor dat ik een sms'je heb gekregen, gaat mijn hart sneller kloppen en denk ik, heel even maar, dat het een berichtje van Daniel is. Maar dat is natuurlijk niet zo.

Het gaat iets beter met de rug van mevrouw Thomason, en meneer en mevrouw Thomason gaan daarom toch uit. Het is kennelijk iets sjieks in Grosvenor House; koetsen om middernacht, zegt Josh opgewekt.

Voordat ik naar zijn huis ga, zit ik een uur met Rebecca te praten. Ze maakt zich drukker over haar afspraak volgende week dan de eerste keer dat ze naar die kliniek ging. Volgens mij komt dat doordat ze het nu zeker weet, terwijl ze zich eerder nog kon vastklampen aan het kleinste sprankje hoop dat ze zich in de data had vergist of dat ze gewoon was vergeten haar menstruatie te noteren of dat haar misselijkheid werd veroorzaakt door een virus of zo. Nu heeft ze het officieel gehoord van een officieel iemand: ze is zeker weten zwanger.

Had ze van tevoren maar een beetje beter nagedacht. Verdorie, ik heb mezelf volgepropt met een dubbele dosis anticonceptiepillen en ik ga niet eens met iemand naar bed.

Mama biedt aan me naar het huis van Josh te brengen. Ik was van plan geweest ernaartoe te lopen om mijn gedachten op een rijtje te krijgen, maar ik heb het gevoel dat ze me echt graag wil brengen en daarom geef ik maar toe. Zodra we allebei onze gordel om hebben, kom ik erachter dat ze me wegbrengt om me even alleen te kunnen spreken. Ze wil gewoon een van die zorgvuldig geplande maar zogenaamd spontane gesprekjes met me voeren.

'Zat je zojuist met Rebecca te praten?' vraagt ze, terwijl ze strak voor zich uit kijkt, met haar handen stevig om het stuur.

'Ja,' zeg ik, zogenaamd ontspannen. Ik staar uit mijn raampje en doe net alsof ik bijzonder geïnteresseerd ben in een ouder echtpaar dat probeert een oude spaniël over te halen zijn avondwandelingetje te maken. De man is duidelijk boos en trekt aan de riem; zijn vrouw geeft de man een tikje op zijn arm, schuifelt naar de hond en tilt hem op.

'Hoe gaat het met haar?'

'Wat bedoel je met, hoe gaat het met haar?'

'Ik bedoel, gaat het wel goed met haar? Ik bedoel, het lijkt wel alsof je de laatste tijd vaak met haar praat. Dat vind ik heel leuk, maar ik vroeg me gewoon af of je iets is opgevallen.'

'Mam, waar heb je het over? Wat had me moeten opvallen?'

'O, god, ik ben hier echt niet goed in,' zegt ze geïrriteerd en kijkt me aan. We zijn even gestopt om een zilvergrijze Volvo een smalle oprit in te laten rijden. 'Luister, Phoebe, Julia maakt zich zorgen om Rebecca. Ze lijkt veel stiller dan anders en ze eet heel weinig, en dus is Julia bang dat er echt iets aan de hand is. Ze wilde dat ik jou zou vragen met haar te praten.'

Als ze dit zegt, voel ik de loden last van de enorme verantwoordelijkheid op me drukken. Ik zou me daar heel gemakkelijk van kunnen ontdoen door mama te vertellen wat ik weet. Maar het is onmogelijk dat ik het haar vertel en dat zij zich dan niet gedwongen zou voelen het aan Julia te vertellen. Verdorie, ik heb zelfs min of meer het gevoel dat ik het Julia zou moeten vertellen. Maar dat kan niet. Rebecca is onvermurwbaar en als ik zo'n vader had als Andrew zou ik dat ook zijn.

'Nou, ik praat heel veel met haar,' zeg ik, en ik doe mijn best om geruststellend te klinken en niet in de verdediging te gaan. 'Ze heeft wel een paar problemen, maar geen enkele die ze niet kan oplossen. Ze heeft geen last van anorexia of zo, daar hoeft Julia niet bang voor te zijn.'

'Jij denkt dus niet dat er echt iets aan de hand is? Niets dat Julia zou moeten weten?'

Ik zwijg eeuwen, zo voelt het, voordat ik antwoord geef. 'Nee. Er is niets aan de hand.'

Dit is de ergste leugen die ik ooit heb moeten vertellen. Ik vind het zelfs nog erger dan het feit dat ik de pil heb moeten verstoppen en net moest doen alsof ik niet van plan was met Josh naar bed te gaan. Maar ik heb het gevoel dat ik die leugen moet vertellen, dat het onvermijdelijk is. Door deze leugen voel ik meteen een grotere afstand tussen ons, maar tegelijkertijd lijkt het alsof het de kloof die tussen ons bestaat verkleint, want opeens weet ik heel zeker dat mama, als ik net zo in de problemen zat als Rebecca nu, de eerste zou zijn aan wie ik het zou vertellen.

Als ik op de bel druk, gluur ik naar binnen door een van de gebrandschilderde raampjes naast de deur. Binnen schijnt een warm, oranjeachtig licht. Dan verschijnt er een schaduw op het raam en opent Josh de deur.

Achter hem is de hele hal met kaarsen verlicht. Er staan kaarsen op de tafel bij de trap, en ook op de trap. Er staat ook een kaars in de kleine alkoof waar mevrouw Thomason altijd een grote vaas heeft staan. (Ik vraag me af wat hij ermee heeft gedaan.) Josh glimlacht verlegen naar me en pakt me bij de hand om me naar binnen te trekken. Ik realiseer me dat ik het toch telefonisch had moeten vertellen. Ten minste een week geleden al.

'Vind je het mooi?' vraagt hij.

'Het ziet er prachtig uit,' zeg ik en ik knik geestdriftig. Mijn voeten hebben wortel geschoten op de marmeren vloertegels van de hal.

'Hier staan er nog meer,' zegt hij terwijl hij naar de woonkamer wijst. 'En boven,' voegt hij daar met een ondeugend lachje aan toe.

En dat is, zo te zien, zijn hele verleidingsplan, want hij staat me een tijdje vreemd aan te kijken – eeuwen lijkt het wel – en vraagt dan: 'Wat wil je eerst doen?'

'Zullen we iets gaan eten?' vraag ik, en ik loop naar de keuken die zo te zien het enige vertrek in het hele huis is dat niet schittert door brandende kaarsen.

'Goed hoor,' zegt hij, een beetje verbaasd. 'Heb je zin om iets te drinken? Mijn moeder heeft cola en zo klaargezet. En ik weet dat er ook wat bier is.'

'Ik wil graag cola,' zeg ik. Ik ben niet van plan dronken te worden en iets te gaan doen waar ik later spijt van krijg.

Josh steekt zijn hoofd in de koelkast en haalt er een flesje cola en een biertje uit. Hij zet de flesjes op het aanrecht, trekt een la open en zoekt luidruchtig naar een flessenopener.

'Aha!' zegt hij. 'Hier is-tie!'

Hij schenkt een glas vol met cola en geeft die aan mij. 'Je ziet er heel mooi uit,' zegt hij.

Zo is het genoeg. Ik kan er niet meer tegen. Ik vind het nu al vreselijk en ik ben er nog niet eens vijf minuten.

'Josh, ik kan het niet,' flap ik eruit, voordat ik zelfs maar een slokje cola heb genomen.

'O, wil je er wat ijs in?' vraagt hij, en hij wil mijn glas aannemen.

'Nee, ik bedoel onze afspraak. Ik kan het niet vanavond.'

Hij zet zijn bierflesje op het aanrecht en doet een stap achteruit. 'Maar dit hebben we gepland. Het is het juiste moment. Wat is er aan de hand?' vraagt hij met een klein en onzeker stemmetje.

'Ik kan het gewoon niet. Het voelt gewoon niet goed,' zeg ik. Dan volgt de doodsklap. Ik doe mijn ogen dicht als ik het zeg: 'Ik heb eigenlijk iemand anders leren kennen. Volgens mij moeten we elkaar niet meer zien.' Ik kijk naar mijn voeten en knijp mijn ogen weer stijf dicht. 'Het spijt me echt heel erg.'

'Shit,' zegt hij. Hij loopt naar de woonkamer en gaat met zijn hoofd in zijn handen op de leuning van een van de banken zitten. Het valt me op dat alle kaarsen een warmrode kleur hebben, passend bij de muren, en dat de haard aan is.

Ik loop naar de bank en kniel voor hem neer. Ik voel een strakke band om mijn borst en heb een heet, brandend gevoel in mijn keel. Ik leg mijn hand op zijn knie. Hij staart ernaar.

'Josh, het spijt me echt heel erg. Ik ben zo dol op je. Ik was het echt van plan. Maar nu kan ik het gewoon niet. Begrijp me alsjeblieft. We kunnen...'

'O, zeg dat toch niet, Phoebe!' roept hij, en hij slaat mijn hand met een agressief gebaar van zijn knie. 'Zeg nou niet dat we wel vrienden kunnen blijven. Ik wil verdomme geen vrienden zijn.'

Ik begin te huilen en als ik opkijk, zie ik dat hij ook huilt. Heel even denk ik dat ik me misschien wel verschrikkelijk heb vergist. Ik wil terugnemen wat ik heb gezegd. Maar elk woord dat ik wil zeggen, blijft in mijn keel steken. Ik kan geen woord uitbrengen.

Ik wil opstaan en weggaan. Hij wrijft met één hand over zijn ogen en grijpt mijn hand met zijn andere hand. Dan zegt hij zacht: 'Sorry. Het is gewoon heel moeilijk. Kunnen we erover praten?'

Ik kijk hem heel lang aan. Al die tijd heb ik een beeld van Daniel in mijn hoofd, als een soort test. Ik wacht op dat gevoel dat ik altijd krijg als ik aan Daniel denk en als dat gevoel komt, schud ik resoluut mijn hoofd. 'Het spijt me,' zeg ik weer en ik vraag me af hoe vaak je dat kunt herhalen zonder dat de ander je hierom gaat haten.

Dan sta ik op en kijk neer op zijn hoofd dat hij in zijn handen heeft begraven. Ik buig me naar hem over en kus hem op zijn hoofd. Terwijl ik dat doe, realiseer ik me dat het een minzaam gebaar is, iets dat je bij een hond of een klein kind zou doen.

Dan draai ik me om en loop door de robijnrode gloed de woonkamer uit, de okergele gloed van de hal in en door de voordeur naar buiten. Ik loop door tot aan het einde van de straat en stort dan in, op de bank naast de brievenbus. Ik probeer Laura te bellen, maar ik kan niet scherp zien door de tranen in mijn ogen en mijn vingers trillen zo erg dat ik een acht in plaats van een zeven intoets en een restaurant aan de lijn krijg. De vrouw bij Chez Phillipe zegt twee keer: 'Kan ik u helpen?' maar dat kan ze natuurlijk niet en dus verbreek ik de verbinding zonder iets te zeggen.

Verdorie. Ik wist wel dat Josh gekwetst en teleurgesteld zou zijn, maar ik had niet verwacht dat ík me zo ellendig zou voelen.

Libby

Net buiten de bibliotheek struikelt Daisy, de trap op in plaats van af, zoals je zou verwachten. Michelle en Courtney zijn de eersten van ons groepje die haar komen helpen, maar dan staan er al heel veel mensen om haar heen en is de ambulance al gebeld. Michelle gaat met haar mee naar het ziekenhuis. Ze staat er kennelijk op, hoewel Daisy tegenstribbelt.

Daisy is netjes elke week op komen dagen. Ze ziet er zo geruststellend uit, met haar perfect gepoetste leren schoenen en haar prachtige gebloemde jurken; ze doet me denken aan de tijd voordat mensen zich druk zijn gaan maken over de kankerverwekkende stoffen in een broodrooster of over de enorme berg afgedankte koelkasten. En ze heeft bijna altijd wel iets zinnigs toe te voegen aan het gesprek. Vooral Barry is heel dol op haar. Hij is zo van slag door het bericht dat ze is gevallen en aan haar heup is gewond, dat hij asgrauw wordt.

'Lieve help, maar dat is verschrikkelijk. Waar is ze naartoe gebracht?' roept hij uit.

'The Royal', zeg ik. 'Michelle is bij haar. Maak je maar geen zorgen.'

'Geeft niet. Ik ga er toch naartoe. Misschien vinden ze het prettig dat er nog iemand is, om formulieren in te vullen of zo. Je mag toch niet van Michelle verwachten dat ze dat ook nog eens doet. Kun je het hier zonder me af?' vraagt hij.

'Ik denk van wel', zeg ik en ik glimlach in mezelf. 'Ga maar gauw.'

Er zijn maar weinig mensen vanavond, om allerlei redenen. Daisy, Barry en Michelle zijn dus in het ziekenhuis. Eloise past op de kinderen van haar dochter Kelly (heeft iets te maken met een belangrijke afspraak tussen Kelly en haar 'nergens goed voor klootzak van een ex-echtgenoot' Kevin). Phyllis voelt zich niet lekker, volgens Nancy. En Shelly, Marcie en Carole komen sowieso al niet zo vaak. Uiteindelijk zijn we dus maar met acht man; we zitten in een kringetje en vertellen elkaar over onze ervaringen tijdens het uitdelen van de flyers.

'Hoe vond men het volgens jullie?' vraagt Daniel. 'Hebben jullie met veel mensen kunnen praten?'

'Met een paar,' zeg ik. 'De meeste mensen stonden er wel voor open en wilden ons verhaal graag horen. Maar of ze op komen dagen, is een ander verhaal. Wat denken jullie ervan om iedereen er van tevoren even aan te herinneren? Op de fiets of zo. Met z'n allen hebben we toch zeker een stuk of zes fietsen. We zouden megafoons kunnen gebruiken en die aan onze borst vastgespen of zo.'

Iedereen is enthousiast over het 'fiets en megafoon'-idee. Zodra we het eens zijn over alle details, is er verder niet veel meer te bespreken. De meeste dingen die we moeten doen om de rally voor te bereiden, moeten die dag in kleine groepjes gebeuren en dus is de bijeenkomst al snel afgelopen.

Mevrouw zegt de hele tijd bijna niets. Ze is merkwaardig down en geïrriteerd sinds afgelopen zaterdag. Ik heb voorzichtig geprobeerd uit te vinden wat er aan de hand is, maar tevergeefs. Ik durf niet te veel aan te dringen uit angst dat ze erg boos zal worden.

Als we de stoelen hebben opgestapeld, schiet Phoebe naar het toilet. Daniel loopt met zijn armen uitgestrekt naar me toe. Hij wil me iets laten zien. Het lijkt wel een nieuwsbrief.

'Wat is dat?' vraag ik.

'Het is een driedaagse conferentie in Brighton. Ik dacht, misschien heb je wel zin.' Hij staat voor me te wachten tot ik de eerste bladzijde heb gelezen.

'Het is een mariene milieuconferentie,' zeg ik, alsof ik hem iets nieuws vertel.

'Ja. Earthwatch reserveert elk jaar een paar plaatsen. Ik dacht, misschien wil je er wel naartoe.' Hij lijkt zenuwachtig, als een kleine jongen.

Ik staar naar de nieuwsbrief, besef het nog niet helemaal. Tijdens deze korte pauze lijkt hij zich een beetje te vermannen. 'Ik dacht dat het wel goed voor je zou zijn om je weer met je eigen vak bezig te houden.'

Als ik opkijk, voegt hij er met een ondeugend lachje aan toe: 'Je kunt je niet in een buitenwijk van Londen blijven verstoppen, hoor.'

Ik heb zin hem aan te raken, overal, gewoon om de spanning tussen ons te ontladen. In plaats daarvan gebruik ik mijn handen om de nieuwsbrief op te vouwen en in mijn tas te stoppen. 'Ik zal erover nadenken,' zeg ik. 'Aardig dat je aan mij dacht.'

'Graag gedaan,' zegt hij. Dan voegt hij eraan toe, zogenaamd nonchalant: 'Ik wilde dit jaar ook gaan. We zouden samen kunnen gaan.'

We staan daar maar en laten de volle betekenis van deze woorden tot ons doordringen. Dan verbreekt een zoevend geluid, van een deur die wordt geopend, de stilte en doet ons opschrikken. Hij draait zich om.

'Hallo, Phoebe,' zegt hij overdreven enthousiast. 'Fijn dat je er vanavond was. Wat denk je, word jij een van onze fiets-megafonisten?'

'Als jij dat prettig vindt,' zegt ze. Ik moet aan vanochtend denken, toen ik haar vroeg om het groente- en fruitafval naar de composthoop te brengen en ik verbaas me over het verschil in reactie.

'Zeker weten,' zegt hij. 'Zeker weten. Kom op, meiden, wat denken jullie van een kopje koffie met iets erbij voordat we naar huis gaan?'

Ik kan me niets ergers voorstellen dan ergens samen met Phoebe en Daniel koffie te gaan drinken, maar Phoebe knikt al bevestigend en voordat ik het me realiseer, staat de afspraak.

Daniel lijkt wel een soort kameleon, ontdek ik. Het ene moment strooit hij uitnodigingen rond voor een weekendje Brighton en zit hij me veelbetekenend aan te kijken, en het volgende moment speelt hij de goede groepsleider die lacht en grapjes maakt met een paar collega's. Tijdens het koffiedrinken, is de eerste Daniel bijna onzichtbaar. Onze knieën raken elkaar niet als we ons om het kleine tafeltje persen, en we strelen ook elkaars vingers niet als we de suikerpot willen pakken. Het enige moment waarop ik een glimp van de andere Daniel opvang, is als ik naar de balie loop om een lepel te halen en hem naar me zie kijken als ik terugloop. Hij kijkt heel snel opzettelijk de andere kant op.

Mevrouw luistert zoals ze maar zelden naar iemand luistert die ouder is dan twintig. Als Daniel op haar moppert omdat ze haar uitstekend werkende mobieltje wil inruilen tegen een nieuwer model, slikt ze zijn argumenten alsof het de eerste keer is dat ze die hoort en gaat er al heel snel mee akkoord haar oude telefoon te houden.

Ze ziet niet hoe verbaasd ik naar haar kijk. Mijn ironie glijdt langs haar heen.

Phoebe

Ik ben blij dat ik me met Rebecca's probleem kan bezighouden. Het geeft me tenminste wat afleiding. Ik wil niet nadenken over Josh – de kaarsen en de tranen en het afschuwelijke gevoel dat ik na die tijd ben blijven houden.

De volgende dag heb ik hem een sms'je gestuurd: *Hoop dat het goed met je gaat.*

Verdomde fijn, schreef hij terug.

Ik geef nog steeds om je, was mijn reactie. Ik vond het aardig om dat te zeggen.

???!!! antwoordde hij.

Ik bedacht dat het misschien gemakkelijker was om niet te proberen aardig te zijn.

Naar de kliniek gaan was een stuk moeilijker deze week. Het lukte alleen maar dankzij de hulp van een snel in elkaar gedraaide leugen over dat ik naar het British Museum moest om onderzoek te doen.

'Hoe gaat het?' vraag ik aan Rebecca als we op ons gesprek zitten te wachten. Rebecca heeft gevraagd of ze tegelijkertijd met een arts en met een adviseur kan spreken, om tijd te besparen.

'Wel goed, denk ik,' antwoordt ze met een zwak glimlachje. Ze vist een biscuitje uit haar tas; ze heeft ontdekt dat dat het enige is wat haar misselijkheid tegengaat. Ze knabbelt op haar tweede koekje als we worden opgeroepen.

We worden meegenomen naar een ander vertrek dan de vorige keer. Groter, met meer stoelen, maar verder vrijwel identiek. Nog steeds geen operatiespullen, en dat is wel min of meer een opluchting. Volgens mij zou Rebecca al bij het zien ervan in staat zijn om de abortus te weigeren, alleen maar om de pijn een maand of acht uit te stellen.

De consulente, Judith, is jong, heeft donker krullend haar en een open gezicht. Dokter Helen Peterson is klein en resoluut, met grijs haar dat met een speld naar achteren is gestoken. In eerste instantie ziet ze er afschuwelijk streng uit, maar zodra we zijn gaan zitten en ze begint te praten, verdwijnt die indruk al snel.

Het eerste waar ze over willen praten, is Rebecca's relatie met de vader. Ik neem aan dat de meeste meiden die hier komen een langdurige relatie hebben, want daar gaan ze in eerste instantie van uit. Rebecca lijkt te verstijven als ze dat vragen. Dan zegt ze: 'Ik heb geen relatie met de vader. Ik bedoel, we hebben geen verkering. Niet meer.' Dit ontlokt Judith en dokter Peterson sympathieke en meelevende uitroepen, maar hun vragen (Wat vindt ze daarvan? Is er kans op dat ze weer bij elkaar komen? Zou de vader het moeten weten?) worden door Rebecca met antwoorden van één lettergreep beantwoord. Uiteindelijk zegt ze: 'Kunnen we alsjeblieft ophouden hierover te praten?'

Dokter Peterson en Judith geven aan haar verzoek gehoor en hebben het vervolgens alleen nog maar over de mogelijkheden die Rebecca heeft. Het duurt ongeveer een kwartier om alle voors en tegens te bespreken, meer niet. Ik kijk naar Rebecca's gezicht als haar wordt verteld op welke twee manieren abortus kan worden gepleegd: medisch en chirurgisch. Als ik zou moeten beslissen, zou ik kiezen voor de medische optie: dan neem je een pil in en wacht je op een spontane abortus. Maar Rebecca krimpt in elkaar als haar dit wordt uitgelegd. 'Ik wil niet wakker zijn als het gebeurt. Ik wil niet voelen dat het gebeurt,' zegt ze schaapachtig, alsof ze voor een examen is gezakt of zo. Dokter Peterson zegt dat ze zich geen zorgen hoeft te maken en schrijft iets op haar klembord. Misschien een vinkje in het vakje *Chirurgische optie*.

Ik heb het gevoel dat het langer duurt om de mogelijkheid *De baby houden* te bespreken. Ik heb altijd wel geweten dat het krijgen van een baby een ingewikkelde, vieze boel is. God weet dat ze ons dit op school goed genoeg hebben ingepeperd. Maar op de een of andere manier, nu ik dit hier allemaal hoor, nu er een echte beslissing moet worden genomen, lijkt het wel alsof de enorme, ingrijpende kant van de zaak eindelijk tot me doordringt.

'Je hoeft het niet meteen te beslissen, Rebecca,' zegt Judith vriendelijk. 'Je mag er wel een paar dagen over nadenken, als je wilt.'

'Nee,' zegt Rebecca flink. 'Ik kan het niet. Ik kan de baby niet houden, bedoel ik. Ik kan dat allemaal niet in mijn eentje en mijn ouders zouden me verstoten. Er is dus geen echte keuzemogelijkheid.'

Dokter Peterson en Judith kijken elkaar even aan, en alleen zij weten wat ze hiermee bedoelen. Deze mensen zijn heel goed, zo ongelooflijk onpartijdig.

Dan zegt Judith: 'Oké, Rebecca. We zullen een afspraak voor je maken voor een abortus in een ziekenhuis vlak bij je huis. Dat duurt nog een week of drie, zodat je nog even tijd hebt om over je beslissing na te denken. Als je je, op welk moment dan ook, bedenkt of alles nog een keer wilt bespreken, kun je me bellen. Op elk moment.'

'Kan het niet eerder?' smeekt Rebecca. 'Ik wil er echt niet langer over nadenken. En ik voel me zo beroerd.'

'De enige manier waarop je de boel kunt versnellen, is door naar een particuliere kliniek te gaan. We kunnen een afspraak voor je maken in de Marler Kliniek, maar dan kost het je vijfhonderd pond. Heb je vijfhonderd pond?' vraagt Judith.

Rebecca denkt even diep na. 'Ik heb ongeveer tweehonderd pond gespaard. Meer niet.'

'Tja, ik ben bang dat dat niet genoeg is, liefje,' zegt dokter Peterson en haar gezicht vertrekt. 'Dan is dit dus de enige oplossing voor jou. Laten we maar hopen dat we daar binnen drie weken een afspraak voor je kunnen maken.'

Ik weet niet waarom ik me er dan mee bemoei. Misschien omdat Rebecca zo triest, zo wanhopig kijkt. Misschien doordat ik mezelf af en toe in haar situatie verplaats en het ellendige gevoel dat ik dan krijg.

'Ik heb driehonderd pond op mijn spaarrekening,' zeg ik tegen hen drieën. 'Dat mag ze wel hebben.' Dan kijk ik Rebecca aan. 'Alsjeblieft, neem het maar.'

Rebecca krimpt bijna in elkaar van verbazing. Judith en dokter Peterson kijken me met een warme glimlach aan en kijken dan afwachtend naar Rebecca.

'O,' is alles wat ze zegt.

'Dat is heel lief aangeboden,' zegt Judith om haar aan te moedigen. 'Wil je het aannemen?'

'Ja. Graag. Dank je,' zegt Rebecca. Ze bijt op haar lip en kijkt eerder bezorgd dan opgelucht.

'Goed,' zegt Judith. 'Dat is goed.'

Dan zegt dokter Peterson dat Rebecca recht heeft op een kort persoonlijk onderhoud met haar. Ze vraagt me de kamer te verlaten en in de wachtruimte op haar te wachten. Ik ben ervan overtuigd dat Rebecca hier tegenin zal gaan, omdat ze de afgelopen weken zo zwaar op me heeft geleund, maar tot mijn verbazing laat ze me gaan.

Zelfs nu ze me heeft gevraagd haar alleen te laten, heb ik medelijden met haar. Ze ziet er zo kwetsbaar uit, alsof ze kan breken.

We bestuderen Keats. Toen Keats in Vauxhall zijn dame zag, raakte hij verstrikt in haar web van schoonheid en was niet meer in staat naar de kleur van een roos te kijken zonder dat zijn ziel een vlucht nam. Zoete herinneringen aan de dame overschaduwden elke andere verrukking. Ik realiseer me dat Daniel hetzelfde effect op mij heeft. Niets was of voelde hetzelfde sinds ik hem de eerste keer zag. Ik heb het gevoel dat ik zweef als ik aan hem denk en als dat niet hetzelfde is als een ziel die een vlucht neemt, dan weet ik het niet.

Hij is, zonder enige twijfel, de meest bijzondere persoon die ik ooit heb ontmoet. Zo vol principes, maar niet op die griezelige religieuze manier van sommige andere mensen. Hij weet zo veel, over alles volgens mij, maar hij is ook zo grappig en opgewekt. Het ene moment heeft hij het over de G8-topconfererntie en het Kyotoverdrag, en het volgende moment imiteert hij die mannen van Little Britain of drumt een nummer van U2 met de theelepeltjes.

Ik heb nooit geweten dat mensen zoals hij bestonden. Jarenlang zit ik al te staren naar posters van Orlando Bloom en Heath Leger, en ben ik uitgegaan met jongens zoals Ben en Josh, en ik dacht dat het daarmee ophield. Dat het zweverige, dromerige gevoel dat ik van hen kreeg het uiterste was. Nu weet ik beter. Nu weet ik hoe het voelt om elke vezel van iemand te bewonderen; dat je zo graag wilt dat hij je aanraakt dat het gewoon pijn doet. Zoals Tom een keer tegen Jerry zei over een bijzonder aantrekkelijke poes op wie hij verliefd was geworden: Hij zet mijn ziel in brand.

Een deel van me wil de hele wereld laten weten hoe ik me voel, maar ik houd mijn geheim veilig, want ik weet wel zeker dat mama het niet zal goedkeuren.

Libby

'Ik overweeg om over een paar weken naar een conferentie in Brighton te gaan,' zeg ik zacht tegen de spiegel. Ik oefen.

Ik sta voor de spiegel in de slaapkamer, met een rood gezicht en bezweet van het joggen. Rob staat zich in de badkamer te scheren. Ik heb besloten dat dit een goed moment is om de conferentie ter sprake te brengen. Als ik tot vanavond wacht, krijgt de aankondiging te veel gewicht. En als ik hem op zijn werk opbel, wordt het zelfs nog erger. Het lijkt me het beste om een terloopse opmerking te maken terwijl we haastig onze ochtendroutine afwerken.

'Rob, ik zit erover te denken om naar een conferentie in Brighton te gaan over een paar weken. Wat vind jij?' vraag ik, terwijl ik de wasmand in de badkamer openmaak en mijn joggingkleren erin stop.

'Wat voor conferentie?' vraagt hij, en hij strekt zijn nek uit om het scheermes de ruimte te geven.

'Een mariene milieuconferentie. Een paar lui van Earthwatch denken erover te gaan.' Ik slik luidruchtig.

'Wat ga je daar dan doen?' vraagt hij terwijl hij zijn scheermes door het grijzige sopje in de wasbak schept.

'Hoe bedoel je? Het is een conferentie.'

Hij draait zich om en kijkt me aan. 'Ik bedoel, ga je alleen maar als waarnemer of gaan jullie er zelf iets doen? Iets presenteren of zo?' Hij klinkt ongeduldig.

'O, ik begrijp wat je bedoelt. Nee, alleen luisteren eigenlijk. Maar het is gewoon een vakgebied waar ik iets van afweet. Er is dus wel een kans dat ik betrokken zal worden bij enkele andere Earthwatch-acties op marien gebied als ik de juiste mensen tref. Om weer op gang te komen.'

'Wil je dat dan?'

'Ik weet het niet. Maar het zou leuk zijn om de kans te krijgen.'

'Ja, dat kan ik me voorstellen,' zegt hij. Hij dept zijn gezicht met een handdoek. Ik zie dat de handdoek vies is, pak hem van hem af en stop hem in de wasmand. Die is al zo vol, dat ik het deksel er niet meer op krijg. Hoe kan dat? Ik weet heel zeker dat ik nog maar een paar dagen geleden de was heb gedaan. De wasmand is de antithese van de koelkast: hoe vaak je hem ook leegt, hij is altijd vol.

'Zou je het dus erg vinden als ik zou gaan?'

Dan draait hij zich naar me om en kijkt me aan. 'Wie gaan er nog meer?' vraagt hij.

'Een paar lui,' lieg ik. 'Eloise, Daniel. En een paar mensen van de nationale groep.'

'Oké,' zegt hij. Meer niet. 'Oké.' Maar hij blijft me aankijken; hij wacht ergens op.

'Nou ja, als je liever niet hebt dat ik ga, dan blijf ik thuis. Maar ik wil wel heel graag. Het lijkt me heel interessant en het zou een soort begin van een nieuwe carrière zijn.'

'Je moet doen wat je wilt,' zegt hij, en hij draait zich weer om naar de spiegel. Hij opent het kastje, haalt de deodorantstick eruit en rolt hem over zijn oksels.

'Goed, dan ga ik. Ik zal van tevoren wel voor het eten zorgen. Maak je maar geen zorgen.'

'O, daar maak ik me geen zorgen over,' zegt hij als ik in de slaapkamer verdwijn.

Als we die avond in bed liggen, draait hij zich naar me toe en zegt: 'Lib, je realiseert je toch wel dat je, als je op nationaal niveau betrokken raakt bij Earthwatch, het hele land zult moeten bereizen? Dan zal het nog meer tijd kosten. Hoe zie je dat voor je?'

Ik leg mijn boek op mijn borst. 'Ik heb geen idee. Maar dat regelen we wel als het zover is. Waar het om gaat, is dat ik dit echt graag wil doen.' En omdat hij me niet bevestigend aankijkt, voeg ik eraan toe: 'Ja toch?'

'Ik weet het niet. Misschien wel. Ja.' Hij is beheerst, niet geïrriteerd. Berustend.

Ik pak mijn boek weer en lees verder. Hij doet hetzelfde. Zo liggen we een minuut of tien. Dan laat hij zijn boek vallen en steunend op een elleboog komt hij overeind.

'Lib, zeg eens. Heb je het gevoel dat er iets is veranderd? Voelt iets anders?'

Ik begin zenuwachtig te lachen. 'Wat bedoel je?'

'Ik bedoel ons. Jij en ik. Vind je dat we veranderd zijn?'

'Sinds wanneer?'

'Sinds... ik heb geen idee. Sinds een paar maanden. Sinds je met dat Earthwatch-gedoe bent begonnen.'

Waarom noemen mensen het Earthwatch-gedoe? Alsof het een kinderspelletje is waarvan men verwacht dat ik er snel op uitgekeken zal raken.

'Nou, misschien wel. Ik heb het drukker en dus hebben we minder tijd om met elkaar te praten. En ik voel me gelukkig, en gelukkig doordat ik het druk heb, maar volgens mij is dat dus goed.'

'Nee, dat is het niet alleen,' zegt hij. 'Ik weet niet wat het is. Het is iets anders. Voel jij het dan niet?'

'Nee,' lieg ik. 'Je bent gek.' Dan trek ik zijn gezicht naar me toe en geef hem een kus.

'Ik hou van je,' dwing ik mezelf te zeggen. Ik hou echt van hem. Ik heb altijd van hem gehouden, zelfs tijdens een fikse ruzie, of als hij afgeleid is en geen aandacht aan me besteedt. Zelfs toen het gewoon werd dat hij geen aandacht meer aan me besteedde, toen dat ons huwelijk typeerde. Maar nu moet ik mezelf dwingen om het te zeggen. Ik vraag me af of het net zo raar klinkt als het voelt om het te zeggen.

Misschien wel, want in plaats van 'Ik hou ook van jou' zegt hij: 'Dat hoop ik.' Dan draait hij zich om en stompt zijn kussen zoals hij doet als hij gaat slapen. Normaal zou ik hem niet met rust laten nu hij zo abrupt en in zijn eentje besluit dit gesprek af te breken. Maar vanavond wel.

Fran zegt dat ze ook het gevoel heeft dat er iets aan de hand is.

'Zeg het maar als je vindt dat ik paranoia ben,' zegt ze met een zenuwachtig lachje, 'maar ik heb het gevoel dat je iets voor me verborgen houdt. Is er iets wat je me wilt vertellen, of ben je bang?

Denk je misschien dat ik er verkeerd aan doe om zo snel al zo intensief met Paul om te gaan? Want als je dat vindt, dan zal ik naar je luisteren. Ik zeg niet dat ik alles zal doen wat je zegt, maar ik zal wel naar je luisteren.'

Ik probeer haar gerust te stellen, vertel haar dat ik Paul geweldig vind en dat hij het beste is dat haar heeft kunnen overkomen. Ze is gerustgesteld, maar gooit het nu over een andere boeg. Dat is echt Fran, ze laat zich niet gemakkelijk afschepen.

'Het is Paul dus niet. Wat is er dan aan de hand? Komt het door dat gedoe om de aarde te redden dat je je zo somber voelt? Misschien vat je het allemaal wel te serieus op, Libby. Je kunt heel veel goeds doen zonder dat je zo ver gaat als jij, denk je ook niet? Het is het niet waard om er zo somber door te worden.'

'Natuurlijk is het het waard om somber door te worden!' roep ik uit. Ik zeg het op een lichte toon, maar ik meen het wel. Ik geef haar een korte les over overstromingen en CO_2-uitstoot, ongeveer op dezelfde manier als Ella mij begin die week heeft duidelijk gemaakt.

Tijdens ons gesprek moet ik mijn best doen Daniels naam niet te noemen. En wat ik zeker niet noem, is Brighton. Zij heeft het ook niet over Daniel. Ze laat zich dan misschien niet zo snel afschepen, ze heeft wel een paar blinde vlekken. Ze heeft me nooit meer iets gevraagd over die droom of over mijn obsessie met Daniel; ze heeft er later waarschijnlijk zelfs niet meer over nagedacht. Het lijkt wel alsof ze het niet serieus heeft genomen, alsof ze weigert te accepteren dat ik echt besluiteloos over iets kan zijn of dat er een echte breuk in de relatie van Rob en mij zou kunnen ontstaan. In haar visie zijn wij perfect, en dat soort dingen overkomt ons dus niet.

Phoebe

Er staat bijna vierhonderd pond op mijn spaarrekening. Opa stort al zo lang ik me kan herinneren tien pond per maand en dan krijg ik ook nog af en toe wat geld voor mijn verjaardag of met kerst. En ik neem bijna nooit wat op. Het grootste bedrag dat ik heb opgenomen, was voor mijn iPod, maar dat is al heel lang geleden en sinds die tijd is het saldo allang weer aangevuld.

Het meisje achter de glazen tussenwand ziet er geschokt uit als ik zeg dat ik driehonderd pond wil opnemen. De oude vrouw die voor me was, nam slechts twintig pond op en de man voor haar stortte geld in plaats van iets op te nemen. Ik neem aan dat het ongebruikelijk is om zoveel geld op te nemen.

'Driehonderd, ja?' vraagt ze, en ze kijkt vanonder haar pony die over haar voorhoofd en één oog hangt aan. Haar vingernagels zijn lang en lichtroze en hebben van die vierkante, dikke uiteinden. Kunstnagels.

'Hm,' knik ik.

'Ben je soms van plan te gaan shoppen?' vraag ze met een samenzweerderig glimlachje.

'Zoiets, ja,' antwoord ik. Ik vraag me af wat ik haar moet vertellen als ze me vraagt wat ik van plan ben te gaan kopen. Ik beslis spontaan dat ik zal zeggen dat ik van plan ben naar de Top Shop en naar de Urban Outfitters in Oxford Street te gaan, maar ze vraagt het niet.

'Volgens mij zie je er fantastisch uit, wat je ook draagt,' zegt ze. Ik glimlach.

Ze telt het geld voor me uit, terwijl haar dikke nagels op de balie tikken. 'Alsjeblieft,' zegt ze, en ze duwt de bankbiljetten door het gat onder de glazen tussenwand. 'Veel plezier.'

Ze geeft me een knipoogje. Ik glimlach nog een keer en pak het geld. Een seconde of drie probeer ik me voor te stellen hoe het voelt om in één keer driehonderd pond te kunnen uitgeven in Top Shop en Urban Outfitters.

In het toilet geef ik het geld aan Rebecca, voordat we in de bus naar huis stappen. Het voelt een beetje zoals ik me een drugsdeal voorstel. Ze schaamt zich als ze voelt hoe dik de envelop is, dat kan ik wel zien. En nu ze het geld in handen heeft, wordt dat wat ze van plan is te gaan doen wel heel realistisch. Ze begint dan ook te huilen. Het is een ander soort huilen dan ik haar eerder heb zien doen. De eerste keer, ook hier, zat ze wanhopig te huilen, alsof de wereld om haar heen helemaal was ingestort. Nu is het anders. Dit zijn kalme tranen, die langzaam en gestaag langs haar wangen lopen.

'Het komt wel goed,' zeg ik. Ik geef haar een kneepje in haar bovenarm.

Ze kijkt me aan, met een druppel aan het puntje van haar neus. Dan werpt ze zich tegen me aan en omhelst me, zowel mijn armen als mijn taille, en begraaft haar hoofd net onder mijn schouders. Ik sta daar een paar seconden met mijn armen slap langs mijn lichaam. Dan omhels ik haar ook.

Die avond weet ik bijna zeker dat papa iets vermoedt, want in de keuken biedt hij me een cola aan en vraagt of ik zin heb even te gaan zitten om te kletsen. Meestal betekent 'kletsen' zoiets als 'opbiechten'.

Maar het lijkt erop dat hij echt wil kletsen. Als hij een cola voor me inschenkt en een biertje voor zichzelf, zegt hij: 'Hé, luister eens. Hoe gaat het met dat Earthwatch-gedoe? Vind je die bijeenkomsten samen met mama wel leuk?'

Een fractie van een seconde denk ik dat hij gedachten kan lezen en dat hij het weet, van Daniel. Dan bedenk ik dat dit onmogelijk is.

'Geweldig,' zeg ik. 'Echt heel interessant.'

'En hoe gaat het met je moeder? Als ze daar is, bedoel ik. Hoe is ze dan?'

'Hoe bedoel je?' vraag ik verbaasd.

Dan schiet hij in de lach. 'Ik vroeg me gewoon af hoe ze is in een groep. Je weet wel, discussiërend, organiserend. Zo zien we haar hier niet zo vaak.'

'O, ja, dat is natuurlijk zo,' zeg ik. Nu ik erover nadenk, is ze wel anders als ze daar is. Iedereen is weg van haar, bijvoorbeeld. Mensen luisteren altijd naar haar mening en als ze die verkondigt, dan doen ze allemaal net alsof er goudklompjes uit haar mond vallen. Het lijkt wel alsof ze de leiding heeft, op de een of andere manier, en Daniel zei een keer dat ze zijn trouwe vervangster is. Als ik dit aan papa vertel, glimlacht hij en kijkt hij een beetje afwezig voor zich uit.

'Zo was ze ook een beetje toen ik haar leerde kennen,' zegt hij. Hij leunt naar voren in zijn stoel en neemt een slok bier. 'Ze was toen behoorlijk uitbundig. En zo serieus over haar mariene studie. Ik weet nog dat ik haar de eerste keer zag in dat café waar ze toen werkte. Ze was een verschrikkelijk slechte serveerster, omdat ze meestal aan heel andere dingen dacht. Ze wilde daar helemaal niet zijn. Ze wilde ergens op een strand zijn of in een laboratorium, starend in glazen potten vol zeewier.'

Ik luister naar hem als hij vertelt hoe ze elkaar hebben ontmoet en hoe vreselijk ze het vonden om niet bij elkaar te zijn toen zij in Southampton werkte en dat ze veel kansen liet liggen toen ze ontslag nam om bij hem in Londen te kunnen zijn. Ik realiseer me dat dit niet alleen de eerste keer is dat ik deze geschiedenis hoor, maar dat het de eerste keer is dat ik me realiseer dát ze een geschiedenis hebben. Een groot deel van me wil zeggen: Hou toch op, je verzint dit allemaal.

Als hij klaar is met vertellen over de 'tijd toen ze nog jong waren', kabbelt ons gesprek een beetje door, zomaar, tot hij opeens de naam van Daniel noemt. Op dat moment ga ik een beetje meer rechtop zitten.

'En wat vind je van die Daniel?' vraagt hij.

'Daniel?' zeg ik nonchalant, alsof Earthwatch-bijeenkomsten voornamelijk worden bijgewoond door mannen van wie ik de naam niet goed kan onthouden.

'Ja, je weet wel, die man die de leiding heeft? Doet hij het een beetje goed?'

'Ja, nou, dat geloof ik wel. Hij is heel slim. Weet alles wat je over dit onderwerp moet weten. En mensen mogen hem graag. Ze willen echt iets voor hem doen. Je kunt volgens mij wel zeggen dat hij heel inspirerend is.'

'Echt waar?' vraagt hij. Hij knikt alsof hij ergens over nadenkt. 'Kunnen mama en hij het goed met elkaar vinden?'

'Ja, volgens mij wel. Hoezo?' vraag ik. Ik vind deze vragen zo langzamerhand wel een beetje vreemd.

'Nou, ik weet dat ze allemaal van plan zijn om naar die conferentie in Brighton te gaan. Eloise, en Daniel, en iemand van de nationale groepering. Ik dacht gewoon dat je dan wel heel lang bij elkaar bent als je elkaar niet heel graag mag.'

Dan verlaat mijn geest het vertrek. Ik kan hem wel horen praten, maar de woorden drijven gewoon rondom mijn hoofd en verdwijnen zonder dat ik ze echt hoor. Het enige waar ik aan kan denken, is hoe waanzinnig jaloers ik ben omdat al die mensen dagen achter elkaar bij Daniel zullen zijn, terwijl ik opgesloten zit in dit huis. Ik moet een manier vinden om ook naar die conferentie te mogen, waar het ook maar over gaat. Ik moet ervoor zorgen dat ik de plaats van iemand anders kan innemen, Eloises plaats bijvoorbeeld, of die van mama. De kans is gewoon te geweldig om te laten lopen.

Na een paar minuten voelt hij waarschijnlijk dat ik niet meer geïnteresseerd ben, want hij zegt: 'Nou ja, genoeg hierover. Volgens mij moet je maar eens aan je huiswerk beginnen.' Dan staat hij op en laat zijn bijna lege bierglas een beetje verloren op de tafel staan. Dat is grappig.

Libby

Eloise en ik gaan 's ochtends tijdens het bezoekuur naar het ziekenhuis met onze armen vol lichtroze pioenrozen en witte stokrozen. Omdat we ook een paar vazen en een schaar hebben meegenomen, kijken de verpleegkundigen ons niet al te vernietigend aan.

Als we ons hoofd om de hoek van de deur steken, zit Daisy rechtop in bed.

Ze kan zo mee naar het Ritz, zo netjes ziet ze eruit. Haar haren zijn naar achteren gekamd en ze draagt een mooie roze-wit gebloemde nachtpon in plaats van de standaard vale grijze ziekenhuiskleding. Haar gezicht licht op als we binnenkomen.

'Hé, hallo meiden. Wat leuk om jullie te zien!' zegt ze met haar zangerige stem. 'O, lieve help, wat zijn dat prachtige bloemen!'

'Ze moesten bij je nachtpon passen, liefje,' zegt Eloise. Ze knijpt Daisy even in de hand en laat haar dan aan de pioenrozen ruiken. Daisy ruikt eraan, sluit haar ogen en laat haar hoofd naar achteren tegen het kussen vallen. 'Hemels,' zegt ze. 'Absoluut hemels.'

Eloise en ik vullen de vazen met water en knippen de bloemstelen bij. Daisy zit met haar hoofd op de kussens geleund en met een vredige glimlach op haar gezicht naar ons te kijken.

'Zo, Daisy. Vertel eens, hoe gaat het nu?' vraag ik. 'Heb je nog steeds veel pijn of gaat het nu wel?'

'O, het wisselt, weet je. Het hangt er maar van af hoelang geleden het is dat ik medicijnen heb gehad. Maar over het algemeen mag ik niet klagen. Het is nu al veel beter dan een week geleden.'

'Volgens mij was het dus heel erg, een week geleden!' roept Eloise uit.

'Ja, dat is zo, liefje. Absoluut verdomde erg,' zegt Daisy. Door haar verfijnde, melodieuze stem krijgt de vloek een bijna heilige klank.

'En wat is de prognose?' vraag ik en ik zet een vaas vol roze en witte bloemen op de vieze vensterbank. Ik stap een beetje naar achteren om mijn werk te bewonderen.

'Tja, een gebroken heup geneest niet zo snel als je zo oud bent als ik, weet je, dus het zal nog wel een tijdje duren voordat alles weer normaal is. Maar ze zeggen dat ik volgende week naar huis mag. Als er tenminste iemand is die voor me zorgt.'

'En, is dat zo? Wie kan er voor je zorgen? En hoe moet je al die trappen op?'

'Nou, mijn beschermengel heeft dat allemaal al voor me geregeld. Hij heet Barry,' zegt ze met een verlegen glimlachje. 'Hij is een schat, die man.'

'Dat blijkt wel,' zegt Eloise. 'Wat is er dan geregeld?'

'Ik ga een tijdje bij hem in huis wonen. Hij heeft een logeerkamer op de begane grond en daar heeft hij al een bed neergezet. Hij heeft het allemaal al geregeld. Lief, vind je niet?'

Dat van Barry verbaast me. Ik vond hem weliswaar al aardig, maar onschuldig, en heel enthousiast, ook al heeft hij de neiging iets te veel te kletsen, maar ik had niet door dat hij een hart van goud heeft.

'Dat is aardig. Maar weet je, ik kan me voorstellen dat hij het ook heel gezellig vindt. Denk maar niet dat het alleen maar ter wille van jou is, hoor!' zeg ik plagend.

'Denk je dat, liefje?' vraagt ze, oprecht verbaasd. Dan strijkt ze het laken glad en zegt: 'Vertel eens, meiden. Wat heb ik allemaal gemist? Hoe loopt alles?'

'Echt geweldig,' zegt Eloise, vriendelijk en opgewekt als altijd. 'We schieten zo lekker op met die rally die we voor de tiende hebben gepland. Het valt nu allemaal op z'n plaats. Er hebben zich zelfs nog meer vrijwilligers aangemeld om te helpen. De flyer die we hebben gemaakt, heeft volgens mij wel indruk gemaakt.'

'Dat is heel fijn,' zegt Daisy zacht. 'Ik zou zo graag willen helpen.'

'O, je hoeft je geen zorgen te maken, hoor. We nemen je mee in een rolstoel, zodat je de kraampjes allemaal kunt zien. Zo gemakkelijk kom je niet van ons af!' zeg ik.

Dan zegt Eloise: 'Libby hier maakt er echt werk van, weet je. Ze is van plan om naar een mariene milieuconferentie in Brighton te gaan, samen met alle hoge pieten van Earthwatch. Nog even en dan wil ze niets meer met ons te maken hebben, stelletje amateurs dat we zijn!'

'Wat is dat voor conferentie, Libby? Vertel eens!' zegt Daisy en ze gaat wat rechterop in de kussens zitten. Haar heldere blauwe ogen glanzen, maar haar huid is bleek en ziet eruit alsof hij zal scheuren als je er te hard overheen wrijft.

'O, Daniel heeft me er iets over verteld. Hij gaat ook, net als andere mensen van Earthwatch uit het hele land. Hij dacht dat ik het wel leuk zou vinden in verband met mijn achtergrond, weet je. En hij denkt zelfs dat ik nuttig kan zijn voor de nationale groep.'

'Wat spannend,' zegt Daisy met grote ogen. Ze haalt haar schouders op met een meisjesachtig opgewonden gebaartje.

'Heel erg spannend,' echoot Eloise en ze kijkt me veelbetekenend aan.

'Nou ja, ik weet nog niet helemaal zeker of ik wel ga. Ik moet wel heel veel regelen als ik drie dagen van huis ben. Ik weet niet zeker of Rob en de meiden het wel zonder me redden,' zeg ik.

'Natuurlijk redden ze het wel, liefje. De vraag is of jij het ook redt,' zegt Eloise. De manier waarop ze me aankijkt, weerspiegelt mijn eigen gevoelens over dat weekend: niet afkeurend, niet stiekem, maar iets ertussenin.

'O, Libby kan dat wel!' roept Daisy uit, zich niet bewust van Eloises veelbetekenende blik. 'Drie dagen niet koken en niet afwassen. Dat zal je heel goed doen.'

Daniel had Eloise al over de conferentie verteld. Hij mengde zich op een ongelooflijk nonchalante manier in een gesprek tussen Eloise, Julia Harding en Michelle. De manier waarop hij het zei, impliceerde dat het echt alleen maar ging om een paar collega's die zich in mariene ecologie gingen verdiepen. Op de manier waarop hij het zei, klonk het volstrekt logisch.

De helft van de tijd kan ik mezelf ervan overtuigen dat het ook echt logisch is. De helft van de tijd. Ik weet niet eens echt zeker of er meer aan de hand is. Soms heb ik het gevoel dat we echt alleen maar twee mensen zijn die vrienden worden, gebaseerd op dezelfde interesse en hetzelfde gevoel voor humor. En dan opeens slaat er een vonk over. Iets dat andere mensen niet kunnen zien. Maar het is er echt. Een soort elektrische stroom zonder elektriciteitsdraad of magnetisch veld. Een stroom met voldoende ingebouwde kracht om een volstrekt lege ruimte te overbruggen, en dat zonder hulpmiddelen.

Ga ik over twee weken wel naar Brighton? Ik weet het nog steeds niet zeker. Ik heb het goed gevonden dat Daniel me heeft ingeschreven en mijn inschrijvingsgeld heeft betaald, maar ik heb nog geen kamer gereserveerd. En ik heb het Fran nog niet verteld. Ik heb het haar zelfs niet verteld toen ze me belde en me vertelde – op het lichtzinnige toontje van een achttienjarige die zwaar verliefd is – dat zij en Paul samen een weekendje naar Parijs gaan. Ik heb het juist niet aan haar verteld.

Eigenlijk zou ik willen dat ik Fran helemaal niets had verteld. Ze heeft Rob altijd heel graag gemogen en is altijd ontzettend loyaal naar hem toe geweest. Ik weet niet zeker of ik het volhoud onder haar kritische blik.

Ik heb altijd gedacht dat mensen die een verband zien tussen twee gebeurtenissen die op het eerste gezicht niets met elkaar te maken hebben, enigszins misleid zijn. Ik geloof heel erg in toeval. Maar mijn droom over Adam Cook – de voormalig minister die na dertig jaar zijn vrouw verliet om er met zijn (veel) jongere secretaresse vandoor te gaan – zet me echt aan het denken. Hij is niet iemand aan wie ik normaal gesproken denk, laat staan iemand over wie ik droom. En hij is al zeker een jaar niet meer in het nieuws geweest, maar ik heb lang en in kleur over hem gedroomd. Als ik een heuvel op loop, komt hij naar beneden lopen. We groeten elkaar hartelijk en lopen door.

De volgende ochtend hoor ik op het nieuws dat Adam Cook is overleden aan een hartaanval, terwijl hij samen met zijn vrouw een wandeltocht maakte in de heuvels. Ik denk: Is dat niet vreemd? Hoe kon ik in vredesnaam van tevoren weten dat hij zo'n wandeltocht zou maken? Zelfs ík ontkom niet aan de gedachte dat er een verband is tussen mijn droom en de omstandigheden waarin hij is overleden... dat hij me op de een of andere manier een boodschap heeft willen sturen, om me ergens voor te waarschuwen.

Maar welke boodschap, wat voor waarschuwing? Dat is de vraag. Ga niet meer in de heuvels wandelen als je ouder bent dan vijfenvijftig en een zwak hart hebt? Ga alleen nog maar wandelen als je een paramedicus bij je hebt? Houd je bij de politiek?

Of is het dit: Pas op als je gaat rotzooien met iemand die half zo oud is als jij? Ze slepen je mee de heuvels in die te steil voor je zijn.

Phoebe

Ik ben nog niet eerder bij Eloise in de winkel geweest. Haar spullen zijn veel te duur voor me, en bovendien zijn ze wel mooi maar geschikt voor mensen van veertig of vijftig, niet van vijftien.

Er is niemand in de winkel als ik binnenkom, maar als Eloise het belletje hoort, komt ze achter een gordijn vandaan, met pen en papier in de hand.

'Hallo, liefje. Wat kom je doen?' vraagt ze hartelijk. Ik denk: Als ik ouder ben, zou ik dolgraag net zo willen zijn als zij.

'O, ik dacht, ik kom even kijken. Ik heb niet zoveel huiswerk vandaag,' lieg ik.

'Nou, doe maar net alsof je thuis bent. Ik was net een pot thee aan het zetten. Wil je ook wat?'

'Nee, bedankt,' zeg ik. Maar dan bedenk ik me: 'Nou, goed dan. Misschien toch wel.' Met een kop thee kan ik wat langer blijven en zal het wat gemakkelijker worden om te zeggen wat ik wil gaan zeggen.

Eloise verdwijnt weer achter het gordijn en ik kijk even bij de rekken met blouses, rokken en sjaals. Mijn vingers glijden over de gedrapeerde zijde van de rokken en de zachte stof van de topjes. Ik zie iets wat ik prachtig vind, iets wat ik zelfs zou dragen als ik het kon betalen. Het is een schitterende, lange zomerjurk van een veelkleurige zijdeachtige stof. De zoom is golvend en ongelijk, en de jurk ziet er exotisch uit. Ik houd hem voor mijn lichaam en bewonder mezelf in de spiegel.

Misschien heb ik me vergist en is dit toch niet zo'n truttige winkel.

'Aha! Ik had het kunnen weten dat je die zou uitzoeken,' zegt Eloise en ze overhandigt me een kopje thee. 'Die zou je schitterend staan. Of liever: jij zou er prachtig in staan. Maar ja, jij zou waarschijnlijk een zak kunnen aantrekken en er nog steeds prachtig uitzien. Het probleem is natuurlijk dat je de driehonderd pond die hij kost waarschijnlijk niet hebt.'

In gedachten zie ik mezelf de witte envelop aan Rebecca geven.

Ze loopt naar de limoengroene bank van ribstof die bij de muur voor de drie kleine pashokjes staat. God mag weten hoe je hier ooit weer uitkomt als je weg wilt, denk ik. Maar misschien gaat het daar wel om. Misschien zitten mannen er wel in gevangen, zodat hun echtgenotes allerlei kleren kunnen passen tot ze erbij neervallen.

'Zo, hoe is het? Zullen we het over Earthwatch hebben, of over iets anders?' vraagt ze met een glimlach. Haar bril, met een zilver-paars metalen montuur, is naar het puntje van haar neus gegleden en ze kijkt me over haar bril heen aan. Heel even lijkt het wel alsof ze me gaat ondervragen.

'Tja, nu je er zelf over begint,' zeg ik, 'er is wel iets wat ik graag wil weten.'

'Vertel op, liefje,' zegt ze. Ze neemt een slokje thee, maar knoeit een beetje waardoor er een druppeltje langs de beker op haar rok valt. 'O, nee!' zegt ze zacht en ze wrijft over het plekje.

'Weet je, die mariene conferentie waar mijn moeder naartoe gaat? Waar je zelf ook naartoe gaat?'

'Eh... ja,' zegt ze. Deze keer neemt ze een te grote slok en verslikt zich bijna. 'Ga door.'

'Nou, ik zou het echt te gek vinden als ik ook kon gaan. Dat vind ik heel erg interessant. Denk je dat ik ook mee zou mogen?'

'O, liefje, ik betwijfel of er voldoende plaatsen zijn,' zegt ze. Daar was ik al bang voor.

'O, wat jammer! Wat denk je, zou een van de anderen mij zijn plaats willen geven? Weet je iemand die alleen maar gaat omdat hij zich ertoe verplicht voelt of zo?'

'Ja, weet je lieverd, ik denk dat de mensen die gaan juist echt heel graag willen gaan, begrijp je wel?'

'O. En jij wilt dus ook heel graag gaan?'

'Heel graag, liefje. Ik heb er ontzettend veel zin in.'

'En hoe zit het met mijn moeder? Denk je dat zij ook per se wil gaan?'

'Ik denk niet alleen dat ze dolgraag wil gaan, ik denk ook dat het gemeen zou zijn om haar daar weg te houden. Jouw moeder weet en begrijpt heel veel over dat onderwerp en ze is er ontzettend enthousiast over. Zou je echt willen dat ze dat zou opgeven?'

'Nee, dat denk ik niet,' zeg ik. Ik staar in mijn thee en denk aan mijn moeder die heel veel weet en heel veel begrijpt en ontzettend enthousiast is. Dat plaatje kan ik me maar moeilijk voorstellen.

'Hoe dan ook,' zegt Eloise en ze legt haar hand op mijn knie, 'ik weet wel zeker dat er ook een leeftijdsgrens geldt. Volgens mij zul je moeten wachten tot je achttien bent.'

Ik voel mijn kansen wegglippen. De kans om drie hele dagen lang in zijn nabijheid te zijn. En tijdens die dagen zal er iets gebeuren, dat weet ik gewoon zeker. Al die wandelingen langs het strand, al die diapresentaties in het donker waarbij we hand in hand kunnen zitten zonder dat iemand het ziet. Maar in plaats van dat ík daarvan kan genieten, zullen mijn moeder en haar vrienden al die tijd met hem doorbrengen.

Verdorie, denk ik. Wat zonde!

Ik heb er waarschijnlijk meer teleurgesteld uitgezien dan ik wilde, want Eloise tilt met haar wijsvinger mijn kin op en zegt met een vriendelijke blik in haar ogen: 'Kom op, meid. Er zijn toch andere dingen die veel opwindender zijn voor een meisje als jij? Ja toch? Vertel eens over je vriendje? Volgens je moeder is hij heel aardig.'

En dan vertel ik haar alles wat ik mama nog niet eens heb verteld. Dat Josh met me naar bed wilde en dat ik dacht dat ik dat ook wilde, dat ik echt van hem dacht te houden, maar toen ontdekte dat het niet zo was. Ik vertel haar dat ik verliefd ben geworden op iemand anders en me toen realiseerde dat Josh niet de ware voor me was. Ik vertel haar ook hoe Josh naar me keek toen ik het uitmaakte. Ik weet niet zeker waarom ik dit allemaal tegen haar zeg. Ze is gewoon iemand aan wie je van alles wilt vertellen.

'Maar dit mag je niet tegen mijn moeder zeggen, hoor!' druk ik haar op het hart als ik uitverteld ben. Opeens ben ik bang dat ik door mijn indiscretie alle controle kwijtraak. 'Niets hierover. Vooral niet over die nieuwe persoon.'

Eloise kijkt een beetje verbaasd, alsof ze niet begrijpt waarom ik het wel aan haar en niet aan mijn moeder vertel. Ik begrijp het ook niet helemaal.

'Alsjeblieft, Eloise. Je moet het me beloven!'

'Oké, liefje. Ik beloof het je.' Ze legt haar hand op de mijne. 'Deze jongen moet wel heel bijzonder zijn dat hij je hele leventje overhoop heeft gehaald.'

'O, dat is hij ook. Hij is zo bijzonder, dat ik het soms gewoon niet kan geloven als ik naar hem kijk. Hij is zo anders dan alle anderen!' Dan sla ik mijn blik neer en voel dat mijn gezicht rood wordt door wat ik wil gaan zeggen. Maar ik zeg het toch, omdat het, als ik het zeg, dichterbij komt. 'Mijn hart voelt helemaal vol als ik bij hem ben. Alsof het kan ontploffen,' zeg ik.

Als ik mezelf dit hoor zeggen, verwacht ik half dat ze zal gaan lachen. Maar in plaats daarvan wappert ze haar gezicht koelte toe met haar hand en zegt: 'Wauw. Dat klinkt echt als een heel bijzonder iemand. Misschien is het wel goed om dat voor jezelf te houden. Zodra je dit aan iemand vertelt, willen ze misschien allemaal wel een stukje van hem hebben.'

Libby

De postbode moet aanbellen, omdat hij een envelop heeft die niet door de brievenbus past. Hij begroet me zoals altijd ('Alles goed, liefje?'), geeft me de post en loopt het pad weer af. Ik kijk hem even na. Nou ja, ik kijk niet echt naar hem, maar naar het huis van de Morrissons aan de overkant. Het is vuilnisdag en er ligt een hele berg zwarte vuilniszakken op hun stoep, geen enkele oranje. Ik schud mijn hoofd. In een tijdschrift stond onlangs dat we allemaal verdoemd zijn en de Morrissons doen niet eens aan recycling!

Ik probeer mijn ergernis te onderdrukken en loop met het stapeltje enveloppen naar de keuken. Ik heb nooit de verleiding kunnen weerstaan om de post te openen zodra ik die heb ontvangen, als een klein kind dat een mooie verjaardagskaart verwacht. Meestal is het een teleurstelling. Rekeningen, circulaires, bankafschriften, een catalogus. De post van vandaag ziet er aantrekkelijker uit, met allerlei verschillende soorten enveloppen. Midden in de stapel, in een dunne witte envelop, zit de bevestiging van de hotelreservering. Ik herken de envelop meteen, al voordat ik hem heb geopend, door de roze poststempel van Brighton Sands op de achterkant. Ik wrijf met mijn vinger over de poststempel, half verwachtend dat ie zal uitlopen en houd de envelop een paar minuten in mijn handen voordat ik hem openmaak. Ik zou hem, ongeopend, in de afvalbak kunnen gooien. Maar in plaats daarvan maak ik de envelop open, haal de bevestiging eruit en stop hem in mijn portemonnee achter het gele kaartje van de stomerij. Daardoor denk ik eraan dat ik Robs overhemden moet ophalen.

Dan schiet me te binnen dat ik de overhemden eigenlijk zelf zou moeten wassen en strijken, omdat 'stomen betekent het wassen van kleren in chemische oplosmiddelen die gevaarlijk zijn voor de medewerkers in de stomerij en schadelijk voor het milieu' en opeens voel ik me best wel moe.

De vraag die ik mezelf al duizenden keren heb gesteld is: Waarom ga ik eigenlijk? Als mijn bloed kookt als ik een krantenartikel lees over de vernietiging van allerlei soorten zeeleven, ben ik ervan overtuigd dat ik het doe omdat ik me interesseer voor mariene ecologie. Als ik in de studeerkamer oude onderzoeksverslagen lees, rapporten waarvan ik amper kan geloven dat ik ze kon schrijven, dan weet ik zeker dat het mijn beroepstrots is waarvoor ik ga.

De reden die ik niet kan toegeven, is Daniel. Ik kan onmogelijk ter wille van Daniel naar Brighton gaan. Als ik daaraan denk, sluit ik die gedachte met veel moeite uit. Soms moet ik letterlijk mijn ogen sluiten, ze heel hard dichtknijpen, om te voorkomen dat mijn hersens zich een beeld van hem vormen.

Phoebe

De dag waarop Rebecca naar de kliniek gaat, is de dag van mijn mondeling examen Frans. Ik weet wel zeker dat het komt doordat ik op tijd bij haar wil zijn, dat ik helemaal niets meer weet als ik bij het gedeelte ben waarop ik mijn favoriete film moet beschrijven (op dit moment is dat *Cold Mountain*, om voor de hand liggende redenen, maar die zal ik natuurlijk niet tijdens mijn mondeling onthullen) en waarom dat zo is. Mademoiselle Lorizeau staart me met een harde blik aan, zonder een spier te vertrekken, en ik kan gewoon voelen hoe de woorden steeds verder buiten mijn bereik drijven. Ze moet mijn paniek wel voelen, want haar blik wordt zachter en ze begint me met vragen te bestoken. Dan klikt er iets op zijn plek en slaag ik erin me tot het einde door het examen te worstelen, hoewel ik vergeet de film met het boek te vergelijken en daar baal ik behoorlijk van, want daar heb ik de meeste tijd aan besteed.

De Marler Kliniek ziet er leuk uit; hij lijkt heel erg op de eerste kliniek die we hebben bezocht, alleen is hij veel groter. Het ziet er zo fleurig en vrolijk uit dat je jezelf bijna kunt wijsmaken dat je naar de pedicure gaat. In ieder geval niet om een abortus te ondergaan. Rebecca is al in een apart kamertje als ik er aankom. Ze zit rechtop, in een wit ziekenhuishemd, op zo'n metalen bed met wielen. Daarmee zal ze waarschijnlijk naar de operatiezaal worden gereden. Ze staart met een wezenloze blik voor zich uit, alsof ze zich erachter verschanst.

Ik sta naast het bed en trek de lakens recht. 'Hoe voel je je?' vraag ik, omdat ik niets anders kan bedenken.

'Wel goed, denk ik,' zegt ze. Ze ziet er opeens helemaal niet meer zo goed uit. Niet langer wezenloos, maar min of meer besluiteloos.

'Je hoeft dit niet te doen, als je niet wilt. Je mag je best bedenken,

233

hoor,' zeg ik. Ik weet niet echt helemaal zeker of dat wel zo is, maar voor mijn gevoel moet ze weten dat ze nog steeds kan kiezen. Als je iets moet ondergaan dat zo serieus is, moet je niet het gevoel hebben dat je klem zit.

'Nee, ik wil het wel doen. Ik moet wel. Ik wil alleen maar dat het voorbij is, zodat ik er niet langer over hoef na te denken. Ik wil gewoon dat het voorbij is, zodat ik mijn gewone leventje weer kan oppakken. Begrijp je wat ik bedoel?'

Ik glimlach en klop zachtjes op haar arm. Ik kan alleen maar proberen me in haar situatie in te leven, want ik heb zelf nog nooit zoiets belangrijks hoeven ondergaan. Heb het nooit zo moeilijk gehad dat ik wanhopig graag wilde ontsnappen.

We worden gestoord door twee verpleegkundigen. Een van de twee zegt tegen me dat ze Rebecca meenemen naar de operatiekamer en ze vraagt of ik in de hal wil wachten. Al snel staan ze om haar heen, trekken aan hendels en drukken op knoppen en verschikken dekens, zodat ze het bed kunnen wegrijden. Daardoor kan ik niet zo goed bij haar komen om haar nog even te omhelzen. Het enige wat ik kan doen, is even naar haar zwaaien vanuit de deuropening voordat ik via de hal naar de wachtkamer ga.

Daar zijn nog twee andere mensen. Een vrouw die ongeveer even oud is als mama en die kennelijk op haar dochter zit te wachten. En een jonge knul, van een jaar of zeventien, achttien. Misschien zit hij op zijn vriendin te wachten. Wat afschuwelijk! Om te zitten wachten terwijl je vriendin het kind dat je samen hebt gemaakt laat weghalen. Ik ril als ik daaraan denk, omdat dit op de een of andere manier erger lijkt dan de procedure op zich. Ik kan me niet voorstellen dat een relatie zoiets kan overleven.

De vrouw zit rustig een paar tijdschriften door te bladeren; ze kijkt alleen af en toe even op als er iemand door de hal loopt. De jongen is opgewonden en zit irritant met zijn linkerbeen te wippen. Hij staat een paar keer op om naar de waterkoeler te lopen en vult een plastic bekertje met water. Hij vult hem helemaal tot aan de rand en drinkt hem in één teug leeg, alsof hij in geen dagen iets heeft gedronken.

Als ik naar de vrouw kijk, vraag ik me af hoe mama zich in zo'n situatie zou gedragen. Ik doe mijn ogen dicht en probeer het me voor te stellen, maar dat lukt niet. Ik merk dat ik me haar op dat moment helemaal niet voor de geest kan halen. Als iemand me nu zou vragen om haar te beschrijven, zou ik het niet kunnen en dat is belachelijk omdat ik haar al mijn hele leven ken natuurlijk. Ik dacht altijd dat ik wel wist hoe ze eruitzag en zou kunnen voorspellen wat ze in een bepaalde situatie zou zeggen of doen. De laatste tijd is ze min of meer vormloos geworden, en ik begrijp haar niet meer.

We hoeven geen van drieën lang te wachten. Het lijkt wel alsof het maar een paar minuten kost om een foetus uit een baarmoeder te halen. Binnen vijftien minuten zijn zowel de vrouw als de jongen weggeroepen naar het bed van hun naasten, en vlak daarna word ook ik opgehaald door een verpleegkundige.

Het is nogal onwerkelijk allemaal. De ene minuut is er nog kans op een baby en een kwartier later is het net alsof er niets is gebeurd. Behalve dan dat dit niet zo is. Dat kan ik wel zien aan Rebecca's gezicht. Aan haar schouders is te zien dat ze opgelucht is. Ze leunt wat meer ontspannen achterover in de kussens en haar handen liggen rustig in haar schoot. Maar behalve die opluchting is er nog iets, een soort leegte in haar blik.

Ik had me al afgevraagd wat ik zou moeten doen, maar dat begrijp ik al heel snel. De dokter had ons al gewaarschuwd dat elk meisje op een andere manier reageert: de een is meteen blij en opgelucht, de ander verdoofd door de schok. Het is wel duidelijk dat Rebecca verdoofd is door de schok en dat ze de rest van de dag niet zelfstandig zal kunnen denken. Ze neemt kleine slokjes van de thee die een van de verpleegkundigen haar heeft gegeven, trekt de kleren aan die ik op het bed heb gelegd en tekent een stapel papieren die voor haar worden neergelegd als we willen vertrekken. Maar ze is er niet helemaal bij. Ze laat haar kopieën van de formulieren op de balie liggen en de verpleegkundige komt achter ons aan rennen om ze haar aan te reiken. Ze kijkt Rebecca heel even aan en geeft ze dan voor de zekerheid aan mij.

In de trein terug naar huis zeggen we niets tegen elkaar. Als we bij ons station zijn aangekomen, moet ik Rebecca aansporen om op te staan. Ze zou waarschijnlijk tot het eindpunt zijn blijven zitten als ik niet bij haar was geweest.

Als iemand je ooit probeert wijs te maken dat een abortus niets voorstelt, geloof er dan maar niets van. Neem het maar van mij aan: het stelt heel veel voor. Dat heb ik op een bepaalde manier altijd al geweten, uit interviews die ik heb gelezen, maar nu wéét ik dat het echt waar is. Je hoeft alleen maar naar Rebecca's ogen te kijken om dat te weten.

De telefoon gaat als ik het huis binnenkom, maar als ik de hoorn wil oppakken heeft het antwoordapparaat het gesprek al aangenomen. Ik kan tante Liz horen schreeuwen. Het klinkt ernstig en dus pak ik de hoorn van het toestel en onderbreek het bericht, ook al heb ik absoluut geen zin om met iemand te praten en al helemaal niet als die iemand tante Liz is.

'Hallo, Liz? Ik ben het, Phoebe. Liz, hallo, met mij.'

Heel even is ze in de war als ze tot de ontdekking komt dat ze tegen een mens van vlees en bloed praat in plaats van tegen een apparaat. Dan gaat ze door met schreeuwen.

'Phoebe, waar is je moeder? Ik moet met haar praten!'

'Ik heb geen idee. Ik kom net thuis,' zeg ik. Ik houd de hoorn een eindje van mijn oor en schreeuw erin: 'Kan ik iets aan haar doorgeven?'

'Ja, dat kun je. Hoe eerder hoe beter. Zeg tegen haar dat haar tachtigjarige vader, die afhankelijk is van haar wekelijkse bezoek, gevonden is toen hij door de straten van Winchester liep te zwerven. Zeg tegen haar dat de arme man op zoek was naar haar, omdat ze gisteren bij hem zou zijn maar niet is komen opdagen. Hij maakte zich zorgen en dus ging hij naar buiten om haar te zoeken, en is toen bijna overreden. Zeg tegen haar dat ik heb gevraagd waar ze in vredesnaam mee bezig is!'

'O, mijn god. Is opa in orde?'

'Maar net, goddank. Maar het was op het nippertje. En wat belangrijker is, hij maakt zich vreselijke zorgen over Libby. Wát we ook tegen hem zeggen, wij krijgen hem niet rustig. Hij is ervan overtuigd dat ze dood is of ergens in een ziekenhuis ligt. Waar is ze verdorie!'

'Ik weet het niet,' zeg ik slapjes en ik kijk om me heen op zoek naar een briefje of zo waarop staat waar ze is. Mijn hersens werken vandaag niet zo snel als anders en dus vraag ik me wanhopig af welke dag het is en waar ze kan zijn. Dan dringt het tot me door dat ik sowieso niet weet waar ze altijd is. Ze zou ergens pamfletten kunnen uitdelen, of in de bibliotheek zijn, of in Brighton; ik heb geen idee.

'Phoebe, het is echt belangrijk. Ze moet papa opbellen. Hem opzoeken als dat kan. Kun je haar vinden?'

'Ik zal het proberen,' zeg ik. Ik kijk op mijn horloge en zie dat het al vijf uur is. Ze zal zo wel thuis komen. 'Misschien is ze Ella of Kate aan het ophalen. Ik zal proberen haar op haar mobiel te bereiken.'

'Dat heeft geen zin. Die staat uit of ze neemt gewoon niet op. Als ze thuiskomt, vertel haar dan wat er is gebeurd en zorg dat ze mij belt.' Alsof ze daar nu pas aan denkt voegt ze er nog aan toe: 'Alsjeblieft.'

Zo moet je je dus voelen als je in de rechtbank tante Liz tegenover je vindt. Overdonderd. Bereid om bijna alles te doen om haar weer voor je te winnen. Ik durf te wedden dat zelfs haar eigen cliënten bang voor haar zijn. Ze neemt niet eens de moeite dag te zeggen.

Mama komt pas om negen uur thuis, als de rest al uren thuis is. Kate wordt na hockey thuisgebracht en papa haalt Ella op bij Lilly en begint dan met het avondeten. Hij is er zo langzamerhand behoorlijk goed in geworden, maar het zou overdreven zijn om te zeggen dat hij er lol in heeft.

Als mama binnenkomt, hoef ik alleen maar te zeggen: 'Liz belde. Ze is helemaal van slag.' Mama blijft staan waar ze staat en slaat haar hand voor de mond. Ze weet al wat er is gebeurd voordat ik het hoef te zeggen.

'O, lieve help. Ik ben papa helemaal vergeten. Ja, hè? Jezus, wat is er gebeurd?'

En dus vertel ik haar alles wat tante Liz me heeft verteld. Ik had verwacht dat ik het wel leuk zou vinden, maar als ik de kleur uit haar gezicht zie wegtrekken en zie hoe bezorgd ze is, realiseer ik me hoe ellendig ze zich voelt en heb ik bijna medelijden met haar. 'Hoe heb ik dat kunnen doen? Hoe heb ik dat kunnen vergeten?' jammert ze en in eerste instantie ben ik geneigd te zeggen dat ze zich geen zorgen hoeft te maken, dat ze het heel druk heeft en dat vergeten menselijk is en dat het wel goed zal zijn met opa.

Wat ik echt zeg, klinkt meer naar tante Liz dan ik van plan was. Zelfs papa klinkt als tante Liz. Alleen Ella kiest mama's kant. Ze loopt naar mama toe en leunt tegen haar aan, steekt haar arm door die van mama alsof ze wil zeggen dat dit iedereen had kunnen overkomen. De rest staat daar maar. Alsof we met z'n allen willen zeggen: Dat zeiden we toch al!

Libby

Als om mijn schande uit te vergroten, gluurt de zon naar beneden vanuit een niet vergevingsgezinde, heldere hemel. Hij spant samen met de niet goed functionerende airco en verandert de auto in een rijdende oven. Het is nog maar elf uur 's ochtends, maar mijn borst is al plakkerig en glimt van het zweet. Dat kan, begin juni. Daarna wordt het zomervakantie en zie je alleen nog maar grijze luchten en motregen.

Het duurde even voordat ik gisteravond voldoende moed had verzameld om Liz terug te bellen. Toen ik Phoebe hoorde vertellen hoe woedend ze was geweest, voelde ik me weer net als toen ik elf of twaalf was en ze me de mantel uitveegde over iets stoms dat ik had gezegd of iets raars dat ik droeg. Ze heeft me altijd al het gevoel kunnen geven dat ik klein en dom ben. De jaren hebben het effect van haar minachting wel kunnen temperen, maar niet helemaal kunnen wegnemen.

Ik keek naar de anderen, op zoek naar een signaal dat het begrijpelijk was wat ik had gedaan, zo niet absoluut vergeeflijk. Maar niemand gooide me de reddingslijn toe waar ik behoefte aan had. Niemand had medelijden met me. Nu ik eraan terugdenk, was het naïef van me om dat te verwachten. Niemand vergeeft een moeder als ze er een puinhoop van maakt en haar eigen kinderen al helemaal niet.

Ik ben de oprit nog niet opgereden of mevrouw Tupper staat al bij de voordeur. Zij heeft papa gisteren gevonden, zwervend door de straten van Winchester op zoek naar de dochter die volgens zijn stellige overtuiging was ontvoerd of vermoord. Hij was de M&S binnengelopen en had naar me gevraagd; hij herinnerde zich dat ik daar zesentwintig jaar geleden tijdens mijn studie een tijdje had gewerkt en was ervan overtuigd dat hij me nog steeds bij de afdeling Lingerie kon vinden.

Mevrouw Tuppers afkeuring van mijn moderne milieu-onzin is niets vergeleken bij de afkeuring die ze nu tentoonspreidt, dat is wel zeker. In plaats van haar gebruikelijke bruuske maar vriendelijke begroeting staat ze nu tegen de deurpost geleund met haar enorme armen voor haar boezem over elkaar geslagen, als twee kippenpoten op een bedje aardappelpuree. Er is zelfs geen spoortje van een glimlach op haar gezicht te zien.

'Hallo, mevrouw Tupper. Het spijt me dat u dit allemaal hebt moeten meemaken,' zeg ik als ik uit de auto stap. Ik ben ervan overtuigd dat ze, als ik meteen mijn excuses aanbied, niet zo onvriendelijk zal blijven doen.

Maar dat is dus niet zo. Haar armen blijven over elkaar geslagen en ze blijft streng kijken.

'Nou, je bent er nu tenminste. Nu zal hij in elk geval een beetje kunnen ontspannen.'

Ik glimlach zwakjes als ik langs haar heen het huis in loop. 'Papa?' roep ik. 'Ik ben het!'

Als ik de keuken in kom en hem op zijn stoel zie zitten, realiseer ik me ten volle wat ik hem heb aangedaan. Hij lijkt wel gekrompen. Zijn ogen zijn roodomrand, zijn wangen hol. Als ik voor hem neerkniel, leunt hij met zijn voorhoofd tegen het mijne en begint te trillen, de tranen stromen langs zijn wangen.

'Goddank dat je er bent. Ik dacht...'

'Ik weet het, papa. Ik weet het. Maar ik ben in orde. Er is niets gebeurd. Ik ben gewoon...'

Wat ben ik gewoon? Vergeten te komen? Hem vergeten? Tijdelijk gek geworden? Zo verwikkeld in mijn eigen leven dat ik de hele week geen seconde aan hem heb gedacht?

'Ik had het zo druk dat ik niet meer wist welke dag het was,' zeg ik onhandig. 'Dom, vind je niet? Zelfs Ella weet wat voor dag het is!'

Ik houd zijn handen stevig in de mijne en dan strijk ik de tranen van zijn gezicht. 'Het spijt me zo, papa. Het spijt me dat je je zo bezorgd hebt gemaakt. Ik hou zoveel van je.'

Hij glimlacht als hij dit hoort. Een gulle glimlach, waardoor er zachte rimpels ontstaan in de huid rondom zijn ogen. Alle anderen haten me, denk ik, maar hij vergeeft het me meteen.

'Ik ben gewoon blij dat je veilig bent, liefje,' zegt hij. Hij knijpt even in mijn hand.

Dat hij het me onmiddellijk vergeeft, heeft een vreemd, bemoedigend effect. In plaats dat ik me schuldig maar opgelucht voel, zoals te verwachten zou zijn, krijg ik heel even een zelfvoldaan gevoel. Ik ben het goede meisje, het meisje dat nooit problemen heeft veroorzaakt voor hem en mama, het meisje dat thuis bleef helpen toen de beide anderen god mocht weten waar waren. Ik ben degene die hier elke week komt, terwijl Jaime met haar handen in de klei zit te wroeten en Liz het druk heeft met rechtszaken.

Ik sta op. 'Goed. Ik loop even naar buiten, naar de auto, om een paar spullen op te halen,' zeg ik. 'Ik heb voor de lunch heerlijk brood en lekkere paté meegenomen, en de zoetste kerstomaatjes die je ooit hebt geproefd. Heb je daar zin in?'

In de loop van de dag voel ik me steeds beter. We genieten van een heerlijke, opgewekte lunch, waarbij zelfs mevrouw Tupper met tegenzin toegeeft dat de tomaatjes heerlijk smaken. Papa en ik zijn een tijdje bezig met het keren en comprimeren van de composthoop in de tuin en knippen een oud laken in vierkantjes zodat mevrouw Tupper ze als stofdoek kan gebruiken. Dan zitten we een tijdje onder de appelboom limonade te drinken. Aan het einde van de dag is hij zo te zien weer helemaal hersteld en ben ik mijn misstap al bijna vergeten.

Bijna, maar niet helemaal. Een bepaald aspect van mijn misstap achtervolgt me nog. Niet het feit dat ik hem was vergeten of dat mijn vergeetachtigheid hem zoveel ellende heeft berokkend. Iedereen kan vergiffenis krijgen voor het feit dat hij het zo druk heeft dat hij een enkele keer niet meer weet wat hij doet. Wat ik mezelf niet kan vergeven, is de reden dat ik niet aan hem heb gedacht.

Ik kan het mezelf niet vergeven omdat, ook al is het zo dat de voorbereidingen voor de rally, het colporteren, het organiseren, de eindeloze telefoongesprekken met het gemeentehuis, zelfs mijn nervositeit omdat ik voor het eerst sinds twintig jaar weer een professionele conferentie zal gaan bijwonen me afwezig en verstrooid hebben gemaakt, het niet de hele waarheid is. Niet eens de halve.

Phoebe

Er is zoiets raars gebeurd. Ik had het nooit kunnen voorspellen, in geen duizend jaar. Rebecca en Gabriel. Binnen een week hadden ze verkering!

Ik ga Gabriel steeds aardiger vinden. In het begin, toen ik me realiseerde dat hij een van die mensen was die ik op die tv-documentaire had gezien, dacht ik dat we niets gemeen hadden. Hij is nogal verlegen en een beetje vreemd, waardoor het lastig is om met hem te praten. Maar als hij je een tijdje kent, ontspant hij zich en dan merk je dat hij eigenlijk heel grappig is. Een paar weken geleden hebben we ontzettend gelachen, hij, Harry, Courtney en ik. Courtney maakte Harry's accent een beetje belachelijk, en toen begon ze met mij. En dus deed Gabriel een imitatie van haar, waardoor we over de grond rolden van het lachen. Het leuke was dat niemand zich aangevallen voelde. Courtney deed zelfs zichzelf na. Het is echt een leuk stel mensen. Helemaal niet wat je zou verwachten als je ze pas leert kennen. Ik ben zelfs gewend geraakt aan Courtneys haar, ook al zou ik het zelf nooit zo willen dragen. En ik durf te zweren dat haar huid er beter uitziet sinds ze de maaltijden eet die mama voor haar meeneemt.

We moesten allemaal flyers uitdelen in het dorp. Daniel vroeg het ons en niemand zegt nee tegen Daniel, ik al helemaal niet.

Die dag op school was Rebecca echt heel somber. Ze vroeg of ze met me mee naar huis mocht en dus zei ik tegen haar dat ze wel met ons mee mocht. Zodra we naar hen toe liepen, zag ik al dat Gabriel een oogje op haar had. Volgens mij zag hij wel dat ze zich niet goed voelde, maar hij had natuurlijk geen idee waardoor. Hij vroeg of ze samen met hem op een straathoek wilde staan. Toen we elkaar een uurtje later weer troffen, leek het wel alsof ze elkaar al eeuwen kenden. Hij praatte heel lief tegen haar, alsof hij wist dat ze daar behoefte aan had.

Ik heb ergens gelezen dat mensen een partner uitkiezen die op hen lijkt. Volgens mij gaan mensen na een tijdje op elkaar lijken. Zoals Brad Pitt en Jennifer Aniston. Opeens zag je dat ze dezelfde vorm gezicht hadden, dezelfde puntige kin en hamsterwangen. En het lijkt wel alsof de vrouw van Sean Connery elk jaar meer op hem gaat lijken, bruin en met een woeste blik, alleen niet kaal.

Gabriel en Rebecca hebben allebei zo'n bleek, sproeterig, blond uiterlijk. En ze hebben beiden iets teers over zich, maar als ze naast elkaar staan, zien ze er op de een of andere manier sterker uit, als één geheel. Ik ben blij voor haar. Ik weet wel dat het nog maar een week is en dat het nog uit kan raken, maar het is precies wat ze nodig heeft om haar gedachten ergens anders op te richten en haar leventje weer op de rails te krijgen.

Mijn eigen gedachten (voor zover ze niet gaan over romantische scenario's tussen Daniel en mij) zijn gericht op het vermeerderen van kennis. Niet zomaar wat kennis, maar kennis waar ik iets aan heb. Ik vond twee boeken op mama's nachtkastje: *De onwillige milieuactivist* en *Red de planeet*, waarvan ik al grote delen uit mijn hoofd heb geleerd.

De informatie is me al van pas gekomen. Een paar dagen geleden, toen we pamfletten maakten voor de rally, vroegen we ons af welke feiten en cijfers over het milieu we erop zouden zetten. Toen herinnerde ik me opeens dat de lucht binnenshuis tien keer zo vervuild is als de buitenlucht en dat het gemiddelde huis vijfendertig gevaarlijke chemische stoffen bevat. Toen ik dit zei, hield Daniel op met wat hij aan het doen was en zei: 'Kijk nou toch eens, wat een bron van wijsheid! Wat weet je nog meer?'

En dus vertelde ik verder. Het borrelde allemaal naar boven, alsof ik een kraan had opengedraaid. Over duurzame energiebronnen en waterzuivering en genetisch gemodificeerd voedsel. Op het eind waren we allemaal gek aan het doen. We probeerden elkaar de loef af te steken door met de beste cijfers op de proppen te komen. De hele tijd was ik me bewust van Daniels lichaam naast me. Ondanks al die stemmen om me heen, was ik me bewust van de zijne: sterk, sensueel, diep. Ik ben dol op de manier waarop hij lacht en zijn hoofd achterover gooit alsof hij het echt meent.

Als ik echt optimistisch ben, zeg ik tegen mezelf dat er wel iets tussen ons móét groeien. Ik heb nog nooit een oogje op iemand gehad en niet voor elkaar gekregen dat hij op me viel. Nog nooit. Ik hoefde alleen maar naar Josh te kijken en hij was al van mij. Hij kwam naar me toe en praatte met me alsof ik de enige persoon in de kamer was, de hele avond. Met Ben ging het net zo. Die maakte het uit met Sally Prince op de dag nadat hij had gehoord dat ik een oogje op hem had.

Maar ik ben niet altijd zo optimistisch. Ik voel me heel vaag depressief en ontmoedigd. Ik ben er niet aan gewend om me zo onzeker te voelen, maar iets is ook nog nooit zo belangrijk geweest.

Libby

Er ligt een doosje op mijn kussen. Het is een heel klein blauw doosje, versierd met een klein wit kaartje dat onder een zilveren lintje is geschoven. Het is wel duidelijk dat er iets kleins en duurs in zit.

Ik laat me zwaar op het bed zakken en probeer me al die keren te herinneren dat Rob me tijdens ons huwelijk onverwacht een cadeautje heeft gegeven. Toen we nog niet zo lang bij elkaar waren, kwam hij regelmatig thuis met gekke dingetjes: een kralenketting van de markt of een vergulde schelp van een buitenissig cadeauwinkeltje dat hij had ontdekt. Nadat Phoebe was geboren en ik helemaal uitgeput was en ons huis helemaal vol lag met babykleertjes en gebreide jasjes die we cadeau hadden gekregen, kwam hij een keer thuis met een prachtige kasjmieren sjaal. De sjaal was zachtblauw en was het zachtste, meest luxueuze ding dat ik ooit had bezeten. Hij wikkelde hem om mijn hals, gaf me een kusje op mijn neus en zei: 'Omdat ik van je hou.' Ik weet dat nog zo goed, bijna alsof het gisteren pas is gebeurd.

Maar een verjaardag, feestdag, moederdag... dat was altijd afwachten. Soms denkt hij eraan en geeft me dan iets dat hij zorgvuldig heeft uitgezocht en prachtig is, en de volgende keer is het een snel gekozen kaartje en een groene plant. Eén keer, één keer maar, kwam hij thuis met een bos chrysanten die wel van plastic leken, met cellofoon eromheen, van het benzinestation. Ik zweer dat hij zich schaamde toen hij ze me gaf, voordat ik zelf mijn afkeuring kon laten blijken. Ik heb nooit weer zoiets afschuwelijks gekregen, maar ik ben eraan gewend geraakt om wisselende cadeaus van hem te krijgen.

Maar zomaar een cadeautje, zonder een duidelijke aanleiding? Dat is echt heel bijzonder. Het is zeker al tien jaar geleden dat ik zo'n cadeautje heb gekregen. Misschien nog wel langer. Het kleine blauwe doosje op mijn kussen is zo verrassend dat het bijna eng is.

Ik pak het doosje en leg hem op de palm van mijn hand. Ik trek aan het ene uiteinde van het lintje, maar stop voordat de knoop helemaal losschiet en zet het doosje op het bed. Ik kan hem niet openmaken, nog niet.

Verder is het bed bezaaid met T-shirts, spijkerbroeken, een stel overhemden, een paar slipjes en een beha. Op de vloer ligt de gestreepte, veelkleurige tas waar ik het allemaal in wil doen. Dat was een cadeautje van Rob, ter gelegenheid waarvan weet ik niet meer.

Morgen ga ik naar Brighton en voordat ik het doosje had gezien, stond ik vrolijk in te pakken. Maar nu voel ik me verlamd en opeens lijkt het alsof het een extreme uitdaging is om al die kleren in die tas te stoppen. Ik weet niet zeker of ik het wel kan.

Als ik het doosje eindelijk openmaak, zie ik een grote, hoekige zilveren ring met een enkele topaas erin. De steen heeft bijna dezelfde kleur als de kasjmieren sjaal die ik nog steeds heb, ook al draag ik hem niet vaak meer.

Op het kaartje staat *Omdat ik van je hou* en ik vraag me echt af wat ik hier nu van moet denken.

Phoebe

Het is vreemd om te zien dat mama haar tas in de taxi zet en zich omdraait om naar ons te zwaaien. Volgens mij heb ik dat nog nooit eerder gezien. Ze ging altijd ergens naartoe met ten minste een van ons bij zich.

Het goede van de afgelopen maanden is dat het nu niet zo verrassend is als het anders zou zijn geweest. Ze is er nu wel vaker niet. Papa is al vrij handig met koken als je buiten het ontbijt om eieren in allerlei variaties meetelt. Kate redt zich wel en als door een wonder kan Ella zelf haar balletschoentjes en gymspullen vinden als ze ze nodig heeft. En ik heb ontdekt hoe de wasmachine werkt. Ik was het beu om telkens als ik een bepaald topje aan wilde, dat boven in de wasmand te vinden. Bovendien moet gezegd worden dat het een of twee keer is gebeurd dat iets dat bij de was zat niet weer tevoorschijn kwam. Als je alles bij elkaar optelt, is het het beste dat ik nu mijn eigen was doe.

Het zijn niet alleen de praktische zaken waardoor de komende drie dagen zonder haar lastig kunnen worden. Het is meer zo dat het vreemd stil is in huis als ze er niet is. Begrijp me niet verkeerd: er zijn geluiden genoeg, maar het is meer zo dat het zachte gezoem dat je normaal altijd hoort er niet is.

Het ergste was om papa afscheid van haar te zien nemen. Ze gaf hem een kus en hield een halsketting, waar ze de ring die hij haar heeft gegeven aan heeft gehangen, goed omhoog zodat hij hem kon zien. Ik weet niet waarom ze hem niet gewoon draagt. Het leek wel alsof hij niet wist wat hij moest doen. Hij stond erbij als een onbeholpen tiener, met een glimlach die het midden hield tussen bezorgdheid en verbazing. Zijn mond probeerde een dappere glimlach, maar zijn ogen waren smalle spleetjes en stonden afwezig, zoals ze eruitzien als hij over iets nadenkt.

En ik? Het enige waar ik nu echt aan kan denken, is dat Daniel nu drie dagen lang honderdenvijftig kilometer bij me vandaan is. Het worden drukke dagen. Laura krijgt morgenavond een paar mensen op bezoek en overdag is er een grote roeiwedstrijd. Ik ben ook nog van plan om bij Rebecca langs te gaan. Ik zal het dus wel druk hebben, maar daar gaat het niet om.

Libby

Ik ben zo opgegaan in mijn verhaal dat ik met een aantal andere mensen naar Brighton zou gaan, dat ik schrik als ik hem in zijn eentje op het perron van Victoria Station zie staan. Dan dringt het tot me door dat ik dat verhaal alleen maar voor mijn eigen gemoedsrust heb opgehangen.

Hij staat het bord met de vertrektijden te bestuderen net als nog een stuk of honderd anderen, met zijn rugzak op de grond bij zijn voeten. Ik ga naast hem staan en knijp speels in zijn taille.

'O, hallo,' zegt hij en hij begint te grijnzen. 'Dat soort dingen zou je niet moeten doen. Je kunt iemand wel een hartaanval bezorgen.'

'Laatste oproep voor de trein van Londen naar Brighton, vertrektijd vijf over halfvijf vanaf perron negen,' zegt een onzichtbare man via de luidspreker; zijn mededeling is bijna niet verstaanbaar door het gekraak en gejammer van zijn microfoon.

'Kom mee, we moeten opschieten,' zegt Daniel. Hij pakt zijn rugzak van de grond en grijpt me bij de arm.

We rennen door de stationshal naar perron negen, alleen is dat rennen niet zo simpel, omdat ik de gestreepte tas veel te vol heb gepakt. Op het laatste moment raakte ik in paniek bij de gedachte dat ik de enige zou zijn die een nette rok droeg terwijl alle anderen een oud T-shirt en een spijkerbroek aan hadden, of andersom, dat ik voor de avond alleen maar een spijkerbroek bij me had, terwijl alle anderen precies de juiste elegante toon troffen in een jurk of rok, en dus heb ik al mijn kleren maar ingepakt. Nou ja, bijna alle. Als we ongeveer bij perron zes zijn, merkt Daniel dat ik een probleem heb en pakt hij me mijn tas af. Nu kan ik veel gemakkelijker rennen.

De man met de luidspreker had overdreven, want we komen

ruim op tijd bij de trein. We zitten al zeker vijf minuten op onze plek als het bonzen en malen van de wielen ons vertrek aankondigt.

De wagon is vol en dat was ook wel te verwachten, omdat er prachtig weer is voorspeld. Wie zou geen zonnig weekend in juni aan de kust willen doorbrengen als dat mogelijk is? Het gezin dat aan de andere kant van het gangpad zit, verwacht onafgebroken zonneschijn en een strakblauwe lucht. Ze dragen alle zes een korte broek en een zonnehoed, en de hele groep is voorzien van emmers, schepjes en visnetjes in elke mogelijke kleur. Ik vraag me af hoe ze dat voor elkaar hebben gekregen. Als wij een uitstapje naar zee willen maken, slagen we er nooit in de emmers en schepjes terug te vinden die we in de loop der jaren hebben aangeschaft en dus moeten we altijd weer nieuwe kopen.

Daniel en ik glimlachen stiekem naar elkaar vanwege de emmer- en schepbrigade. Dan haalt hij een flesje water uit zijn rugzak. Hij neemt een slokje en biedt mij dan de fles aan.

'Dank je. Ik ben uitgedroogd,' zeg ik. Ik neem een slok. Terwijl ik drink, krijg ik een opgewonden gevoel tussen mijn borst en maag bij de gedachte dat mijn lippen daar zijn waar die van hem zojuist zijn geweest. Dit is belachelijk, denk ik. Dit kan ik echt geen drie dagen volhouden.

'Dit wordt echt een te gek weekend,' zegt hij. 'Wil je het programma bekijken? En de tekst om je in te lezen?'

'Ja, heel graag,' zeg ik. Ik neem de stapel papier van hem aan. 'Hoe ben je hieraan gekomen?'

'Vrienden op hoge posities,' zegt hij met een grijns. 'De meeste mensen krijgen dit als ze zich vanavond inschrijven, maar ik heb een vriend die in de organisatie zit gevraagd of hij me alvast een paar sets wilde toesturen. Ik vind het altijd prettig om van tevoren al wat meer te weten.'

Ja. Ik ook, vriend. Ik ook, denk ik en ik staar naar de papieren op mijn schoot. Ik weet niet wat me zenuwachtiger maakt op dit moment: het vooruitzicht dat ik na al die jaren al deze informatie in me moet opnemen of het zien van zijn handen die op een van zijn broekspijpen liggen, een paar centimeter van de mijne af.

Het grootste deel van de reis zitten we te lezen, als een getrouwd stel. Af en toe biedt hij me de waterfles aan en twee keer bied ik hem een stukje kauwgum aan, maar verder zijn we vooral aan het lezen.

Tenminste, dat is de indruk die ik probeer te wekken. Mijn ingewanden schudden heen en weer zoals die arme visjes in een plastic zakje van de dierenwinkel. Behalve dan dat ik niet zal worden gered, zoals die visjes die ervan uit mogen gaan dat ze door een kinderhandje zullen worden gered. Ik ga ervan uit dat mijn ingewanden het grootste deel van het weekend zullen weigeren zich kalm te houden.

De conferentie vindt plaats in het Brighton Centre, naast een gigantisch nietszeggend hotel: groot, wit, met honderden identieke ramen waarvan de helft uitkijkt op de parkeerplaats of de drukke hoofdweg. Het hotel is dan wel nietszeggend, het is wel duur en dus logeren we daar niet. Brighton Sands is een klein hotelletje met acht kamers, dat wordt geleid door ene mevrouw Bartholomew, en het ligt ongeveer anderhalve kilometer ten westen van het centrum in Hove.

Mevrouw Bartholomew ziet er heel bijzonder uit; ze lijkt absoluut niet op de rondborstige, huiselijke vrouw met zachte grijze krullen en gebloemde schort die ik had verwacht. Ze loopt naar de receptie in een strakke oranje zonnejurk die niet eens pretendeert de bovenkant van haar zwarte zijden beha te bedekken. Haar haar is halflang en heeft een heldere, verblindende blonde kleur, en ze is zonnebankbruin. Ze glimlacht naar ons met glanzende, framboos-kleurige lippen.

'Hallo!' zegt ze vurig als ze zich langs ons heen perst om achter de versleten grenen tafel te gaan staan die als receptiebalie dienstdoet. 'Welkom!'

'Hallo!' zeggen we, zacht en tegelijkertijd. Dan bukt Daniel zich om de reserveringsbevestiging uit zijn rugzak te halen en mevrouw Bartholomew neemt deze gelegenheid te baat om naar zijn kontje te kijken. Dan strijkt ze haar haar glad en klopt met een gekke, fladderende beweging op haar boezem.

Daniel en ik staan in de hal met onze tassen bij onze voeten, niet zeker waar we naartoe moeten. Ze glimlacht. 'Ik heb twee prachtige kamers voor u gereserveerd. Mevrouw Blake, u heeft de kamer net boven aan de trap. Meneer Carr, u zit een verdieping hoger, de eerste deur rechts.'

Ik heb er de pest aan als mensen me mevrouw Blake noemen. Dan voel ik me oud.

'Wilt u beiden een ochtendkrant?' vraagt ze terwijl ze ons de kamersleutels geeft. Ze kijkt ons onderzoekend aan. Niet omdat ze dolgraag wil weten of we wel of geen ochtendkrant willen, maar omdat ze zich afvraagt in welke relatie we tot elkaar staan. Tante en neef? Vrienden? Moeder en zoon? Zeker niet.

'Dat is geweldig,' zeg ik en Daniel knikt. 'Dan gaan we nu naar boven om ons klaar te maken. We gaan naar de mariene conferentie in het Brighton Centre.'

'O!' roept ze uit, zichtbaar opgelucht dat ze het nu snapt. 'Dus jullie werken voor een van de milieuorganisaties?'

'Ja, zoiets,' zegt Daniel die al halverwege de trap is en haast lijkt te hebben om aan mevrouw Bartholomews greep te ontsnappen.

Daniel laat mijn tas voor mijn kamerdeur vallen en loopt de hal door naar de volgende trap. 'We kunnen ons vanavond in het Centre inschrijven en alvast een kijkje nemen, het terrein verkennen. Zullen we er over een halfuurtje naartoe gaan, oké?' vraagt hij. Hij heeft zich omgedraaid om me aan te kijken en loopt achteruit, pardoes tegen een kunstvaren aan. 'Oeps,' zegt hij. Hij glimlacht en klopt op de blaadjes als om ze te kalmeren. 'Ik moet oppassen voor het struikgewas.'

'Dat is niet het enige waar je voor op moet passen,' zeg ik, en ik onderdruk een gemene grijns. 'Als ik jou was, zou ik mijn deur maar goed afsluiten.'

'Helemaal waar,' zegt hij.

Om vijf voor zeven wordt er op mijn kamerdeur geklopt. Ik kijk even kritisch mijn kamer rond om te controleren of er geen persoonlijke spulletjes rondslingeren. Gelukkig maar dat ik dat doe, want er ligt een slipje op de vloer, in het volle zicht. Ik buk me en stop hem in een la. Dan stop ik mijn nieuwe ring in mijn bloes en open de deur.

Daniel staat tegen de balustrade tegenover mijn kamer geleund, met zijn armen over elkaar. Hij begint te grijnzen als hij me ziet. 'Ben je klaar?' vraagt hij.

'Jazeker. Even mijn tas pakken,' zeg ik en ik loop snel mijn kamer weer in. 'Denk je dat ik een trui nodig heb?' roep ik.

'Volgens mij wel. Het kan 's avonds bij het water behoorlijk gaan waaien.' Zijn stem klinkt luider dan ik verwacht. Ik draai me om en zie hem in mijn kamer staan, vlak bij de deur. In mijn slaapkamer dus. Waar ik straks ga slapen. Deze impliciete intimiteit maakt me aan het blozen.

Ik pak de eerste de beste trui van de roze stoel in de hoek van de kamer en loop snel naar de deur. Als ik hem dichtdoe en de sleutel omdraai, vraagt hij: 'Zullen we met de bus gaan of heb je zin om te lopen?'

'Hoe ver is het, denk je?'

'Anderhalve kilometer of zo. Ongeveer.'

'Dat kan ik wel,' zeg ik, en als bewijs laat ik mijn platte, gemakkelijke lage schoenen zien.

'Goed. Laten we gaan.'

Mevrouw Bartholomew is nergens te zien, goddank, en dus kunnen we het hotel snel en ongezien verlaten. Ik heb er geen behoefte aan door mevrouw Bartholomew te worden nagekeken. Ik wil niet dat ze zich afvraagt wat ik van plan ben nu ik zelf niet eens weet wat ik van plan ben.

We wandelen langs de rustige laan waar ons hotel aan ligt, via een iets bredere laan naar de nog veel bredere en drukkere Holland Road. Daniel is ervan overtuigd dat we zo rechtstreeks bij het water zullen komen, en hij heeft gelijk. Als we het einde van de weg bereiken, hebben we ineens een helder blauw uitzicht. De zee glinstert met duizend diamanten in de vroege avondzon. Kleine oranje en gele driehoekjes vormen puntjes op niet al te grote afstand, de zeilen van kleine boten die terugvaren naar de kust.

We wandelen stevig door langs de oever, een eindje van elkaar af, zijn handen in de zakken van zijn spijkerbroek en de mijne zwaaiend langs mijn zij.

'Zeil jij?' vraagt hij, nadat we een paar minuten hebben gezwegen.

'Een beetje. Vroeger. Niet veel gelegenheid tegenwoordig. En jij?'

'Hetzelfde. Als kind heb ik veel gezeild, en toen ik negentien was, heb ik een halfjaar als instructeur gewerkt bij een kinderkamp in Canada. Dat was een fantastische zomer.'

'Jij bent echt gek van Canada, hè?'

'O ja. Misschien ga ik daar nog weleens wonen. Jammer van de winters daar. Zo koud dat je ballen eraf kunnen vriezen,' zegt hij met een uitgestreken gezicht.

Ik schiet in de lach. Dan zwijgen we weer.

'Wat zullen we doen met het avondeten?' vraag ik terwijl ik een maniak op rolschaatsen ontwijk.

'Er is een kennismakingsdiner, een buffet, waar we misschien naartoe willen.' Hij kijkt me vragend aan. 'Maar misschien ook niet.'

'Misschien ook niet,' zeg ik en lach weer.

We wandelen al een minuut of twintig en zien dan het Brighton Centre, een massief grijs gebouw. Als ik dat zie, word ik ineens helemaal zenuwachtig. Misschien voelden de meiden zich net zo op hun eerste schooldag. Zo heb ik me al heel lang niet meer gevoeld.

De lobby van het centrum is druk, maar niet overdreven vol; het gonst er, maar het is niet benauwend lawaaierig. Daardoor word ik wat rustiger. We vinden de registratiebalie waar een groepje mensen omheen staat en lopen ernaartoe. Gedachteloos pakt Daniel mijn hand om me ernaartoe te leiden. Gedachteloos laat ik hem zijn gang gaan. Dan, kennelijk na heel snel nadenken, laat hij mijn hand opeens los en zie ik waarom.

'Daniel, mijn man! Hoe gaat het in vredesnaam met je?' roept Derek uit en hij omhelst Daniel enthousiast.

'Goed, heel goed. Hoe is het met jou?'

'Fantastisch gewoon.' Nu wendt hij zich tot mij. 'Wij hebben elkaar toch al eens ontmoet?'

'Ja,' antwoord ik met een vreemde mengeling van plezier en onbehaaglijkheid. Aan de ene kant vind ik het een fijn gevoel dat hij nog weet wie ik ben en aan de andere kant wil ik wanhopig graag anoniem zijn dit weekend. Alleen maar tot ik weer met beide benen op de grond sta. (Ook, dat moet worden gezegd, omdat informatie de neiging heeft weg te lekken naar verafgelegen en beschermde plaatsen. Plaatsen zoals Richmond, bijvoorbeeld.)

'Libby is de spin in het web van de lokale actiegroep van Earthwatch in Richmond. Kun je je die bijeenkomst nog herinneren?' vraagt Daniel enthousiast. 'Ze doet fantastisch werk als meesterbrein van een milieurally in het plaatselijke park. En bovendien is ze een deskundige op het terrein van de mariene wetenschappen.'

Meesterbrein? Ik?

'Leuk je weer te ontmoeten, Libby. Luister, als je dit allemaal echt interessant vindt, zou je moeten deelnemen aan onze mariene activiteiten op nationaal niveau. We kunnen wel een beetje vakkennis gebruiken,' zegt hij vriendelijk en kennelijk zonder op te merken hoe ik me geneer door Daniels overdreven introductie. Zo te zien, ziet hij niets dat niet te zien is.

'Hoe dan ook, ik heb een korte vergadering voor het diner. We zien elkaar wel weer dit weekend,' zegt Derek en hij geeft Daniel een dreun op zijn schouder. 'Echt fijn je weer te zien, makker.' Dan stapt hij achteruit en verdwijnt tussen een groepje nieuwe afgevaardigden die bijna bezwijken onder het gewicht van hun intimiderende rugzakken.

Ik draai me weer om naar de inschrijfbalie om te voorkomen dat ik een gesprek moet aanknopen met deze mensen die zich echt betrokken voelen. Daniel merkt kennelijk hoe ik me voel, want hij glimlacht naar me, knikt in hun richting en draait goedgehumeurd met zijn ogen. Ik weet wel zeker dat hij met het grootste gemak een praatje met hen zou kunnen aanknopen, net zoals hij met het grootste gemak kan samenwerken met mensen als Ron en Barry en Julia Harding. Hij rolt alleen maar met zijn ogen om mij een plezier te doen.

Nadat we ons hebben ingeschreven (wat uren duurt, omdat ze in eerste instantie mijn naam niet kunnen vinden) kijken we een paar minuten verbijsterd naar het informatiebord aan de overkant van de lobby. We proberen het programma voor de komende twee dagen te ontcijferen. Er zijn lezingen met titels als *Succesvolle program-*

ma's voor duurzaamheid en *De politiek en economie van mariene ecologie.* Daniel wijst een paar lezingen en discussiegroepen aan die we echt moeten bijwonen – 'Die vent is geweldig. Weet er echt iets van' – en maakt een paar aantekeningen in zijn notitieboekje. Ik ben zo overweldigd door de lijst van onderwerpen en dagvoorzitters dat ik alleen maar naar de lijst kan blijven staren. Er staan meer doctorandi in mariene biologie en doctoren in waterwetenschappen op dat bord dan je voor mogelijk houdt. Had ik echt de wens een van hen te worden, en over dit onderwerp alles te weten te komen? En genoot ik ervan?

Nadat we het programma hebben bekeken, beklimmen we de brede trap die naar de grote zaal leidt waar het buffet wordt geserveerd. We steken onze neus om de hoek van een zaal waarin de stoelen rondom grote tafels worden ingenomen door afgevaardigden met grote borden vol koud vlees en salade. De meesten praten zachtjes en gereserveerd, en stellen zich aan elkaar voor, maar ik zie één tafel, vlak bij het buffet, waar ze hun stemmen al schor hebben geschreeuwd. En het is nog maar halfnegen! We staan een paar seconden op de drempel naar dit afschuwelijke tafereel te kijken als Daniel iets in mijn oor fluistert.

'Laten we maken dat we wegkomen. Dan zoeken we iets kleiners.'

Zonder mijn antwoord zelfs maar af te wachten, legt hij zijn hand op mijn rug en duwt me zachtjes weg van de deuren en in de richting van de trap. Ik voel me opgelucht en ren samen met hem de trap af, door de enorme lobby naar buiten. Een paar minuten blijven we op de buitentrap staan en kijken naar de lucht die steeds donkerder wordt. Links van ons, schitterend als een paleis vol juwelen, zien we Palace Pier.

'Perfect,' zegt hij. 'Laten we daar naartoe gaan.'

Behaaglijk weggedoken in de trui die we hebben meegenomen, zitten we in een café op de pier vis en friet te eten. Mijn puberale zenuwachtigheid en angst voor die serieuze mensen met hun rugzak worden weggevaagd door de flessen water, de sterren en het getinkel van de draaimolen vlakbij. Onze conversatie is ontspannen en ik begin me weer te voelen als de vrouw die ik gisteren was.

Dit is helemaal perfect, denk ik. Dan begint mijn hart sneller te kloppen als hij zich naar me over buigt en ik zeker weet dat hij mijn wang zal aanraken, me misschien zelfs zal kussen. Maar in plaats daarvan pakt hij een frietje dat ik op mijn schoot heb laten vallen en stopt hem met een speelse glimlach in zijn mond. Dan springt mijn hart op van vreugde, alleen al door het idee van een gedeeld frietje. Je kunt je wel afvragen wat er zou zijn gebeurd als hij dat frietje in míjn mond had gestopt.

En dan dringt het echt tot me door! Wat ik heb gedaan. Wat ik aan het doen ben. Wat ik van plan ben te doen. Maar volgens mij ben ik niet té melodramatisch als ik zeg dat ik niet in staat ben deze rijdende trein tot staan te brengen.

Mijn hart gaat tekeer als een bezetene. Het springt bijna uit mijn borst en ik merk dat mijn ademhaling heel oppervlakkig is. Mijn synapsen vuren ongecontroleerd hun schoten af en maken allerlei ongebruikelijke contacten.

En dat komt niet doordat Daniels dij zachtjes tegen de mijne drukt, hoewel ik moet toegeven dat dit een heel prettig gevoel is. Of doordat ik het ritme van zijn ademhaling kan voelen nu hij naast me zit, met zijn ogen gericht op de spreker voor in de zaal. Het lijkt wel een reactie op een lezing over een programma om de milieuvervuiling in de Baltische Zee tegen te gaan.

Mijn lichaam is in vervoering nu mijn hersens zoveel kansen krijgen. Mijn hersens zelf, bijna gevaarlijk overbelast, genieten ook mee. Zowel mijn lichaam als mijn hersens kunnen hun geluk niet op.

Ik kan me niet herinneren wanneer mijn hersens de laatste keer zijn uitgedaagd, op deze manier zijn geprikkeld. De laatste keer dat ik echt mijn best moest doen om iets te begrijpen. Ik probeer me te herinneren wanneer de laatste keer was dat ik dat voldane gevoel had. Ik kan me nog wel herinneren dat ik een redelijk voldaan gevoel had toen ik eindelijk doorhad hoe ik een boek moest kaften en mijn tijd had teruggebracht tot anderhalve minuut per boek en dat zonder te vloeken, maar dat was niets vergeleken met wat ik vandaag voel.

Het is de derde voordracht van deze ochtend. De eerste was een presentatie over een programma om bepaalde Canadese sponstuinen te verjongen (met de ongeïnspireerde titel *British Columbiase sponstuinen: Het herstellen van de menselijke invloeden en menselijk ingrijpen*), de tweede was een voordracht over de herintroductie van plaatselijk uitgestorven levensvormen in de natte graslanden in het Duitse Olendorf. De bescherming en herintroductie van soorten was het onderwerp waarop ik me tijdens mijn studie had gericht. De voordracht is dus nog niet zo lang aan de gang als ik helemaal warm word en me druk maak over de roodbuikvuurpad en de kamsalamander die rond dartelen in grassig moerasland waar ze al een decennium waren uitgestorven.

We waren een beetje te laat geweest voor de eerste voordracht, omdat we iets te lang hadden zitten ontbijten: koffie, geroosterd brood en een gekookt eitje, onder de waakzame blik van mevrouw Bartholomew ('Noem me alsjeblieft Linda!'). Linda diende ons ontbijt op, gekleed in alweer een decolleté onthullende zonnejurk, een felroze deze keer. Toen ze zich bukte om Daniels eitje voor hem neer te zetten, bleef ze daar een tijdje hangen om zijn servet recht te leggen met haar borst vlak bij zijn oor. Volgens mij is ze bijzonder teleurgesteld dat ze nog geen succes heeft gehad bij Daniel, ondanks haar dappere pogingen.

De ochtendsessies hebben me zo gefascineerd, dat ik verbaasd ben als het lunchpauze is. We beslissen dat onze lunch zal bestaan uit een broodje voor elk van ons en een gedeeld bakje aardbeien op het weelderige groene gras van Old Stein, het park met een schitterend uitzicht op het Royal Pavilion met zijn schitterende witte torens en minaretten. We vinden een plekje onder een kastanjeboom van zeker twaalf meter hoog en duiken meteen in de plastic zakjes waar onze broodjes in zitten. We zijn uitgehongerd.

'Wat vond je van die man, doctor Verboost?' vraagt Daniel terwijl hij een beetje mayonaise uit zijn mondhoek veegt. 'Lastig te begrijpen, vond je niet?'

'Een beetje wel. Een echte wetenschapper. Maar ik vind zijn project geweldig. Ik bedoel, het doorzettingsvermogen van dat team is toch bewonderenswaardig. Alle kikkers die ze hebben verloren en dan al die mensen die beweerden dat het nooit zou lukken en dat ze toch zijn doorgegaan. En toen hun geld op was, hebben ze op de een of andere wonderbaarlijke manier ergens anders geld vandaan gekregen. Verbijsterend.'

'Ja, je hebt gelijk. Als je erover nadenkt, moeten er duizenden van dit soort teams aan het werk zijn, allemaal koortsachtig bezig, ondanks enorme tegenwerking en scepsis en totale onverschilligheid, om een stukje zeeleven in stand te houden. Je zou toch denken dat door al die toegewijde inspanning en die intelligentie er op grotere schaal iets bereikt zou kunnen worden. Dat ze eindelijk eens ophouden met het naar de kloten helpen van al die stomme vissen en kikkers.'

'Nou, jij bent precies zo,' zeg ik.

'Wat bedoel je?' vraagt hij met opgetrokken wenkbrauwen.

'Toegewijd. Doorploegen ondanks alle tegenwerking. Het enige verschil is dat jij het op het land doet.'

'Ja, misschien wel. Maar ik doe dit nog niet zo lang. Zes jaar is niets. Deze mensen zijn al decennia bezig.'

'Wat heb je hiervoor gedaan? Voor die zes jaar? Dat heb je me nooit verteld.'

'Na mijn studie heb ik een tijdje bij Procter & Gamble gewerkt, geloof het of niet. Heb het ongeveer acht maanden volgehouden.' Hij schudt zijn hoofd en schiet in de lach. 'Ik bedoel, belachelijk. Heb je ooit iemand gekend die minder geschikt is om bij Procter & Gamble te werken?'

'Nee, volgens mij niet,' zeg ik lachend. Ik probeer me hem voor te stellen met een keurig kapsel en een net wollen pak. Dat lukt me niet.

Daniel gaat liggen met zijn hoofd op zijn gevouwen armen. Ik lig op mijn zij en leun op mijn elleboog. Boven ons wordt het zonlicht gefilterd door de bladeren van de boom. Af en toe waait de wind de takken een beetje van elkaar en dan spatten er witte en gouden vlekjes op het gras tussen ons in. Zo liggen we een paar minuten te praten over de ochtend, over een paar mensen met wie we hebben gepraat en over de sessies die we de volgende dag willen bijwonen. Dan zegt hij opeens: 'God, je bent geweldig, Libby. Echt geweldig.'

'Dank je,' zeg ik. 'Jij ook.'

Hij kijkt even een andere kant op, zo te zien diep in gedachten. Dan leunt hij op zijn elleboog en kijkt me aan, strak, en ik denk dat hij misschien iets diepzinnigs en intelligents zal zeggen over het ecosysteem, maar in plaats daarvan zegt hij: 'Libby, ligt het aan mij of is er iets speciaals aan de hand?'

Ik wacht even voor ik antwoord geef en kijk hem niet aan. Ik zou hem heel gemakkelijk kunnen ontwijken, om ons beiden een uitweg te bieden uit deze onmogelijke situatie.

'Nee, het ligt niet aan jou,' zeg ik. Ik weet dat deze zes woordjes alle twijfel hebben weggenomen en tegelijkertijd alle hoop op een gemakkelijke, ongecompliceerde afloop. Maar, zoals ik al eerder zei, deze trein rijdt op volle snelheid en ik kan de noodrem nergens vinden.

'Volgens mij word ik gek als ik je niet heel snel kus,' zegt hij dan.

Ik glimlach naar hem, rek het moment. Het is zo heerlijk als iemand zoiets tegen je zegt; ik wil ervan genieten. Ik herhaal het in gedachten, twee keer. Ten slotte zeg ik: 'Dat kunnen we niet doen. We moeten nog naar een lezing over *Ethiek in wetenschap en milieupolitiek*. Daar heb je al je zintuigen bij nodig.'

Hij lacht en dan doet hij datgene waar we beiden waarschijnlijk al wekenlang op hebben gewacht. Zijn lippen zweven een minuut lang dicht bij de mijne en ik ruik de aardbeien in zijn adem. Dan kust hij me. Een zoete, niet dwingende kus, maar toch wel zo'n kus dat ik denk: Goddank dat we midden op de dag in een druk park zijn, want anders kwamen we pas echt in de problemen.

En dat is precies wat hij zegt, waarna hij zich achterover in het gras laat vallen.

Phoebe

De halve wereld komt naar de regatta. Ik hoop van harte dat Josh bij de andere helft hoort. Ik heb geen zin in een scène. Om ervoor te zorgen dat er geen scène komt, regel ik dat ik heel veel mensen om me heen heb. Ik ga samen met Alice, Laura en Chloe. Ik heb Rebecca ook uitgenodigd en Alice vindt dat maar niks. Alice heeft echt iets tegen Rebecca, maar ik heb tegen haar gezegd dat ze zich niet zo moet aanstellen. Rebecca is aardig, heb ik besloten; ze is heel anders dan ze eruitziet.

We moeten met de bus om bij het mooiste plekje bij de rivier te komen, waar kraampjes zijn met drinken en heel veel mensen. De meiden komen eerst naar mijn huis om zich wat op te knappen en dan gaan we er samen naartoe. Het is bloedheet. Ik dwing Rebecca om zonnebrandcrème op te doen, want anders is haar huid al binnen een paar seconden zo rood als een kreeft.

Kate vraagt of ze ook mee mag, maar ik houd mijn poot stijf. Ze stelt zich erger aan dan anders, misschien omdat mama weg is en ze het weekend niet veel te doen heeft, maar ik heb geen zin om de hele middag op mijn kleine zusje te passen.

In de bus zit ik naast Rebecca, en Laura en Alice zitten samen op een stoel aan de andere kant van het gangpad. We mogen van geluk spreken dát we zitten, want de bus is propvol en iedereen heeft zo ongeveer vijf boodschappentassen bij zich. Vóór ons huilt een baby. Het is een heel lief zwart kindje met grote ronde ogen en dikke wangetjes. Maar hij maakt heel veel lawaai, dus na een tijdje ziet hij er al minder lief uit. Ik denk net dat het fijn zou zijn als zijn moeder bij de volgende halte zou uitstappen als ik opkijk en in het gangpad een bekend gezicht zie.

'Hallo, Phoebe! Leuk je hier te zien,' zegt Michelle. 'Hé, Courtney, kijk eens!'

'Hallo,' zegt Courtney. 'Waar ga je naartoe?' Ze draagt een lelijk mouwloos T-shirt dat een beetje te strak om haar iets te dikke lichaam zit en ook niet echt goed bij haar roze sportbroek past.

Het is altijd lastig om in een trein of bus met iemand te kletsen. Zodra je je mond opendoet, lijkt het wel alsof verder iedereen zijn mond houdt en zijn oren spitst om alles maar goed te kunnen horen. Zelfs die verwenste baby houdt op met huilen en zijn moeder heeft het lef zich om te draaien en ons kritisch aan te kijken.

'We gaan naar een regatta,' zeg ik. In de kwellende stilte van de bus klinken de woorden vreemd, zelfs in mijn eigen oren.

'Een wat?' vraagt Michelle lachend. 'Wat is verdorie een brigatta?'

Ik kan het gezicht van Alice en Chloe niet zien, maar Laura gluurt door het driehoekje dat wordt gevormd doordat Courtney haar hand op haar heup houdt; ze kijkt een beetje geschokt.

'O, dat is een soort botenwedstrijd. En er zijn kraampjes waar je drinken en zo kunt kopen. Het is leuk. Willen jullie niet mee?'

Dan kijkt Laura pas echt geschokt. Alsof ze me wel kan vermoorden. Ik vraag me af waarom ik Michelle en Courtney heb gevraagd mee te gaan, maar ik had het gevoel dat het onbeleefd was om het niet te doen. Maar ze zijn niet van plan mee te gaan.

'Klinkt heel leuk,' zegt Michelle niet erg overtuigend, 'maar we moeten ergens anders naartoe. Mijn broer organiseert straks een barbecue. We gaan nu naar de supermarkt om wat eten voor hem te kopen.'

'O,' zeg ik. Dan zie ik Alice naar voren buigen om naar Courtney en Michelle te kunnen kijken. Er verschijnt een onvriendelijke glimlach op haar gezicht. Ze draait zich om naar Laura en mompelt iets tegen haar.

Ik reageer snel. 'O, Alice, Laura, Chloe en Rebecca, ik vergeet jullie voor te stellen aan Courtney en Michelle. Zij zijn mijn vrienden bij Earthwatch.'

Niemand geeft elkaar een hand of zegt zelfs maar hallo (behalve Rebecca dan), en iedereen knikt alleen maar. Maar de stugge, afkeurende blik is van Laura's gezicht verdwenen. Ze zien er eigenlijk nogal verbijsterd uit.

'Oké, we moeten er hier uit,' zegt Michelle, en ze duwt Courtney naar de deur. 'Dag.'

'Dag,' zeg ik, en dan: 'Tot volgende week.' Ik wuif ten afscheid.

Ik verwacht dat Alice naar voren zal leunen en zal vragen: 'Phoebe, wie wáren dat?' maar dat doet ze niet. Niemand zegt een paar minuten iets, totdat Rebecca zegt: 'Gabriel zegt dat ze echt heel goed zijn, die twee.'

Dan leunt ze over me heen en fluistert tegen de anderen: 'Gabriel is mijn vriendje. Heeft Phoebe jullie al iets over hem verteld?'

De andere drie leunen naar voren om naar Rebecca te luisteren die dolgraag alles wil vertellen. Maar al na de eerste zin kan ik niet meer horen wat ze zegt vanwege het brandende gevoel op mijn wangen en mijn dicht geklemde keel. Ik grijp de metalen stang voor mijn stoel, alleen maar om iets stevigs te voelen.

Dan kijk ik weer, ditmaal om er zeker van te zijn. Daar, vlak tegenover de plek waar onze bus klem staat in het verkeer, zie ik Eloise. Ze trekt een etalagepop een roze en turkooizen zonnejurk aan. Ze is dus helemaal niet in Brighton.

Rebecca merkt meteen dat er iets mis is, maar ik zeg dat er niets aan de hand is, dat ik misschien bedorven garnalen heb gegeten. En als we er zijn, zegt Laura tegen me: 'Gaat het wel met je? Je bent zo stil?'

'Prima, hoor,' zeg ik. 'Alleen heel moe.'

Het voelt als een opluchting dat we worden opgeslokt door de hordes mensen die op de oevers rondlopen waardoor ik aan hun aandacht kan ontsnappen. We moeten vechten voor een minuscuul stukje gras waar we onze zielige picknick van kant-en-klaar gekochte broodjes en chips kunnen neerleggen. Andere mensen zijn hier naartoe gekomen met slim geconstrueerde picknicktafels en stoelen en grote manden vol gerookte zalm en champagne. We zitten nog maar net als we Charlie en zijn groep zien; ze staan vlak voor ons bij de rivier.

Alice roept hen en ze gebaren dat we naar hen toe moeten komen.

Ik wil eigenlijk alleen maar naar huis rennen en mijn hoofd in mijn kussen verstoppen, maar het volgende halfuur slaag ik erin een beetje zinloos te kletsen en nutteloos te flirten. Dan, net op het moment dat ik mezelf feliciteer omdat ik me zo goed in de hand heb, zie ik bij het Pimms-kraampje onverwacht een knappe blonde jongen met zijn arm om de schouders van een knap blond meisje geslagen. Ze is klein en past bijna precies in de holte onder zijn schouder. Laura ziet hem ook.

'Dat is dat nieuwe meisje, uit Texas. Ze is hier pas sinds Pasen,' fluistert ze. 'Ik had al gehoord dat Josh met haar ging, maar ik wilde het je niet vertellen.'

Het Texaanse meisje gooit haar hoofd naar achteren en lacht. Dan geeft ze Josh een speels tikje op zijn billen. Haar eigen billen zijn perzikvormig in haar donkerblauwe lage spijkerbroek. Mijn maag komt in opstand.

'Phoebe, gaat het wel?'

'We hebben het nog geen twee weken geleden uitgemaakt en nu is hij al met iemand anders,' zeg ik zacht en zonder emotie, vooral omdat ik niet goed weet welke emotie ik eigenlijk voel.

'Ja, maar jij hebt het toch uitgemaakt? Jij wilde toch geen ver- kering meer met hem?' Laura kijkt me strak aan alsof ze me wil ontleden. De anderen letten niet op ons, ze zijn afgeleid door een klein spektakel met Charlie, Sam en een waterfles.

'Phoebe?' zegt Laura nadrukkelijk. 'Dat is toch zo, of niet?'

Ik dwing mezelf niet langer te kijken naar Josh en zijn nieuwe vriendinnetje, die hand in hand naar de rivier lopen, en kijk Laura een tijdje zwijgend aan.

'Ja, dat is zo. Maar we hebben bijna een jaar verkering gehad. Ik had gewoon niet verwacht dat hij me al zo snel vergeten zou zijn. Meer niet.'

'O, Phoebe,' zegt ze en ze slaat haar arm om mijn schouder. 'Hij is je heus niet vergeten. Hij doet dit waarschijnlijk alleen maar voor de show. Om je jaloers te maken.'

Volgens mij niet. Hij heeft me niet eens gezien en dus kan hij dit niet ter wille van mij hebben gedaan. Het ziet ernaar uit dat hij dol op haar is. Alsof ik helemaal niet besta.

'Ik moet gaan,' zeg ik en ik draai me om zonder de verbaasde gezichten van Alice en Rebecca te willen zien. Laura kan het hen wel uitleggen, laat haar maar zeggen wat ze wil. Ik weet alleen dat ik hier weg moet. Ik had wel rekening gehouden met een scène, maar dit was niet bepaald de scène die ik had verwacht.

Ik ga met de bus naar huis, zeg tegen papa dat ik me niet lekker voel en loop meteen naar mijn kamer. Als ik eindelijk veilig achter mijn eigen badkamerdeur sta, is het net alsof iemand een stop uit me trekt. Ik huil en huil en huil nog meer. Steeds als ik denk dat ik uitgehuild ben, dat ik mezelf helemaal droog heb gehuild, begin ik weer. Mijn neus wordt zo rood en beurs, dat de papieren zakdoekjes wel van schuurpapier lijken. Mijn ogen zien er lelijk en opgezwollen uit en mijn gezicht is veranderd in een massa kleine rode vlekjes. Nu lijk ik niet meer op de jonge Michelle Pfeiffer. Volgens mij heb ik nog nooit zo gehuild. Niet toen ik het uit had gemaakt met Josh en zelfs niet toen oma was overleden.

Er gaan zoveel verschillende emoties door me heen, dat ik ze niet kan ontwarren. Ik zie de beelden voor mijn ogen snel voorbij flitsen en elk beeld veroorzaakt een chaos van intense reacties: een witte hete woede, een stekend gevoel van verraad, een onuitspre- kelijk verdriet, alles door elkaar. Mama en Daniel samen. Josh die helemaal ingepalmd lijkt te zijn door dat walgelijke, verschrikkelijke kind met haar smalle taille en haar fraaie kontje, terwijl ik dacht dat hij echt gekwetst was toen ik het uitmaakte en me vreselijk zou missen. Ik zie mezelf naast Daniel zitten, de geuren van zijn kokosshampoo en zijn leren jasje inademend, stom genoeg om te denken dat ik ooit met hem samen zou zijn.

Het besef dat ik nooit met hem samen zal zijn, overweldigt me en roept vele emoties op. Mijn boosheid op mama is behoorlijk constant. Hoe kón ze? vraag ik me steeds af, soms zelfs hardop. Wat denkt ze wel niet dat ze doet?

Het is niet alleen wreed en immoreel, maar het is walgelijk. Een vrouw van eenenveertig met drie min of meer volwassen kinde- ren rotzooit maar wat aan met iemand van halverwege de twintig. Walgelijk gewoon.

En dat zijn ze dus aan het doen: aan het rotzooien. Op dit moment waarschijnlijk zelfs, in een of ander goor hotelkamertje met een gammel bed en smerige vitrage.

Om één uur 's nachts word ik wakker; ik lig volledig aangekleed op mijn dekbed. Ik kijk naar het broodje dat op mijn nachtkastje ligt, de randjes van de ham zijn nu hard geworden en gelig, het brood is droog. Door het nare gevoel dat ik heb, weet ik dat de afgelopen uren geen droom zijn geweest. De witte hete woede is verdwenen; er is alleen nog een verdrietig gevoel achtergebleven.

Nu weet ik zéker dat ik van hem houd. Als dat niet zo zou zijn, waarom zou ik dan nu zo verdrietig zijn? Ik denk al wekenlang alleen maar aan hem, al sinds ik hem heb leren kennen, maar als ik nu aan hem denk, dan zie ik hen samen!

Ik heb geen idee hoe ik morgen mijn bed uit moet komen. Ik begraaf mijn gezicht in het kussen. Hoe moet ik papa in vredesnaam onder ogen komen? Hij weet het niet, want anders zou hij haar nooit hebben laten gaan.

Eigenlijk wil ik het hem vertellen, om haar erbij te lappen, zodat ze als ze thuiskomt de consequenties moet aanvaarden. Ze zal zichzelf niet kunnen verdedigen. Dan krijgen ze ruzie. En hij zal haar waarschijnlijk in de steek laten.

Hoewel dat vooruitzicht aanvoelt als een soort zoete wraak, maakt het me ook bang. Ik wil niet degene zijn die papa verdriet doet en ik wil ook niet dat ons gezin wordt zoals dat van Gemma Hill. Gemma en haar zus Lottie hebben de laatste vier jaar elke tweede kerstdag doorgebracht in de trein tussen Londen en Norwich. En de laatste keer dat ik Gemma sprak, was ze helemaal van slag omdat haar vader net had verteld dat hij en zijn nieuwe, eenendertig jaar oude vrouw een baby zouden krijgen.

Ik wil niet net zo worden als Gemma Hill. Maar ik wil wel dat mijn moeder moet lijden. Ik lig een tijdje te denken aan alle manieren waarop ik haar kan laten lijden en voel me hierdoor op een vreemde manier voldaan. Ik kan haar laten weten dat ik het weet en dan dreigen dat ik het aan papa zal vertellen, elke keer dat ze me boos maakt of me iets verbiedt. Ik kan insinuerende briefjes neerleggen op plaatsen waar zij ze langzaam maar zeker zal vinden, zo sluw geformuleerd dat ze pas als ze ze allemaal heeft gevonden weet dat ik alles weet. Of ik kan haar in verlegenheid brengen door Daniel verhalen te vertellen over haar ergste zondes en haar meest walgelijke hebbelijkheden. 's Winters lakt ze haar teennagels niet en houdt ze haar bikinilijn niet bij. En als ze op de bank in slaap valt, zakt haar mond soms open waardoor ze wel honderdendrie jaar oud lijkt. Dan kan hij met geen mogelijkheid meer verliefd op haar zijn.

Maar de bevrediging die ik voel door die scenario's duurt maar kort en uiteindelijk denk ik: Wat heeft het voor zin om gouden haar te hebben en een gezicht als Michelle Pfeiffer als je vriendje met wie je een heel jaar verkering hebt gehad je al na vijf minuten is vergeten en als de man die je als vriendje zou willen hebben, met je eigen moeder naar bed gaat?

Of, om het maar zo te zeggen: Wat heb ik eigenlijk voor nut?

Libby

De dag is bijna om. Daniel en ik zijn stiekem teruggegaan naar ons hotel met de smoes dat we ons voor het diner willen omkleden. Toen we terugliepen naar het hotel was de seksuele spanning tussen ons ondraaglijk en toen we eindelijk bij ons hotel waren, konden we er niet meer tegen. We liepen de trap op en stonden voor mijn kamerdeur; ik stuntelde koortsachtig met de sleutel. Het was niet de vraag of hij binnen zou komen. We hadden het er niet over gehad, maar we wisten het beiden.

Zodra we in mijn kamer waren, werden we overweldigd door de intensiteit van ons verlangen. Daniel sloot de deur met één hand en duwde me met de andere tegen de muur. Toen begon hij me te kussen, me te verslinden, zijn handen bewogen vanaf mijn taille omhoog en onder mijn bloes. Bedreven vonden zijn vingers de haakjes van mijn beha en klikte ze open. Hij omvatte mijn borsten en toen zakte ik bijna door mijn knieën.

Ik trok zijn heupen tegen me aan en hij pakte mijn benen. Hij sloeg ze om zijn heupen heen en droeg me naar het bed. We vielen erop neer en toen begon hij fanatiek aan mijn spijkerbroek te sjorren. Hij trok hem naar beneden en ik voelde hem hard, dwingend, naast me. Hij kuste me, een hartstochtelijke, zoekende kus, en toen keek hij me intens aan. Mijn hele lichaam sidderde, uit puur, overweldigend genot.

Nee, niet echt. Maar het was een spectaculaire, hete fantasie tijdens de wandeling terug naar het hotel. We liepen door straten met statige huizen, terwijl we links en rechts werden gepasseerd door tientallen fietsers en rolschaatsers. De wandeling ging op die manier snel voorbij; ik had het gevoel dat ik het conferentiecentrum nog maar een paar minuten geleden had verlaten, toen ik al bij het hotel was. Toen ik door de voordeur naar binnen liep en heel onschuldig 'hallo' tegen Linda zei, voelde ik dat ik begon te blozen doordat ik bijna zeker wist dat zij wist waar ik aan dacht.

Het is waar, de dag is bijna om. Nou ja, het serieuze gedeelte dan. De laatste lezing was om zes uur afgelopen en het is nu tijd voor het diner. Dat we ook in de rij voor het buffet zouden gaan staan, is niet eens onderwerp van gesprek geweest. We gaan naar Momma Cherri's Soul Food Shack, beroemd geworden doordat de eigenaar een keer op tv is geweest tijdens het kookprogramma *Kitchen Nightmares* van Gordon Ramsay. Dat was Dereks idee. Hij heeft een tafeltje voor zeven personen gereserveerd, en dus ga ik er helemaal van uit dat ik me staande moet zien te houden in een gesprek met Derek, Daniel en vier onbekenden. Maar ik voel nu dat ik het aankan, ik voel me minder onzeker. Bovendien ben ik uitgehongerd. Ik wil me snel te goed doen aan een paar koteletjes, bonen en gebakken zoete aardappel.

Daniel is in het conferentiecentrum gebleven om een paar mensen van de nationale beweging te spreken. Ze sloten hem om een uur of vier in, buiten een van de zalen. Ze wonden zich allemaal ergens over op en wilden wanhopig graag wat raad van hem. Hij ging ermee akkoord, met tegenzin denk ik, om hen om zes uur te ontmoeten in een bar in de Lanes. Hij had eigenlijk niet veel keus. Wat had hij kunnen zeggen? Sorry, maar ik was van plan om even terug te gaan naar mijn hotelkamer voor een beetje clandestiene intimiteit met Libby? Ik dacht het niet.

Maar als hij die afspraak niet had gehad, dan had het zo kúnnen gaan, ja toch? Dan zouden we samen zijn teruggegaan naar het hotel, waren we stiekem langs Linda geglipt, waren we zogenaamd even blijven kletsen voor mijn kamerdeur, en hadden dan een smoesje verzonnen om samen naar binnen te gaan. En dan? Ik ril zowel van plezier als van schaamte.

Nu ben ik dus alleen in mijn kamer en kleed me om voor het diner dat om acht uur zal plaatsvinden. Ik zal alleen naar het restaurant moeten, maar omdat ik zo'n vrouw ben die het meesterbrein is van een milieurally in het park, kan dat geen probleem zijn. Maar ik zal Linda een taxi voor me laten bestellen, omdat ik geen zin heb om er in het donker alleen naartoe te lopen. Ze zal knappen van nieuwsgierigheid, dat weet ik zeker. Ze hoopt waarschijnlijk dat ik alleen uitga en dat Daniel ergens die avond terug zal komen, alleen. Als je het mij vraagt, is ze nu al een geschikt decolleté aan het zoeken voor die toevallige ontmoeting van vanavond.

Over een decolleté gesproken, ik bevind me een beetje in een lastig parket wat mijn eigen decolleté betreft. Weet je, ik heb de hele dag een witte beha en een wit slipje aan gehad, maar ik weet dat er in de bovenste la van mijn ladekast een setje ligt van zwart met roze zijde. Een van de setjes waar Rob zo laatdunkend over deed toen ik ze een paar jaar geleden had gekocht. Toen ik het setje inpakte, voelde ik me schuldig en zei tegen mezelf dat ik het zou dragen, niet voor iemand anders (in de geest van een *Cosmo*-girl) maar voor mezélf (in de geest van, kennelijk, een doorsnee Franse vrouw).

Maar een dergelijk lingeriesetje inpakken, is echt heel wat anders dan het dragen. Het expres aantrekken, is zelfs nog erger. Ik zit zeker tien minuten op mijn bed na te denken over wat ik zal doen, en uiteindelijk kies ik voor het witte setje. Misschien denk ik wel dat die keuze een soort verzekeringspolis is. De wetenschap dat ik ondergoed draag dat zo duidelijk niet sexy is, is precies wat ik nodig heb om de boel in de hand te houden. Aan de andere kant, als ik de boel niet in de hand kan houden, hoef ik me daar dan in elk geval niet voor te schamen.

Ik kan me niet herinneren dat ik ooit zo'n moeilijke beslissing heb moeten nemen... en dan heb ik het niet over mijn ondergoed. Ik wil dat er iets gebeurt, maar tegelijkertijd wil ik dat ook heel erg niet. De gedachte aan Daniels handen op mijn lichaam veroorzaakt een gevoel van plezier en paniek. Ik heb me nog niet eerder zo verstoken gevoeld van mijn gezonde verstand, en dat is ironisch omdat mijn hersenen vanochtend tijdens de lezingen juist zo actief waren.

In een poging om mezelf een beslissing te laten nemen, doe ik heel erg mijn best om aan Rob te denken en om te luisteren naar de gevoelens die door mijn gedachten zijn opgewekt. Maar dat werkt niet bijster goed. Om de een of andere reden zie ik hem op dit moment een beetje vaag. Doordat ik hier naartoe ben gekomen, lijkt het wel alsof zeventien jaar van liefde, passie en gedeelde ervaringen tijdelijk zijn uitgewist. Nee, niet uitgewist, alleen maar omwikkeld met een laagje katoen, zodat het niet te veel invloed heeft.

Ik vind het vreselijk om in mijn eentje ergens naar binnen te gaan. Hoe drukker en vrolijker het er is, hoe erger ik het vind. Ik ben altijd bang, heel even en tegen beter weten in, dat degene met wie ik daar heb afgesproken er niet zal zijn (omdat hij lang heeft moeten doorwerken, iets beters te doen heeft of een ongelukje heeft gehad met zijn auto). Dat ik daar dan in mijn eentje zit te zitten, als een citroen, voordat ik uiteindelijk chagrijnig en vernederd de nacht weer in stap.

Ik voel deze vertrouwde vrees als ik Momma Cherri binnenloop, maar gelukkig word ik gered door Daniel die opspringt en naar me toe komt. Dus in plaats van met een schaapachtig gezicht door het restaurant te lopen, in de verwachting vernederd te worden, loop ik trots door het restaurant, zeker in de wetenschap dat meer dan een paar eters het fantastisch knappe uiterlijk en de charme hebben opgemerkt van deze knaap die het zichtbaar heel fijn vindt dat ik bij hem ben.

We blijken uiteindelijk maar met z'n zessen te zijn. Iemand die Henry heet, moest met spoed terug naar Londen nadat zijn vrouw hem had opgebeld over een klein huishoudelijk probleempje. We zitten aan een ronde tafel. Derek zit tussen ene Ed en een vrouw die Angel heet en er nogal angstaanjagend uitziet. Daniel zit naast Angel en hij heeft een stoel voor me vrijgehouden tussen hem en iemand die Terry heet. Op het eerste gezicht zien ze er allemaal heel aardig uit, behalve Angel dan misschien, wier vinnige blik en kortgeknipte haar en stevige lichaam een beetje intimiderend werken. Niet precies een achtenswaardig rugzaktype, maar toch ook weer wel.

Nadat we een paar minuten met elkaar hebben zitten praten, is het wel duidelijk dat Angel heel lief is en dat juist Terry degene is voor wie ik moet opletten. Hij is niet openlijk onaardig, maar hij bezit een subtiele arrogantie, en een paar keer merk ik dat hij me neerbuigend behandelt. Hij vraagt zich waarschijnlijk af hoe iemand als ik, iemand met vrijwel geen enkele referentie en met niet meer dan een paar maanden ervaring bij Earthwatch, een plaatsje heeft weten te bemachtigen voor een gezellig dinertje met een select groepje duidelijke getrouwen. Mensen als hij zijn zo vreemd, denk ik als ik naar hem kijk. Ze zetten zich enorm in om de boodschap te verspreiden en een beweging op te zetten 'voor de mensen', maar als het erop aan komt willen ze helemaal niets te maken hebben met 'de mensen', laat staan dat ze ze in hun groepje toelaten.

Tijdens het eerste deel van de maaltijd zeg ik niet veel. Een paar keer kijkt Daniel me aan en knikte me bemoedigend of medelijdend toe, of misschien een combinatie van beide, en ik probeer moed te verzamelen om meer te doen dan alleen maar te luisteren. Maar als ik wat wijn heb gedronken en de anderen op tafel beginnen te slaan om hun woorden kracht bij te zetten, ga ik denken dat het misschien wel veilig is om iets te zeggen omdat niemand het vermoedelijk zal merken als ik iets doms zeg. Dus als Derek en Terry beginnen te discussiëren over de vraag of de milieubeweging te ver weg en te ontoegankelijk is geworden voor de gewone man, durf ik mee te praten.

Het lijkt allemaal goed te gaan, totdat Derek zegt: 'Waar het om gaat, is hoe je de feiten toegankelijker maakt voor de mensen?' Waarop Terry reageert met: 'Nou, mensen moeten hun best doen om het te begrijpen. Je kunt je niet altijd richten op de laagste gemeenschappelijke noemer.' Dan meng ik me in de discussie. 'Nou, je kunt ze toch halverwege tegemoet komen? Neem die voordracht van vandaag. Hoe heette die ook alweer? *Herkolonisatie van zachte sedimentaire ijsholtes op een blootgelegde Arctische kust*? Veel ontoegankelijker kun je verdorie toch niet worden?' Dan zwijgt iedereen opeens en kijkt Terry me met een ijzige blik aan.

Daniel schiet me snel te hulp. 'Sorry Terry, maar ze heeft gelijk. We zouden wel wat kunnen leren van de communicatiedeskundigen.' Dan wendt hij zich tot mij en zegt: 'Dat project was een van Terry's baby's.'

Ik wil wel onder de tafel kruipen. In plaats daarvan bied ik mijn excuses aan en ga daarna naar het toilet. Angel komt achter me aan, hoewel ze er niet uitziet als een vrouw die normaal gesproken samen met een stel andere vrouwen naar het toilet gaat om haar make-up bij te werken.

'Zeg, hoe lang kennen jij en Daniel elkaar?' vraagt ze, als we naast elkaar bij de wastafels staan.

'Een maand of vijf, denk ik. Sinds Earthwatch bij ons in de buurt een groep heeft opgezet.'

'Hij is geweldig, vind je niet?' zegt ze, en ik vraag me af of ze een bijbedoeling heeft met deze vraag. Ik knik en glimlach.

"Wat ik zo geweldig aan hem vind, is dat hij zo toegewijd is, maar zich er niet op laat voorstaan. Niet zo arrogant, zoals Terry.' Ze lacht en glimlacht naar me.

'O, Terry valt wel mee,' zeg ik. 'Hij is alleen een beetje serieus en een beetje boos. Misschien is dat wel normaal als je je hele leven wijdt aan onderzoek waar zoveel mensen weigeren aandacht aan te besteden.'

'Je bent veel te aardig, Libby,' fluistert Angel, en ze geeft me een arm als we het toilet uitlopen. 'Ben je altijd zo aardig?'

Ik lach en dat is goed, omdat het nu lijkt alsof ik zelfvertrouwen heb en me niet druk maak over de afkeuring van de eminente wetenschapper en activist bij ons aan tafel.

Tegen een uur of elf nemen we afscheid. Ik slaak een zucht van opluchting als we de anderen op de veranda van Momma Cherri achterlaten. Zij blijven onder de heldere lampen nog wat napraten. Die zucht heeft waarschijnlijk luider geklonken en heeft meer onthuld dan ik wilde, want Daniel leunt tijdens het lopen tegen me aan en zegt: 'Maak je niet druk over wat er is gebeurd. Terry is soms een echte klootzak.'

De rest van de wandeling ben ik me heel goed bewust van de spanning tussen ons, die met elke stap groter schijnt te worden. Maar volgens mij is het niet alleen seksuele spanning. Vergis je niet, daarvan is er ook genoeg, maar die is vermengd met angst, tenminste bij mij. En besluiteloosheid. Het is nog niet onvermijdelijk allemaal.

Ongeveer halverwege pakt hij mijn hand en ik kijk naar hem op en glimlach. Eerder een zwakke glimlach dan een ongeremde, gelukkige en ongedwongen glimlach, maar toch een glimlach. Als we de deur van ons hotel opendoen, blijf ik stokstijf staan en houd mijn adem in als ik de vrolijke geluiden hoor die uit de bar komen;

273

het vooruitzicht om door Linda naar de bar te worden gesleept om beleefd met de andere hotelgasten te moeten converseren is bijzonder onaantrekkelijk. Voordat we worden gezien, lopen we snel de trap op. Ik zoek onhandig naar mijn kamersleutel, vind hem en draai de deur van het slot. Maar in plaats van meteen met me mee naar binnen te lopen, zoals hij eerder in mijn fantasie wel deed, staat hij daar maar als ik mijn kamer in ga en het kleine bedlampje aandoe. Ik moet dus wel iets zeggen.

'Wil je even binnen komen? Iets drinken?' vraag ik en ik wijs naar de minibar.

'Als je het zeker weet,' zegt hij, tegen de deurpost geleund met zijn handen in zijn zakken.

Als ik het zeker weet? Kan ik het zeker weten? Weet hij het zeker?

Ik knik, duidelijk niet in staat iets te zeggen.

Hij doet de deur achter zich dicht en loopt naar de stoel die naast de ladekast staat. Hij pakt de trui van de zitting, hangt hem over de armleuning en gaat zitten. Hij leunt voorover met zijn ellebogen op zijn knieën en met zijn handen gevouwen.

'Wat wil je drinken?' vraag ik op een zo ontspannen mogelijke toon. 'Het ziet ernaar uit dat Linda er van alles in heeft gezet: gin, whisky, bier. Zeg het maar.'

'Een whisky, alsjeblieft. Een kleintje.'

Ik sta daar met mijn rug naar hem toe en schenk een glas whisky voor hem in. Ik aarzel, probeer te beslissen of ik beter nuchter kan blijven of een beetje dronken, en schenk dan ook voor mezelf een whisky in.

'Alsjeblieft,' zeg ik en ik reik hem het glas aan. Hij neemt het over en glimlacht. Die glimlach is zo prachtig dat ik voor de zekerheid terugloop naar het bed. Ik ga op de rand zitten en laat de whisky in mijn glas ronddraaien.

'Hoe voel je je?' vraagt hij na een tijdje.

Ik kijk op, verbaasd. Dat is een vreemde vraag, hoewel op een bepaalde manier wel de juiste.

'Ik vind het heerlijk om hier samen met jou te zijn. Zenuwachtig. Bezorgd. Dat allemaal tegelijk,' zeg ik.

'We hoeven dit niet te doen, weet je,' zegt hij.

'Dat weet ik.'

Dan zeggen we een tijdje niets. De stilte die tussen ons in hangt, is vervuld van verwachting. Ik word er bang van en het gevoel dreigt me te verstikken, dus sta ik op en loop naar het raam.

Buiten in de tuin kan ik stemmen horen. Linda's gasten zijn kennelijk naar de patio gegaan. Ik hoor een harde, bulderende lach en dan hoor ik het lichte lachje van een vrouw. Dan hoor ik de lage stemmen weer. Het geluid van deze mensen, vlak onder het raam, is een beetje onwerkelijk. Ik kan maar moeilijk geloven dat ze allemaal doorgaan alsof alles gewoon is, alsof er in deze kamer niet iets staat te gebeuren dat enorme consequenties heeft.

Dan staat Daniel achter me en drukt zijn lippen in mijn haar. Ik leun tegen zijn lichaam aan, alleen maar om te weten hoe dat voelt. Hij vat dit op als toestemming om mijn haar op te tillen en mijn nek en de holte van mijn schouders te kussen.

'Ik zou dit niet moeten doen,' zeg ik ademloos, maar het klinkt niet erg overtuigend.

Hij zegt niets.

Al ruim zeventien jaar lang heeft niemand anders dan Rob mijn nek gekust. Zelfs Rob doet het nog maar zelden. Hij kwam vaak achter me staan en streelde dan mijn rug. Soms bleef hij zo minutenlang staan, als ik stond te koken, en streelde hij de huid onder mijn bloes. Ik kan me niet herinneren wanneer hij dat de laatste keer heeft gedaan.

Daniels lippen bewegen zich zo licht als vlinders over mijn nek, maar tegen mijn onderrug voel ik dat hij een stijve heeft. Hij slaat zijn linkerarm om me heen en begint mijn jukbeen te strelen. Dan glijdt zijn hand in mijn bloes en streelt hij het kippenvel op de gewelfde huid boven mijn beha. (Mijn zuiver witte beha. Verdomde nutteloze verzekeringspolis, achteraf gezien.) Ik moet mijn uiterste best doen me niet om te draaien en alle dingen te doen die ik al meer dan zeventien jaar niet met een andere man heb gedaan.

Maar in deze situatie is mijn best doen niet genoeg. Daniel draait me om zodat ik hem aankijk, en nu voel ik hem hard tegen mijn maag. Ik zit nu echt in de problemen, denk ik, zelfs al verwelkom ik zijn tong in mijn mond als een gulzig kind een lolly.

Maar pas als ik mijn ogen opendoe en zijn ogen zie, intens met iets meer dan alleen verlangen, weet ik dat ik echt in de problemen zit. Dat wij in de problemen zitten. Weet hij dat ook, op dat moment? Volgens mij wel, want in plaats van me weer te kussen, drukt hij zijn voorhoofd tegen het mijne en sluit zijn ogen.

'Ik kan dit niet, Daniel.'

'Ik weet het,' zegt hij.

'Ik ben zo bang.'

'Ik weet het.'

'Echt waar?'

'Ja.'

'Het zou vreselijk zijn als we zouden ontdekken dat we van elkaar houden. Ja toch?'

Hij slikt en sluit zijn ogen. 'Ja. Dat is zo.'

Ik duw me van zijn borst af op hetzelfde moment dat hij zich terugtrekt. Hij draait zich van me af en loopt naar de deur. Als hij bij de deur is, gaat zijn hoofd met een ruk naar achteren en strijkt hij met zijn handen door zijn haar. Zijn handen omklemmen zijn hoofd als een bankschroef.

Dan opent hij de deur, loopt de kamer uit en trekt de deur met een snelle, vastbesloten beweging achter zich dicht. Ik blijf achter en absorbeer alle emotie en verdriet die de lucht in mijn kleine, vaag verlichte kamer hebben gevuld.

Het lijkt niet op wat ik me eerder had ingebeeld.

Ik verlang de hele nacht naar hem. Het is een kwelling om tot in de kleine uurtjes naar de vrolijke stemmen onder mijn raam te moeten luisteren, terwijl ik in mijn bed lig met als enige gezelschap een hevig verdriet.

Ik blijf alleen maar hier omdat ik bang ben. Angst is een echte tegenstander gebleken voor lust, misschien zelfs voor liefde. Wat vind je daarvan? Ik ben bang voor heel veel dingen. Zo is er de angst dat ik, als ik zou toegeven, zou ontdekken dat ik echt van hem hou op een manier die niet te ontkennen is. Dat wat we ook zouden doen, er pijn zou zijn, voor iedereen. Dat ik in één tel mijn hele leven met Rob zou kunnen vernietigen.

De katoenen doek die het geluid van mijn leven probeerde te dempen, was toch niet zo compact. De geluiden van Rob en van ons leven samen hamerden in mijn oren met de kracht van een donderende oceaan, de hele tijd dat Daniel me kuste.

Uiteindelijk val ik in slaap, maar waarschijnlijk pas vroeg in de ochtend, want ik voel me ellendig als ik wakker word. Geen kater van alle bier en wijn en whisky (die ik niet eens heb opgedronken), maar alles voelt grauw en lusteloos. Mijn ledematen zijn loodzwaar, en ik moet zeker een minuut op de rand van mijn bed blijven zitten om de kracht te vinden om op te staan. Dit gevoel herinner ik me heel goed. Nadat mama was overleden voelde ik me nog wekenlang depressief. Elke ochtend was een herhaling van het besef dat ik niet had gedroomd dat ze dood was, maar dat ze echt dood was. Elke ochtend moest ik mezelf uit bed slepen en proberen de grauwheid van me af te schudden en iets op te zetten dat op een kalme houding leek.

Ja, ik weet hoe verdriet voelt, en dit voelt als verdriet. En dat gevoel wordt sterker als ik het briefje zie dat op het tapijt vlak voor de deur ligt. Ik weet precies wat het is, en het is geen briefje van Linda.

Natuurlijk moest hij vertrekken. Hoe hadden we tijdens het ontbijt met elkaar kunnen praten en daarna naar het conferentiecentrum kunnen lopen om samen naar de lezingen te luisteren alsof er niets was gebeurd? Zijn briefje is doorweven met hetzelfde verdriet als ik voel en ik kan het hem niet kwalijk nemen dat hij is weggeglipt om zich erin te wentelen.

Ik sla het ontbijt over, niet in staat om Linda's vragen over Daniels overhaaste vertrek te verdragen. Ik ben dan ook ontzettend dankbaar dat er op dat moment achter de balie een onbekend jong meisje staat, dat kennelijk ook werkzaam is als kamermeisje. Ze bestelt een taxi voor me, waar ik me in laat vallen en me als een zombie naar het conferentiecentrum laat rijden. Als ik daar aankom, realiseer ik me dat ik niet bewust heb besloten om in Brighton te blijven voor de sessies van die dag. Ik heb gewoon op de automatische piloot gefunctioneerd en de dingen gedaan die ik moest doen en nu ben ik hier. Nu ik hier toch ben, besluit ik dat ik net zo goed de ochtendsessies kan bijwonen. Misschien leiden ze me wat af en denk ik niet langer aan Daniels lichaam tegen het mijne, en dat beeld van zijn rug toen hij vertrok.

Helaas zijn schoonmaakacties voor de kust van Newfoundland – hoe geweldig het resultaat ook is – niet echt in staat me uit mijn lusteloosheid te halen. Ik hoop maar dat niemand op me let, want dan zullen ze denken dat ik een hersenloze idioot ben of iemand die high is, zo afwezig is mijn blik.

Om twaalf uur doe ik niet langer alsof. Ik haal mijn bagage op en neem een taxi naar het station. Ik zal een goed excuus moeten verzinnen omdat ik eerder thuiskom dan gepland, maar daarvoor heb ik een uur in de trein en daarna nog een halfuur met de ondergrondse.

De wagon is leeg, op een jong hip stel na dat een paar rijen voor me zit en een zilverharige oudere man tegenover me. Hij gaat daar zitten als ik al heb plaatsgenomen en negeert de tientallen lege stoelen om ons heen. Verdorie, denk ik, en ik kijk uit het raam. Nu kan ik niet eens even in mijn eentje huilen.

Maar ik huil niet. Volgens mij heeft mijn verdriet mijn traanbuizen verstopt, net als alles aan mij. Ik zit, staar uit het raam en probeer mijn gevoelens te rationaliseren, om ze een vorm te geven die ik kan begrijpen. Nadat ik mezelf een uur lang heb ondervraagd, dringt het tot me door dat ik niet alleen treur om alles wat nooit met Daniel zal gebeuren, maar om alles wat ik heb bedrogen en ter discussie heb gesteld door naar hem te verlangen.

Ook al is er niets gebeurd, alles is veranderd. Ik heb me altijd sterk gevoeld door de onwankelbare overtuiging dat Rob en ik een onverwoestbaar stel waren. Nu ontdek ik dat we onder valse voorwendsels hebben geleefd: er is nooit iets gebeurd dat ons op de proef heeft gesteld. En op het moment dat ik iemand tegenkom van wie ik zou kunnen houden, een test, dan zak ik ervoor. Wat zegt dat over mij? Wat zegt dat over de zeventien jaar die ik met mijn soulmate, met de liefde van mijn leven, met de vader van mijn kinderen heb doorgebracht?

Het voelt alsof er een deur wijd open is gegooid.

Phoebe

Ik ben er helemaal niet klaar voor dat mama eerder thuiskomt. Al mijn ontsteltenis en woede moeten nog worden opgevoerd tot een maximum. Maar nu is het nogal warrig allemaal.

'Hallo? Is er iemand thuis?' roept ze. Ik hoor haar door de kamers lopen.

'Ik ben boven,' roep ik uiteindelijk terug. Ze verwacht natuurlijk dat ik naar beneden kom om haar te begroeten, maar ik blijf boven. Vijf minuten later klopt ze op mijn deur en komt binnen.

'Waar is iedereen?'

'Weg.'

'Waar naartoe?'

'Tennis. Paardrijden. Naar Lilly.'

'Had jij nergens zin in?'

'Nee.'

Nu verwacht ze dat ik iets zeg als 'Hoe was je weekend?' of 'We hebben je gemist', maar ik klem mijn kaken stevig op elkaar en houd mijn ogen strak op het boek gericht dat ik zogenaamd zit te lezen. Zonder zelfs maar naar haar te kijken, weet ik dat ze zich vol ongeloof afvraagt waarom ik zo onaardig tegen haar ben.

'Hallo! Ik ben terug,' zegt ze sarcastisch.

Ik kijk op. In eerste instantie komt de gedachte bij me op dat ze er niet echt uitziet als iemand die een opwindend weekendje achter de rug heeft met iemand die haar man niet is. Ze ziet er vermoeid uit, leeg. Maar dan denk ik dat je er misschien wel zo uit gaat zien als je je schuldig voelt.

'Ja, dat zie ik ook wel. Welkom terug,' zeg ik op mijn meest onwelkome toontje.

Ze is duidelijk niet opgewassen tegen deze belediging, want ze zucht alleen maar en loopt mijn kamer uit. Ze gaat naar haar eigen slaapkamer en doet de deur achter zich dicht. Dan gaat de telefoon en hoor ik haar praten, met Jaime of Liz, vermoed ik. Als ik haar hoor lachen, ben ik helemaal verontwaardigd. Hoe durft ze, denk ik. Hoe durft ze te lachen terwijl ze onze levens verpest?

Ik houd mijn ijzige stilzwijgen een week vol. Op een bepaald moment vraagt ze of er iets mis is op school of met Josh, en dan kijk ik haar zo veelbetekenend aan dat ze letterlijk terugdeinst.

Ondertussen houden zij en papa de schijn min of meer op. Ik vind het nogal geforceerd. Eén keer loop ik de keuken in als zij daar zijn. Ze heeft haar armen om zijn taille geslagen en staat met haar hoofd tegen zijn borst geleund. Normaal zeg ik dan iets als 'Ach, veel plezier' of 'Ga toch naar een hotel'. Maar nu denk ik alleen maar: Huichelachtige leugenaar.

Libby

'Waarom ben je eerder naar huis gekomen?' vroeg Rob toen de meiden na het avondeten waren verdwenen om tv te gaan kijken.

'De laatste paar sessies leken niet zo interessant. En ik was moe.'

'Zijn de anderen tegelijk met jou teruggegaan?'

'Nee.'

'Wat het leuk? Heb je je vermaakt?'

'Ja, ik vond het echt fascinerend. Ik heb heel veel echt leuke mensen ontmoet, en heel veel opgestoken. Alles bij elkaar was het echt de moeite waard.'

'En wat denk je, komt er nog iets uit voort?'

'Ik weet het niet. Ik weet het niet zeker.'

Toen was het even vreemd stil.

'Ik ben echt heel blij dat je weer thuis bent.'

'Ik vind het fijn om weer thuis te zijn.'

Hij weet niets over Daniel en het weekend, maar hij weet wel iets. En het is hetzelfde als ik weet. Terwijl hij even niet keek, is er een breuklijn in onze relatie ontstaan. Nu probeert hij uit te vinden waardoor die is veroorzaakt en hoe die kan worden gerepareerd.

'Hé', zegt hij, de eerste keer dat ik hem weer zie.

'Hallo', zeg ik.

'Je bent dus weer veilig thuisgekomen?'

'Ja, ik ben een grote meid.' Ik schenk hem een geruststellende glimlach om duidelijk te maken dat ik niet boos ben.

'Het spijt me dat ik je zomaar in de steek liet. Ik wist niet wat ik anders moest doen.'

'Ik begrijp het wel.'

'Ik heb helemaal niet kunnen slapen.'

'Ik ook niet.'

Dan komen Barry en Phyllis binnenlopen. Ze kletsen opgewonden over iets dat ze op Discovery hebben gezien (ik vang de woorden 'klimaat' en 'ramp' op; het was dus geen leuke documentaire over het paargedrag van grote katten). Ze zwijgen even als ze ons zien, maar praten dan door alsof ze niets hebben gemerkt.

We vrijen niet, tot vier dagen nadat ik thuis ben gekomen. En dan is het op mijn initiatief. Ik moet het weten.

Mijn assertiviteit verrast hem. Hij heeft een paar minuten nodig om me in te halen. Maar dat lukt en dan komen we in ons vertrouwde ritme, alleen voelt het niet zo vertrouwd. Hij voelt vreemd aan, en een beetje onzeker. Het is niet te vergelijken met onze eerste keren, maar er is wel iets van die eerste wanhoop aanwezig.

Ik ben zo ontzettend opgelucht, dat ik het bijna uitschreeuw.

Phoebe

Ik let de hele week goed op haar. Ik dwing mezelf om woensdag naar de Earthwatch-bijeenkomst te gaan, zodat ik haar daar kan observeren. Ik wil ook zien hoe hij eruitziet. Of hij is veranderd.

Geen van beiden laat iets merken. Ze zien er niet uit alsof ze dolverliefd op elkaar zijn of een smerig geheim hebben. Eigenlijk zeggen ze tijdens de bijeenkomst amper iets tegen elkaar. Daniel zegt sowieso bijna niets, tegen niemand, behalve om de vergadering te leiden. Hij lijkt iets van zijn glans te zijn kwijtgeraakt.

Dan bedenk ik opeens iets, een geweldig idee dat ongeveer drie seconden duurt.

Misschien is het niet goed gegaan. Misschien hebben ze ruzie-gemaakt. Misschien is er toch nog hoop voor mij.

Als de drie seconden voorbij zijn, realiseer ik me hoe onmogelijk dat is en zak ik weer terug in mijn sombere stemming. Ook al is het tussen hen niet goed gegaan, dan zou ik nooit... Niet nadat zij hem heeft gehad. Dat zou gewoon te erg zijn voor woorden. Bijna net zo erg als die ouwe politicus die tegelijkertijd seks had met een moeder en een dochter, en dat hele verhaal in zijn goed verkopende dagboek heeft opgeschreven.

Brutaal loop ik naar Eloise en vraag haar waarom ze uiteindelijk toch niet naar Brighton is gegaan. Zonder aarzelen antwoordt ze: 'O, het was opeens heel druk in de winkel en toen besloot ik om maar niet te gaan. Het is ons drukste seizoen, nu de zomer er weer aankomt.'

Jee, ze zijn wel goed, zeg! Misschien is dát volwassenheid: een tien met een griffel voor knap liegen.

Ik moet ook een beetje liegen trouwens. Mama probeert de lijst met taken voor de milieurally in het park definitief te maken. Nu ik het gevoel heb dat ik gemarteld word doordat ik een uur lang samen met Daniel in hetzelfde vertrek moest zijn, weet ik dat ik niet meer in staat ben om te helpen. Ik ben echt niet van plan om die dag te komen. Als mama me dan ook vraagt of ik bij het compostkraampje of bij de ruilwinkel wil staan, zeg ik doodleuk: 'Ik blijk die dag een uitstapje te hebben, en dus zal ik die dag helemaal niet kunnen helpen.'

'Waarom heb je dat niet eerder gezegd?' vraagt mama, met verbaasd opgetrokken wenkbrauwen.

'Ik heb het me niet gerealiseerd. Was in de war met de data, sorry,' zeg ik, maar niet op een verontschuldigende toon.

'Wat jammer nou,' zegt Daniel.

'Ja, wat zonde,' zegt Gabriel. 'Na alle moeite die je al hebt gedaan.'

Ik haal mijn schouders op alsof ik me neerleg bij het onvermijdelijke.

Onderweg naar huis zegt mama: 'Phoebe, weet je wel zeker dat dat uitstapje op die dag is? Of heb je gewoon geen zin meer?'

'Natuurlijk weet ik het zeker,' zeg ik heel overtuigend. 'Nou, bedankt voor je vertrouwen, mam. Waar zie je me eigenlijk voor aan?'

Ze houdt zich onmiddellijk in, zich totaal niet bewust van het feit dat ze heel dicht bij de waarheid zat.

'Sorry, je hebt gelijk. Dat was niet eerlijk. Het komt doordat je de hele week al zo afwezig leek. Gaat het wel goed met je?' vraagt ze en ik vraag me af waarom ze zo aardig moet doen.

'Mama, laat nou maar, oké?' zeg ik bits, en ik loop snel voor haar uit om het eerst bij de voordeur te zijn.

Soms, als ik onaardig doe, weet ik wat ik aan het doen ben en heb ik er meteen al spijt van. Maar deze keer geniet ik ervan.

Libby

Een confrontatie met Mevrouw zit er al de hele week aan te komen. Ik weet niet wanneer het zal gebeuren of waar het precies over zal gaan, maar ik weet heel zeker dat zij en ik het ergens met elkaar over aan de stok zullen krijgen.

Wat dat iets zal zijn, wordt duidelijk op de zaterdagochtend nadat ik uit Brighton ben teruggekomen. Op dat moment ben ik reeds zes dagen wisselend genegeerd of behandeld als een lagere levensvorm.

We zijn alleen thuis. Rob is in de kliniek, Kate is naar paardrijden en Ella logeert nog steeds bij iemand. Phoebe staat om elf uur op, komt gekleed beneden en is kennelijk van plan weg te gaan. Dan ontdekt ze dat ik voor het avondeten een lamsbout met knoflook en rozemarijn aan het braden ben. Dat is een ongebruikelijk huiselijk tafereeltje waar ik mezelf al voor heb gefeliciteerd.

'Gatver, wat stinkt het hier', zegt ze, charmant als altijd.

'Dat is de knoflook, Phoebe. Als je het vanavond eet, zul je nergens last van hebben.'

'Dat ga ik vanavond echt niet eten, hoor.'

'O, ik dacht dat je thuis zou blijven.'

'Dat was ook zo, maar ik heb me bedacht. Ik ga naar een club in Twickenham.'

'Een club? Toch geen echte, hoop ik?'

'Naar wat voor andere club zou ik kunnen gaan?'

'Phoebe, je bent vijftien. Je zou naar een club moeten gaan voor mensen van vijftien, eentje waar geen alcohol wordt verkocht.'

'Nou, iedereen gaat. En ik ga dus ook.'

'Gaat Josh ook?' vraag ik, ook al maakt het niet uit. Ik wil nog steeds niet dat ze ergens naartoe gaat waar zowel alcohol als grote hoeveelheden ecstasy verkrijgbaar zijn.

Ze rolt ongeduldig met haar ogen alsof ik zojuist een enorme zonde heb begaan.

'Josh en ik zijn niet meer samen, als je het nog niet wist.'

Dat was zo, moet ik tot mijn schande bekennen. Het nieuws verbaast me en ik sla een knoflookhand voor mijn mond en verstik mezelf bijna.

'Phoebe! Wat is er gebeurd?'

'We hebben het uitgemaakt. Maakt niet uit, hoor. En trouwens, ik ga met Alice en de anderen naar die club.'

'Phoebe, volgens mij is dat geen goed plan.'

Ze kijkt me met zoveel haat in haar blik aan dat ik het gevoel krijg dat ze me met een mes steekt.

'O, nou jaah. Denk je nou heus dat jij me kunt vertellen wat wel en geen goed plan is?'

'Wat heeft dat te betekenen?' vraag ik. Voordat ik uitgesproken ben, weet ik precies wat ze bedoelt en dan weet ik ook dat dit heel, heel erg vervelend gaat worden.

'Wat dénk je dat ik bedoel, mama!' schreeuwt ze. Dan draait ze zich om en rent naar de voordeur.

'Phoebe!' Ik wrijf mijn olieachtige handen aan mijn spijkerbroek af en ren haar achterna. Ik krijg haar te pakken op het moment dat ze de voordeur opent. Ik strek mijn handen uit en druk de deur dicht. Het geluid van de dichtslaande deur wordt al snel gevolgd door een ánder geluid. Al vlug realiseer ik me dat het geluid dat ik hoor, afkomstig is van de klap die ik krijg. Ik raak mijn prikkende wang aan om te controleren of het bloedt. Dan ervaar ik zo'n bijzonder helder moment. Ik weet precies wat ik moet doen en ik weet dat als ik het niet doe, ik haar kwijt ben.

Ik haal uit en geef haar een klap. Er verschijnen een rode handafdruk en een takje rozemarijn op haar wang.

De enige andere keer dat ik Phoebe heb geslagen, was toen ze een jaar of vier was. We waren in een speelgoedwinkel en ze had zich aangesteld en weigerde te vertrekken totdat ik de Barbie had gekocht die ze per se wilde hebben. Ik dreigde haar een tik te geven als ze niet ophield, maar was gedwongen achter haar aan te gaan toen ze nog bozer werd en zich op de grond liet vallen en haar adem inhield.

Kate heb ik ook een keer geslagen. Ik probeerde de 'pauzeme-thode', die alleen werkt als het kind bereid is mee te werken. Als het weigert op die verdomde trap te gaan zitten, kun je daar weinig aan doen, behalve dan het kind eraan vastbinden en een prop in de mond stoppen of slaan. En dat deed ik dus.

Bij beide gelegenheden voelde ik me fysiek ziek nadat ik hen had geslagen. (En dat was voordat de regering overwoog welke voorde-len het had recalcitrante ouders in de gevangenis te stoppen.) Ik heb gezworen het nooit weer te doen en dat heb ik ook nooit gedaan. Ella heeft mijn hand nog nooit op haar been of billen gevoeld.

Maar dit moest ik doen. Misschien moet ik het nog een keer doen, want Phoebe komt nu op me af, met wapperende armen en haar ogen vol woedende tranen. Als ik achteruitloop, komt ze me achterna, stompt tegen mijn armen en schreeuwt: 'Ik haat je! Ik haat je!'

Het is niet verstandig om met wie dan ook te gaan vechten, laat staan met je eigen dochter. Het enige wat ik ter verdediging kan aanvoeren, is dat het de enige verstandige reactie lijkt op haar jarenlange uiting van enorme afkeer en die paar seconden waarin ik haar zwaaiende armen moet tegenhouden. Ze probeert me de hele tijd achteruit te duwen en zoekt mijn grenzen op. En ik denk: Nu zal ze erachter komen.

Ik pak haar bij haar schouders en duw haar naar de woonkamer, waar ik haar achteruit op de bank duw. Ik wil iets verstandigs zeggen, zoals 'Kunnen we alsjeblieft een beetje bedaren en dit bespreken' als ze opspringt en weer op me afkomt. Opeens liggen we allebei op de grond, als een stelletje worstelaars. Op een bepaald moment krijgt ze de overhand en zit ze op mijn maag, met een uiterst giftige blik. Ik zou er niet vreemd van op kijken als ze me een stomp op mijn neus zou geven, en ik ben niet van plan om rustig te blijven liggen tot dat gebeurt. Met één snelle beweging ligt zij op de grond en zit ik op haar. Ik houd haar armen klem boven haar hoofd en zij probeert zich te verweren en knarst met haar tanden. Zo blijf ik even zitten en dan bega ik een fout. Ik denk dat het ergste nu wel voorbij is en ik houd haar een fractie van een seconde iets minder stevig vast. Voordat ik het weet, hoor ik een doffe klap en voel ik een scherpe pijn op mijn achterhoofd. Dan merk ik dat ze me achteruit tegen het koffietafeltje heeft gegooid. Ik zie dat ze als een haas de trap op rent. Als ze boven is, roept ze: 'Ik haat je, smerige hoer!'

Als je denkt dat er niets ergers is dan smerige hoer te worden genoemd door je eigen dochter, dan heb je waarschijnlijk gelijk. Ik voel me beroerd, maar ook ongelooflijk woedend. Ik kook bijna. Ik ben des duivels.

Ik ren haar achterna de trap op en ben bij haar kamer voordat ze de deur op slot kan doen.

'Zeg zoiets nooit weer tegen me, Phoebe!' roep ik en duw de deur open. Ze drukt er met haar hele gewicht tegenaan en heel even denk ik dat hij voor mijn neus dicht zal slaan, maar op de een of andere manier vind ik de kracht en geef nog één stevige duw. Dan duw ik de deur open en rolt ze achterwaarts over de grond. Deze keer wordt de doffe klap veroorzaakt door haar hoofd dat tegen de rand van haar bureautje klapt. Ik houd mijn adem in, en wacht af of ze erg gewond is. Dat lijkt niet zo, maar ze is een beetje suf en dus grijp ik mijn kans om het heft in handen te nemen. Ik ren naar haar toe en ga op haar zitten. Weer klem ik haar handen boven haar hoofd.

Deze keer probeert ze zich niet met ontbloot gebit opzij te gooien als een dol geworden dier. Ze sluit haar ogen en begint jammerende geluidjes te maken, als een puppy die 's avonds voor het eerst alleen is. De tranen stromen over haar wangen. Als ik haar zie huilen, begin ik ook en al snel snikken we het uit. Ik rol van haar af en ga naast haar op de vloer liggen. Het is niet simpel om te huilen als je plat op je rug ligt en al snel stik ik bijna in mijn tranen. Bijna op hetzelfde moment draaien we ons naar elkaar toe en slaan onze armen om elkaar heen. Zo blijven we zeker tien minuten liggen, elkaar vasthoudend en huilend.

Als ik denk dat mijn stem het weer doet, zeg ik: 'Phoebe, ik begrijp er niets van.'

Ze duwt mijn lichaam van zich af en kijkt me met waterige oogjes aan. 'Ik hou van hem en jij bent met hem naar bed geweest. Ja toch?'

En weet je wat? De betekenis van deze woorden heeft meer effect dan die eerste klap in mijn gezicht, alle stompen op mijn arm en de klap tegen mijn hoofd bij elkaar.

'Phoebe, dat wist ik niet. Echt niet.'

'Maar dat heb je toch gedaan, nietwaar? Je bent met hem naar bed geweest. Je gaat nog steeds met hem naar bed. Hij wil me niet. Hij wil jou. En jij hebt al iemand anders.'

'Phoebe. Dat heb ik niet gedaan. Wij hebben dat niet gedaan. Hoe kom je erbij?' Geen van beiden hoeft te vragen wie deze híj is.

'Je bent samen met hem naar Brighton gegaan. Ik weet dat je alleen was, dus je hoeft het niet te ontkennen,' sist ze.

Ik ga op mijn rug liggen en bedek mijn ogen met mijn handen. Hoe moet ik dit uitleggen? Dit is gewoon niet uit te leggen.

'Ik wist het wel,' zegt ze triomfantelijk. Maar haar gevoel van triomf wordt al snel overschaduwd door nieuw gejammer.

Ik blijf op mijn rug liggen, staar naar het plafond, bang om haar aan te kijken.

'Phoebe, ik ben wel met Daniel weggegaan. Maar het is niet wat je denkt. Het is ingewikkeld.'

'Ja hoor, echt ingewikkeld. Arme jij.'

'Je hebt gelijk. Ik voel iets voor Daniel. Dat wil ik niet ontkennen. We hebben een soort band samen. Als de zaken anders lagen, dan zou er misschien wel iets zijn gebeurd tussen ons. Maar de zaken liggen niet anders. Ik hou van papa en van jullie. Dat zou ik nooit in de waagschaal stellen.'

'Echt? Nou, misschien is het daar al wel te laat voor.'

Ik schrik, mijn keel dicht gesnoerd van angst. Als ze iets tegen Rob heeft gezegd, zijn we allemaal de klos.

'Phoebe, er is niets gebeurd. Je moet me geloven. En als ik had geweten wat je voor hem voelde, dan zou ik nooit zijn gegaan.'

Zij ligt nu ook naar het plafond te staren, stil en met nietsziende ogen. Zo blijven we een paar minuten liggen en dan laat ze een kleine bom vallen.

'Ik heb het uitgemaakt met Josh, omdat ik zeker wist dat Daniel en ik iets zouden krijgen. Maar dat was dus een vergissing. Josh heeft nu al iets met iemand anders. Een echt knap Amerikaans meisje dat hier nog maar net woont.'

'O, Phoebe.'

'De hele tijd dat hij net deed alsof ik heel bijzonder was en me smeekte om met hem naar bed te gaan, gaf hij dus niet echt iets om me. Hij had maar een seconde nodig om iemand anders te vinden.'

Ze kijkt me aan.

'Toen ik Daniel leerde kennen, wist ik gewoon dat hij de ware was. Stom van me, vind je niet? Waarom zou hij mij willen? Niemand blijkt mij te willen.'

Dan beginnen de tranen weer te stromen. Ze rolt op haar zij en krult zich op tot een balletje, met haar gezicht van me af. Haar snikken maken een onwerkelijk, gedempt geluid onder haar lange haar.

Ik lig achter haar, met mijn buik tegen haar rug, en druk mijn mond in haar haar, inhaleer haar pijn. Ik verdien het immers. Als ik het allemaal uit haar kon zuigen mijn eigen lichaam in, dan zou ik het doen.

Wat voor soort moeder merkt niet eens dat haar dochter verliefd is geworden? Of merkt niet eens dat ze het heeft uitgemaakt met het vriendje met wie ze al bijna een jaar verkering heeft? Wat voor soort moeder ziet al deze signalen niet eens?

Niet iemand die de laatste tijd nog eens goed op haar doe-lijstje heeft gekeken, dat is wel zeker.

Phoebe

We liggen er al een hele tijd als papa's opgewekte 'Halloooo!' ons tot leven wekt. Mama maakt zich van me los en staat op. Als ze ook maar een beetje hetzelfde gevoel heeft als ik, dan krijgt ze het nog moeilijk om de rest van de dag ontspannen over te komen.

Voordat ze mijn kamer uitloopt, kijken we elkaar even aan; langer dan een blik, maar korter dan een staar. Ik beschouw het maar als een soort afspraak: zij zal me niet vernederen door iemand iets over mij en Daniel en al dat gedoe met Josh te vertellen, en ik zal ons leven niet verwoesten door papa over Daniel en het weekend te vertellen. Ik weet niet zeker of ik haar wel moet geloven en ik heb het haar nog zeker niet vergeven, maar ik laat het maar zo. Voor nu.

Ik moet naar buiten. En dus was ik mijn gezicht, smeer er ongeveer tien kilo make-up op en maak me klaar om te vertrekken naar waar ik twee uur geleden naartoe wilde gaan. Ze zijn waarschijnlijk allemaal al uit het koffiehuis vertrokken, op zoek naar iets anders. Mij kan het niet schelen. In mijn eentje met een kopje vanillekoffie nadenken over al mijn ellende, heeft ook wel een bepaalde aantrekkingskracht. Alles is beter dan hier blijven en het gelukkige gezinnetje spelen.

Ik roep dat ik wegga en loop naar buiten zonder zelfs maar met papa te hebben gepraat. Ik hoor hem nog net zeggen: 'Wat is er met haar aan de hand?' En dan zal mama antwoorden: 'Laat haar maar. Ze is weer in zo'n bui.'

Tja, en wát voor soort bui. Je zou toch denken dat mama keihard stompen en teruggestompt te worden iets van dat gevoel zou hebben weggenomen, maar dat is niet zo. Alleen de vorm is anders. Of liever, de vorm is verdwenen en het is nu allemaal een beetje vormeloos geworden, grenzeloos – met in de kern de messteek van Josh' verraad (want gek genoeg vind ik dat het zo voelt) en de onmogelijkheid om Daniel te krijgen. Ik word overvallen door een algeheel gevoel van wanhoop.

Libby

Het weekend lijkt zich eindeloos voort te slepen. Ik wil dolgraag de kans krijgen om in mijn eentje mijn wonden te likken en alles te overdenken, maar die kans krijg ik pas als iedereen op maandagochtend het huis heeft verlaten. Maar zodra ze allemaal weg zijn, vind ik het helemaal niet fijn om alleen te zijn met mijn gedachten; die zijn veel te verwarrend. Ik pak de telefoon om Fran te bellen, maar leg hem weer neer als ik halverwege haar nummer ben. Ik weet niet zo zeker of ik er nu wel tegen kan, tegen Frans steun en begrip. Ze weet te veel over Rob en ze houdt te veel van hem. Ze houdt ook te veel van mij; ik weet niet zo zeker of ze het wel verdient om deze schandelijke kant van mij te leren kennen. Ik realiseer me dat Eloise degene is die ik nodig heb.

De winkel gaat pas om tien uur open, maar ik zie haar achter al rondscharrelen. Ik klop op de deur. Ze gluurt door de gordijnen, bijna fronsend, maar haar gezicht licht op als ze ziet dat ik het ben.

'Hallo, liefje. Wat kom je hier doen?' zegt ze hartelijk als ze de deur opent en me naar binnen wuift. 'Kan ik je soms een belachelijk dure, maar absoluut fantastische jurk verkopen?'

'Nee, ik heb geen jurk nodig,' zeg ik, en ik loop naar de groene bank bij de paskamers.

'O, jeetje. Dat klinkt ernstig. Ga zitten, dan maak ik een kopje koffie voor ons.'

Ik ga zitten en blader gedachteloos door een *Elle* die ik op de bank vind. Het eerste artikel dat ik zie (over wat je dit seizoen móét hebben – een strakke spijkerbroek die opbolt bij je enkels), brengt me nu niet bepaald in een beter humeur. Zelfs Kate Moss ziet er afschuwelijk uit in een strakke spijkerbroek.

Eloise komt terug met twee dampende bekers koffie als er een klant op de deur klopt. Ze kijkt haar met een beleefde, maar vastbesloten blik aan en wijst naar haar horloge. De klant kijkt verbaasd, ziet dan het bordje op de deur en verdwijnt in de richting van de stomerij.

'Nou, vertel op! Eerlijk gezegd, verwachtte ik je vorige week al.'

'Hoezo?'

'Nou, kom op, Libby. Je dacht toch niet serieus dat je een weekendje weg kunt met iemand als Daniel en dat je daarna niets te vertellen hebt.'

'God, je moest eens weten!'

'Ik wil het weten. Vertel!'

En dat doe ik. Ik vertel haar alles over het weekend; ook dat ik zo enthousiast was geworden over geredde kikkers en zo, en mijn stomme opmerking over Terry. Ik vertel haar over elk moment samen met Daniel en hoe ik me voelde en hoe het afliep.

'En weet je, zelfs al heb ik het niet gedaan, toch voel ik me afschuwelijk.'

'Maar waarom in vredesnaam?'

'Omdat het maar dát scheelde, daarom. En omdat een groot deel van mij het nog steeds wil.'

'Tja, Libby, ik zie het zo: dit bewijst allemaal alleen maar dat je geen verschrikkelijk mens bent. Eigenlijk ben je de aardigste mens die ik ken. Het scheelde maar dát, maar je hebt het niet gedaan. Dat maakt jou een soort superheld, vind ik.'

'Ja, maar wat zegt het over mij, en over mijn huwelijk?'

'Het zegt wat het zegt. Het zegt dat jij van je man houdt. Het zegt dat je te veel houdt van je leven met hem om het weg te gooien. Het zegt ook dat je maar een mens bent. Ik bedoel, lieve help, je had een robot moeten zijn om nooit iemand anders te leren kennen op wie je valt, om nooit iemand anders te willen. Het is geen misdaad om iets te willen, Libby. De misdaad is het grijpen. En weet je, zelfs dat is soms geen misdaad.'

'Ja, maar er is nog meer. Ben je er al klaar voor?'

'Ga door. Laat me maar schrikken.'

'Phoebe weet het. En ze houdt van Daniel, of in elk geval denkt ze dat ze verliefd op hem is, en als je vijftien bent, is dat eigenlijk hetzelfde.'

'O, mijn god!' roept ze uit en ze slaat haar hand voor haar mond. 'Ik had het moeten zien aankomen. Ze heeft het me verteld. Ik heb me gewoon niet gerealiseerd dat ze het over hem had.'

'Nou, dat was dus wel zo,' zeg ik. Het verbaast me niet eens dat Phoebe Eloise iets heeft verteld dat ze mij niet heeft verteld, maar het doet wel pijn.

'En voordat je helemaal in de stress schiet omdat ze mij dat heeft verteld, kan ik je verzekeren dat dat echt heel normaal is. Jonge meisjes als zij hebben altijd iemand buiten het gezin nodig om hun diepste geheimen aan toe te vertrouwen. Het zou heel vreemd zijn als ze die aan jou zou willen vertellen.'

'Zo gaat het niet in films,' zeg ik hatelijk.

'Tja, nou, films lijken niet op het echte leven. Denk er toch eens over na. Ze is een prachtige meid, probeert uit te vinden wie ze is, wie ze wil zijn, wat mensen van haar denken. Ze wil niet dat jíj iets te maken hebt met wie zij is. En wat ze al helemaal niet wil, is dat jij de eerste bent die het weet als ze de ware heeft ontmoet.'

Eloise leunt achterover en neemt een slokje koffie, zo te zien uitgeput door haar monoloog. Dan schiet haar iets anders te binnen: 'En waarom zou ze het jou vertellen? Jij zou alleen maar hebben gezegd dat hij te oud is voor haar. Geef het maar toe.'

'Tja, maar hij ís te oud voor haar. En ik weet wel wat je wilt gaan zeggen: dat hij te jong voor mij is.'

'Zoiets zou ik nooit zeggen,' zegt ze met pretoogjes. 'Je weet wel beter.'

'Hoe dan ook, je hebt nog niet alles gehoord. Ze beschouwt me niet alleen als degene die tussen haar en Daniel is gekomen, ze heeft ook net ontdekt dat haar ex-vriendje Josh al binnen twee weken nadat ze uit elkaar zijn gegaan verkering heeft met iemand anders. Nu denkt ze dat hij misschien nooit heel veel van haar heeft gehouden – dat hij alleen maar probeerde haar in bed te krijgen – en dat ze op de een of andere manier een jaar van haar leven heeft weggegooid.'

'Tjee, dit begint steeds meer op een soap te lijken.'

'Ik kan alleen maar proberen me voor te stellen hoe verward ze zich moet voelen. Ik bedoel, als je dit soort levenslessen al op je vijftiende moet leren? Het is zo wreed. Zo volwassen. Wat is er gebeurd met eindexamenfeesten waar de kinderen een heel eind van elkaar af met elkaar dansten en met onschuldige afspraakjes in de bioscoop?'

'Dat gebeurde in Amerika. En alleen maar in films. En je kunt er donder op zeggen dat de jongen zijn ene hand in het bloesje van zijn meisje had en iemand anders neukte op de achterbank van zijn auto.'

'Zoiets is mij nooit overkomen.'

'Heus wel, liefje. Denk maar eens goed na. Ik durf te wedden dat je hart ooit gebroken is, of dat je hebt ontdekt dat een jongen je had bedrogen. Misschien niet toen je vijftien was, maar op je zeventiende of achttiende. Dat is onvermijdelijk. En op een bepaalde manier zelfs noodzakelijk. Hoe kun je de prins herkennen als je nooit kikkers hebt ontmoet met wie je hem kunt vergelijken?'

Ik herinner me Craig, die me het gevoel gaf dat ik een nobody was. Misschien was de vreugde die ik voelde toen ik Rob leerde kennen, die me het gevoel gaf dat ik een compleet mens was, juist na Craig zoveel groter. Ik zou de schat die Rob was nooit hebben herkend als ik niet had geleden door een jongen die minachting in zijn genen had verankerd.

'Weet je,' zegt ze, en ze trekt me weer terug in het heden, 'het lijkt nu misschien niet zo, maar het komt wel goed met Phoebe. Ze komt er misschien zelfs wel béter uit. Een heel knap meisje wier hart nog nooit is gebroken, is gevaarlijk, voor haarzelf en voor anderen. Denk daar maar aan, de volgende keer dat je jezelf wel kunt slaan met het *Handboek voor goede moeders.*'

Gesterkt door mijn uurtje met Eloise ga ik naar de bibliotheek. Ik hoop dat ik er Daniel tref. Ergens denk ik dat dit een heel slecht idee is, maar ik houd mezelf voor dat ik het wil afronden, meer niet.

Maar iets afronden, is nooit gemakkelijk. Je moet er meestal iets voor doen. Hij is er niet, en dus moet ik hem opbellen.

'Libby!' zegt hij, niet in staat zijn vreugde te maskeren.

'Hé,' zeg ik. Wanneer ben ik begonnen 'hé' te zeggen in plaats van 'hallo' of 'hoi'?

'Daniel, volgens mij moeten we met elkaar praten. We moeten heel veel samenwerken en ik zou het vreselijk vinden als dat wat er is gebeurd dat in de weg zou staan. En ik wil niet...' Een onverwachte snik verhindert dat ik verder kan praten. Ik ben er totaal door verrast, net als hij.

'Libby?'

'Sorry, maar ik wil je niet helemaal kwijtraken. Dat wilde ik zeggen. Ik wil dat we vrienden kunnen blijven.'

'Ja, goed,' zegt hij zacht.

'Kan ik je dus zien?'

'Tuurlijk. We kunnen wel een eindje gaan lopen in Richmond Park.' Maar dan, alsof hij mijn gedachten heeft gelezen, zegt hij: 'Maar waarom zien we elkaar niet in Amandine voor een kop koffie? Over een halfuurtje? Daar zijn we veilig.'

Dat is waar, je kunt niet echt in de problemen komen als je een kopje koffie drinkt. Je moet al je kleren wel aanhouden ter wille van alle andere cappuccinodrinkers. Je kunt daar niet gaan trillen of huilen, of ineens iets anders besluiten en over de tafel bij iemand op schoot springen.

Maar vanbinnen kun je helemaal kapot gaan. En als je over de tafel heen zijn hand aanraakt, één keertje maar, kun je nog steeds de pijn voelen die door je arm je borst in schiet, als een bliksemflits. En je kunt nog steeds zachtjes huilen onderweg naar huis, zodat je je tegen de tijd dat je thuis bent zo leeg voelt dat je meteen naar bed gaat en de telefoon maar laat rinkelen.

Ik heb me vergist. Er is toch iets dat erger is dan smerige hoer genoemd te worden door je eigen dochter. Dat is een telefoontje van je dochter dat haar zuster door een auto is overreden en nu in een ziekenhuisbed ligt met een hersenschudding, een gebroken been en verschillende gebroken ribben.

Het ongeluk gebeurt om kwart voor negen 's ochtends, maar Phoebe krijgt me niet voor twaalf uur te pakken. Mijn mobiel stond het grootste deel van de ochtend uit en toen ik thuiskwam, ging ik naar boven en besloot de vaste telefoon te negeren. Dat doe ik meestal als ik ergens mee bezig ben of als ik er niet aan moet denken om met iemand te praten, maar meestal duurt het niet lang voordat ik de berichten afluister. Dat heb ik vandaag niet gedaan. Ik zat zo diep in mijn eigen ellende, dat ik dat ben vergeten.

Als ik de telefoon wel opneem en Phoebe's stem hoor, voel ik mijn borst in elkaar krimpen, meteen, instinctief.

'Mam,' zegt ze op een dringende toon, 'je moet snel komen. Er is een ongeluk gebeurd, en ik kan papa ook niet bereiken.'

'Wat? Wat is er, Phoebe? Wie is het?'

'Het is Kate. Ze is aangereden door een auto. Ze ligt in het Royal Free Ziekenhuis in Richmond.'

'Jezus. Ik kom meteen,' zeg ik en ik gooi de hoorn op de haak.

'O, god, o, god, maak haar alsjeblieft weer beter. Ik zal alles doen om haar weer gezond te maken,' mompel ik als ik probeer mijn tas, een paar schoenen en de autosleutels te vinden.

Het is een wonder dat ik heelhuids in het ziekenhuis aankom. Niet dat ik bijzonder snel rijd, maar mijn concentratie is weg. Ik rijd bijna een moeder met kinderen aan die bij het zebrapad oversteken. Aan haar ene hand houdt ze haar peuter vast en met de andere hand duwt ze de kinderwagen voort.

De hele weg naar het ziekenhuis verdringen beelden van mij en Kate elkaar in mijn hoofd. Ik in Eloises winkel terwijl Kate per ambulance naar het ziekenhuis wordt gebracht; ik tegenover Daniel met mijn mobiel uitgeschakeld, terwijl zij op een brancard de eerste hulp wordt ingereden. Ik denk dat ik het mezelf nooit zal kunnen vergeven. Dan herinner ik me dat ik zomaar heb opgehangen, zonder Phoebe te vragen hoe het met haar gaat, en dan denk ik dat ik mezelf dat ook niet mag vergeven.

Phoebe

Mevrouw Harlow vond me in de leerlingenkamer. Ze liep snel naar me toe en zei opgewonden: 'Phoebe, je moet met me meekomen. Er is een ongeluk gebeurd.' Ze greep me bij de arm en trok me naar de deur. 'Geen paniek, kindje. Rustig blijven,' zei ze, zo ontzettend opgewonden dat ik meteen in paniek raakte.

'Wie is het?' vroeg ik. Ik wist immers niet eens om wie het ging en wist dus ook niet zeker hoe ik zou reageren.

'Het gaat om Kate, kindje. Ze is aangereden.'

Jezus, deze vrouw was een waardeloze overbrenger van belangrijke details. Aangereden door wat? Een zesdeklasser? Een losgeslagen lunchkarretje? Een vrachtwagen?

'Wat bedoelt u met aangereden?' vroeg ik ongeduldig. Inmiddels rende ik al achter haar aan.

'Een auto, kindje. Kate is aangereden door een auto en we willen dat jij met haar meerijdt in de ambulance.'

De rest is een waas. Ik herinner me dat ik haar op de brancard zag liggen, bleek en stil, alsof ze al dood was. Iemand, en ik weet wel bijna zeker dat het mevrouw Harlow niet was, vertelde me wat er was gebeurd. Ik probeerde te luisteren, maar kon alleen maar kleine stukjes informatie opnemen. Kate wil oversteken als het licht op groen staat, de auto probeert te stoppen, maar doordat hij een lekke band krijgt, schuift hij door en botst halverwege de zebra tegen haar aan. 'Wat deed ze verdorie op die zebra?' vroeg ik aan de politieagente. Ze wist het niet. Toen zag ik een leeg snoepzakje uit haar schooltas steken en ik nam aan dat ze nadat ze uit de schoolbus was gestapt een zakje snoep had gekocht.

Toen werd ik in de ambulance geduwd en ging naast haar zitten. Ik hield haar kleine, slappe hand vast terwijl twee broeders tientallen slangen in haar stopten en haar pols opnamen. Ik heb geen idee hoelang we in de ambulance zaten en of ze de sirenes ook hebben gebruikt. Ik voelde me zo verdoofd toen ik Kate zo zag liggen, dat het wel leek alsof alles iemand anders overkwam. Op een bepaald moment merkte ik dat de broeder me heen en weer schudde en iets wilde zeggen. Ik vroeg me af hoelang ik haar al had genegeerd.

'Luister, liefje, luister naar me. Kun je contact opnemen met je ouders?'

'Ik weet niet waar ze zijn.'

'Wil je het proberen? Hebben ze een mobiel?'

'Ja.'

'Wil je ze alsjeblieft bellen? Een van hen.'

Eerst kon ik mijn vingers niet eens bewegen. Ik staarde alleen maar naar mijn telefoon, alsof het een object was dat vanuit de ruimte naar me toe was gekomen. Maar toen zag ik Kates bleke gezichtje en wilde ik iets nuttigs voor haar doen. Ik herinner me dat ik dacht dat ik de enige was die ze op dat moment had.

Eerst belde ik mama, maar die nam niet op. Ik sprak geen berichtje in, omdat ik dacht dat dat misschien gevaarlijk was. Je leest weleens dat iemand zo'n berichtje krijgt en dan van schrik van een brug rijdt. Toen probeerde ik papa's nummer, maar ik herinnerde me opeens dat hij in Birmingham was, op een congres van oogchirurgen. De receptioniste van de kliniek beloofde me dat ze zou proberen hem te pakken te krijgen. Nu sloeg ik alle waarschuwingen in de wind en vertelde haar waarom ik hem wilde spreken. Hij zou met de trein gaan en zou dus niet met de auto in de buurt van een brug komen.

Toen probeerde ik mama weer. Telkens opnieuw probeerde ik haar te bereiken. Op haar mobiel en thuis. Verdorie, dacht ik, waarom nemen jullie de telefoon niet op? Ik probeerde haar zelfs in de bibliotheek te bereiken, maar Phyllis nam de telefoon op en vertelde me dat ze er wel was geweest, maar heel kort. Ik was woedend op haar omdat ze niet bereikbaar was. Ik was ook doodsbenauwd dat ik alleen zou zijn als Kate zou bijkomen en de artsen ons iets konden vertellen, en dus belde ik de moeder van Alice en vroeg haar of zij en Alice konden komen. Maar toen ik mama eindelijk te pakken kreeg, leek alle woede weg te smelten en wilde ik alleen nog maar dat ze kwam, en snel.

Nu wordt Kate geopereerd en zit ik in mijn eentje in de wachtkamer. Alweer een wachtkamer. Deze keer is het vele malen erger dan die keer in de kliniek. Ze lappen Kate op, dat zeiden ze. Haar gebroken botten worden gezet en er gaat gips omheen. Ik weet wel dat die botten niet echt het ergste zijn. De herscnschudding en haar inwendige organen baren me meer zorgen maar er is niemand die daar iets over zegt.

Om halftwee belt papa me op mijn mobiel. Op alle bordjes staat dat ik mijn mobiel hier niet aan mag hebben, maar volgens mij is dat een stomme regel en dus heb ik het geluid uitgezet. Als je je mobieltje niet nodig hebt als je in je eentje in de wachtkamer van een ziekenhuis zit terwijl je zuster wordt behandeld door een leger artsen en je je ouders niet kunt bereiken, wanneer heb je hem dan wel nodig?

'Phoebe, met papa. Ik kreeg net je berichtje. Hoe is het met Kate?'

'Ik weet het niet. Ze zijn nog niet terug. Maar ze zeiden dat ik me geen zorgen hoefde te maken. Of zeggen ze dat altijd?'

'Nee, ik weet zeker dat ze dat niet zouden zeggen als het niet waar was. Nog even volhouden, lieverd, ik ben al onderweg. Over een halfuur gaat de trein en ik moet er dus binnen drie uur zijn. Is mama bij je?'

'Nee, maar ze is onderweg. De batterij van haar mobiel was leeg, maar ik heb haar thuis te pakken gekregen.' Het verbaast mezelf, dat ik niet wil dat hij slecht over haar denkt.

'Goed. Bel me als je meer weet. Ik hou van je, lieverd.'

Als ik de verbinding verbreek, zie ik mama door de dubbele deuren rennen en via de hal naar me toe komen. Haar haar ziet eruit alsof ze achteruit door de bosjes is gekropen, alsof ze het al drie dagen niet heeft gekamd. Ze is bleek en vlekkerig tegelijk, alsof ze diezelfde drie dagen waarin ze haar haar niet heeft gekamd heeft gehuild. En haar sportschoenen, die ze kennelijk snel heeft gepakt, passen niet bij elkaar. Een ervan, zie ik als ze dichterbij komt, is van mij. Als ik haar zo zie, word ik overvallen door een vreemd gevoel van tederheid.

'Phoebe,' zegt ze als ze bij me is. We staan even ongemakkelijk bij elkaar, alsof we net aan elkaar zijn voorgesteld en we niet goed weten of we elkaar nu een kusje in de lucht moeten geven of elkaar een hand moeten geven. Dan spreidt ze haar armen uit en ik val erin, en druk mijn gezicht tegen haar schouder. Ik moet me een beetje bukken om dit te kunnen doen, omdat ze iets kleiner is dan ik.

'Waar is Kate? Hoe gaat het met haar?'

'Ze wordt geopereerd. Ze zetten haar botten of zo. Ze zeiden dat ik me niet ongerust hoefde te maken en volgens papa zouden ze dat niet zeggen als het niet waar was.'

Ze ziet er niet overtuigd uit. Ze denkt waarschijnlijk aan een van die ziekenhuisseries, waarin ze altijd tegen mensen zeggen dat ze zich geen zorgen hoeven te maken over hun geliefden maar hen kort daarna toch komen vertellen dat hun geliefde onverwacht is doodgegaan.

'We kunnen dus alleen maar wachten?'

'Ja, dat zeiden ze wel.'

'O jee,' zegt ze en ze laat zich in een stoel vallen. Ze houdt mijn hand nog steeds vast en dus moet ik me wel in de stoel naast de hare laten vallen. Ze staart een minuut lang naar de klok aan de muur tegenover ons. Dan draait ze zich naar me toe en zegt: 'Phoebe, wat fijn dat jij er was. Jij was hier toch? Met Kate?'

'Nou, ik was er niet bij toen het ongeluk gebeurde, maar ik was op school. Ze zijn me komen halen en ik ben samen met haar in de ambulance hier naartoe gekomen. Maar ze wist niet eens dat ik er was, omdat ze niet bij kennis was.' Op dat moment begin ik luid te jammeren. De beide andere mensen in de wachtkamer, een oudere man en een vrouw van middelbare leeftijd, kijken ons met een meelevende blik aan. Dan pakken ze elkaars hand vast en kijken weer strak voor zich uit. Ik had al gezien dat de man een dik colbertje draagt, ondanks de warme junimaand, en dat het haar van de vrouw donker is en plat op haar hoofd ligt alsof ze net uit bed is. Het lijkt wel alsof mama niet de enige is die het niets kan schelen hoe ze eruitziet als ze met spoed naar het ziekenhuis moet.

Mama legt haar arm om mijn schouder en trekt mijn hoofd zachtjes tegen haar schouder. Ze begint mijn haar te strelen en de zijkant van mijn gezicht.

'Ik weet wel zeker dat ze voelde dat je er was. Ze was waarschijnlijk half bij kennis, weet je. En jouw aanwezigheid zal haar moed hebben gegeven.'

Dan gaan de deuren open en zie ik het gezicht van Alice verschijnen. Als ze me ziet, draait ze zich om en zegt: 'Hierbinnen.' Dan duwt ze de deur helemaal open en met haar moeder achter haar aan loopt ze de wachtkamer in, naar ons toe.

Ook al heb ik nu minder behoefte aan hun aanwezigheid, toch vind ik het wel fijn dat ze er zijn. Hun aanwezigheid is geruststellend; zoals je je waarschijnlijk ook beter voelt als er veel mensen zijn bij een dodenwake. Het laat je zorgen of je verdriet niet verdwijnen, maar het wordt min of meer aangelengd door alledaagse dingen als een kopje thee of een broodje.

Mama lijkt het veel minder prettig te vinden dat ze er zijn, en dat wijt ik maar aan de schok. Ze is zelfs een beetje onbeleefd tegen Christine, helemaal niet dankbaar. Mama ontdooit pas een beetje als Christine naast haar komt zitten en haar hand pakt.

Libby

Het is dat Adam Cook-gedoe weer, denk ik als ik Christine de wachtkamer binnen zie komen. Ik was er niet zeker van wat hij me wilde vertellen, maar déze boodschap komt luid en duidelijk door.

Phoebe zegt dat ze Christine heeft gebeld toen ze me niet kon bereiken. Het was heel normaal dat ze dat heeft gedaan. En het was heel normaal, en aardig, van Christine dat ze is gekomen. Maar haar aanwezigheid hier voelt als een schreeuwend verwijt: Kijk eens wie er moest komen opdagen omdat jij niet hebt opgelet!

Ik word doodmoe van Christine. Ze is echt heel aardig en ze vat mijn koele houding niet persoonlijk op. Ze denkt dat het door de schok komt en probeert me gerust te stellen met meelevende woorden en een sympathieke blik. Ze haalt koffie die koud wordt en broodjes die we niet opeten, en vraagt een verpleegkundige of er nieuws is als ik niet genoeg energie heb om dat te doen.

Na een uurtje of zo zeg ik tegen haar: 'Ik had er moeten zijn toen Phoebe belde. Ik had hier moeten zijn, bij haar.' En zij zegt: 'Libby, je kunt niet overal zijn. Dat is fysiek onmogelijk. Tenzij je zo iemand wordt die thuis gaat zitten wachten tot er een telefoontje komt met slecht nieuws, zullen dit soort dingen gebeuren en je kunt er niets aan doen.'

Ik wist dat ze dat zou zeggen, maar het is toch prettig om te horen. Ik voel me er vanbinnen niet echt veel beter door, maar het is wel fijn om te weten dat het beeld dat andere mensen van me hebben er niet een is van onverschilligheid en ongeïnteresseerdheid.

Het lijkt wel alsof we al dagen hebben zitten wachten als er ene dokter Phillips binnenkomt. Hij vertelt ons op een afschuwelijk rustig toontje dat ze erin zijn geslaagd om Kate te stabiliseren en haar gebroken botten hebben behandeld en haar andere vitale organen hebben getest. Ze is niet bij kennis, maar de artsen hopen dat ze snel zal bijkomen. We kunnen in ieder geval naar haar toe. (Dokters horen woorden te gebruiken als percentages en kansen en voorspellingen, en geen woorden als hoop en dus voel ik me niet helemaal gerustgesteld door zijn woorden.) Het is waarschijnlijk beter om met niet te veel mensen tegelijk te gaan, zegt hij, en hij kijkt naar Christine en Alice.

'Geeft niets, hoor. Wij wachten hier wel,' zegt Christine zonder aarzelen.

Ik draai me om om met dokter Phillips mee te lopen en dan schiet me opeens iets te binnen. 'O, mijn god, Ella.'

'Waar is ze?' vraagt Christine en ze springt op uit haar stoel.

'Ze komt straks thuis van school. Met de bus.'

'Ik ga wel naar haar toe. Ze kan wel bij ons blijven,' zegt Christine, en ze bukt zich om haar tas te pakken. 'Maak je geen zorgen, Libby. Ik zal overal voor zorgen. Concentreer jij je maar op wat je moet doen.'

En met die woorden verdwijnt de moeder van alle engelen samen met haar dochter en ruimt ondertussen halflege plastic bekertjes en broodverpakkingen op.

Phoebe en ik zitten ieder aan een kant van Kates bed en houden ieder een van haar handen vast. Ik zie haar ogen onder haar oogleden bewegen en beschouw dat maar als een goed teken. Ik weet niet of mensen die zeven jaar lang in coma zullen blijven ook met hun ogen bewegen... ik hoop maar van niet.

Phoebe zit met een vastberaden blik naar Kate te kijken, alsof ze er persoonlijk voor wil zorgen dat ze wakker wordt. Alsof ze bang is dat Kate, als ze maar even haar blik afwendt, stilletjes weg zal glippen. Ik weet hoe ze zich voelt. Ik kijk naar Kate, zo bleek en breekbaar dat het ongelooflijk is dat ze nog maar een paar dagen geleden een onwillige, grote ruin over een één meter hoge hindernis joeg. Ik kijk naar Phoebe die er, vreemd genoeg, nog nooit zo mooi heeft uitgezien.

Toen ik een jaar of dertien was, kreeg ik een voetbal tegen mijn oog. Het was een raar ongeluk: ik stond naar de wedstrijd te kijken en speelde dus niet mee. De bal veroorzaakte niet alleen een buil, maar sneed ook een hoekje van mijn oog open. En de jongen die de bal had geschopt was dezelfde jongen die me een maand eerder tijdens een feestje publiekelijk had gedumpt. Toen beschouwde ik het als een boodschap voor hem, iets waardoor hij zich heel erg schuldig zou moeten voelen.

Ik zat bij de eerste hulp met een bloederig, geïmproviseerd verbandje op mijn oog te wachten op een dokter. Ik leunde op mijn vaders schouder en biechtte de diepste geheimen van mijn leven op. Er hing een bepaalde sfeer in dat vertrek, waar de tijd leek stil te staan, en het drama van mijn contact met de dood, of in elk geval van gedeeltelijke blindheid, zorgde ervoor dat ik hem dingen vertelde die ik hem daarvoor nooit zou hebben verteld.

Ik vertelde hem hoe verliefd ik was op Teddy (die slechte voetballer), en hoe vernederd en gekwetst ik me voelde toen hij me niet meer wilde; ik vertelde hem dat ik niet langer verliefd was op Teddy nadat ik had ontdekt dat hij oppervlakkig en egoïstisch was en soms zelfs stonk, en dat ik iemand had leren kennen die veel aardiger was en Evan heette en van wie ik veel verwachtte; ik bekende dat ik bang was dat Felicity Hampton niet veel langer mijn beste vriendin zou zijn omdat ik onlangs had gezien dat ze gemeen en wraakzuchtig was; ik vertelde hem zelfs dat ik eindelijk ongesteld was geworden (en als je nagaat dat hij van mening was dat menstruatie een vrouwenzaak was, net als vrouwelijke lichaamsdelen en sportbeha's, moet dit heel erg voor hem zijn geweest) en dat ik niet begreep waarom Felicity's moeder het 'de vloek' bleef noemen terwijl ik juist het gevoel had dat het de begeerde sleutel tot het lidmaatschap van een exotische club was. Ik moet hem nageven dat hij niet één keer met zijn ogen knipperde, zelfs niet bij het woord menstruatie.

Iets dergelijks overkomt Phoebe en mij als we zitten te wachten tot Kate bijkomt en Rob er is. De schok, het wachten en het geluid van Kates ademhaling, vermengd met de vage geluiden van de verpleegkundigen die in de fel verlichte ziekenhuisgangen instructies schreeuwen, spannen samen om een soort van vacuüm te creëren waarin het veilig is om dingen te zeggen die anders te intiem zouden zijn.

Ik zeg: 'Phoebe, het spijt me dat ik de laatste maanden zo afgeleid was. Dat was niet mijn bedoeling.'

'Dat is wel goed, hoor,' zegt ze zonder haar blik van Kates gezicht af te wenden. Dan voegt ze eraan toe: 'Zo erg was het niet, hoor.' Ze schenkt me een klein, samenzweerderig glimlachje voordat ze zich weer aan haar wake wijdt.

En dan, als een soort herhaling van mijn bekentenissen op de eerste hulp achtentwintig jaar eerder, zeg ik: 'Ik ben niet met Daniel naar bed geweest, Phoebe. Ik heb ontdekt dat ik niet geschikt ben voor overspel. Je moet me geloven.'

'Ik geloof je,' zegt ze.

'Weet je, hij is de eerste sinds jaren die me echt zag zoals ik ben en dat was fantastisch. En toen werd ik nog meer de vrouw die hij in me zag en ik herinnerde me hoe het ook alweer voelde om die vrouw te zijn. Begrijp je wat ik bedoel?'

Ze knikt, bijt op haar lip.

'Het was heel verkeerd van me om mezelf toe te staan om zo'n slap aftreksel van mezelf te worden. Het is zo geleidelijk gegaan dat ik niet eens heb gemerkt dat het gebeurde. En niemand heeft er iets aan. Ik niet, papa niet, jij niet. Dat zal me niet weer overkomen.'

Phoebe kijkt me aan en knikt weer. Ik kan zien dat ze probeert me te begrijpen; ze heeft haar ogen een beetje dichtgeknepen en trekt haar mond een beetje opzij. Ik waardeer het dat ze het probeert, omdat ik mezelf niet helemaal begrijp. En het is misschien allemaal een beetje onsamenhangend wat ik zeg. Maar ik ploeter door.

'Volgens mij wil ik alleen maar iets voor mezelf, en iets voor mezelf plus dat wat ik voor jullie allemaal beteken. Bij hem zijn en betrokken raken bij Earthwatch was een manier om dat te laten gebeuren.'

Dan heb ik opeens het gevoel dat het heel belangrijk is om haar hier ook bij te betrekken. 'Denk nooit dat het een keus moet zijn, Phoebe. Jij óf de rest van je leven. Jij óf je gezin. Dat moet je me beloven.'

'Dat is goed.'

Dan zegt ze opeens, alsof ze een gesprek voert dat volledig parallel loopt aan het gesprek dat we net hadden: 'Wat ik echt heel moeilijk vind, is dat hij me helemaal niet scheen te zien. Helemaal niet.'

Ik denk: Als dit een film of een toneelstuk was, zou het publiek zich verbazen over de kennelijke afstand tussen de moeder die praat over het feit dat ze zichzelf wil blijven en de dochter die praat over onbeantwoorde liefde. Maar Phoebe en ik voelen heel duidelijk aan waar de snijpunten liggen.

'Dat is niet zo.'

'Wel waar. Echt wel, mama,' zegt ze, en ze kijkt me vol medeleven aan alsof zij iets naars over mij vertelt. Dan zijn we even stil en kijken naar Kates bewegende oogleden.

'Weet je wat zo gek is? Ik had nooit verwacht dat zoiets met iemand als ik zou kunnen gebeuren. Het was iets waarvan ik nooit had verwacht dat het zou gebeuren.'

Ik kijk haar aan en vraag me af of ze wil dat ik iets zeg. Dan zegt ze: 'Iedereen zegt altijd tegen me hoe goed ik het heb. Ze denken dat ik het heel gemakkelijk heb. Maar ze weten er niets van. Maar als je het zo bekijkt, lijkt het er niet op. Toch?'

'Nee, dat is zo. Maar dat is wel goed, hoor, omdat je zoveel meer bent dan dat,' zeg ik.

Phoebe

Om een uur of zes komt papa binnen. Mama en ik reageren alsof hij ons uit een diepe slaap heeft gehaald. Zijn stem, hoewel helemaal niet zo hard, staat in schril contrast met onze toon van de afgelopen uren: intieme maar kalme woorden, afgewisseld met lange stiltes. Hij gaat eerst achter mama staan en legt zijn handen op haar schouders. Ze leunt met haar hoofd naar achteren, met gesloten ogen; hij buigt zich over haar heen en kust haar op haar voorhoofd. Zo blijven ze een halve minuut of zo tegen elkaar aan leunen, misschien langer. Dat is volgens mij het meest intieme dat ik hen in jaren heb zien doen. Misschien wel ooit.

Even later loopt hij naar de andere kant van het bed. Ik sta op en hij slaat zijn armen helemaal om me heen. 'Hou je het een beetje vol?' vraagt hij.

'Ja hoor,' zeg ik en ik kijk naar mama. 'Ja toch?'

Ze trekt haar wenkbrauwen op. Dan slaakt ze een zucht en knikt.

Dan praten we een tijdje over wat de dokters hebben gezegd en wat we hebben gezien terwijl we hier bij Kate zaten. Hij zegt: 'Jullie zien er helemaal afgedraaid uit. Willen jullie iets eten?' We schudden vastbesloten ons hoofd en kennelijk precies tegelijk, want papa schiet in de lach en ik denk: Hé, we voelen ons nu echt met elkaar verbonden. Wat zeg je daar nu van?

We ontwikkelen een nieuw patroon. Eén waar papa bij betrokken is. Op een bepaald moment die avond haalt papa mama over om in de rode kunstleren stoel te gaan zitten om een beetje uit te rusten. Hij gaat in haar stoel naar Kate zitten kijken. Ik blijf de hele tijd op mijn stoel zitten. Niemand zegt iets. Net als wij toen wij dat de eerste keer zagen, zegt papa af en toe: 'Haar ogen bewegen.' En ik antwoord dan: 'Ja, dat is zo.'

Een tijdje later hoor ik mama achter me zachtjes snurken. Papa en ik kijken elkaar aan. Ik weet niet precies wat deze blik betekent, maar met de mijne wil ik zeggen dat ik dankbaar ben voor het feit dat mama's gesnurk zo geruststellend gewoon aanvoelt. Op dit moment heeft het iets ongelooflijks.

Als mama uit haar hazenslaapje ontwaakt, besluiten papa en zij om even de gang op te gaan om te kijken of ze iemand kunnen vinden die iets meer kan vertellen over Kate. Ook moeten ze Christine bellen om haar te vertellen hoe het er voor staat, en om te vragen of Ella daar vannacht kan blijven. Ze zijn vrij lang weg en ik neem dus maar aan dat ze Ella aan de lijn hebben. Ik voel opeens ook de behoefte om met Ella te praten, en ik overleg met mezelf of het wel verantwoord is om Kate een minuutje alleen te laten om mama en papa te zoeken. Ik besluit dat het dat wel is en ben net van plan om weg te gaan als ik zie dat Kates ogen meer doen dan alleen maar heen en weer schieten. Ze proberen open te gaan. Ik knipper en zij ook, en dan is ze wakker.

Ik glimlach naar haar en fluister: 'Hoi.'

Ik kan zien dat ze ook probeert te glimlachen en daar niet helemaal in slaagt. Ik zeg: 'Je wordt weer helemaal beter.' Ik zeg het snel, om de leegte te vullen waar haar glimlach zou moeten zijn en ook om ervoor te zorgen dat ze iets positiefs heeft om mee te nemen als ze toch weer wegglijdt. Ik wil dolgraag de gang op rennen om mama en papa te halen, maar ik ben bang dat als ik haar alleen laat zij weer bewusteloos raakt en dus blijf ik en hoop maar dat ze uit zichzelf snel terugkomen. Omdat ik niet weet wat ik moet doen, begin ik maar te praten, omdat ik aanneem dat ik op die manier haar hersencellen weer kan activeren. Ik zeg tegen haar hoe lang we hier al zijn en wat ze hier doet en dat de dokters zeggen dat het allemaal weer goed komt en waar Ella nu is en hoeveel broodjes we niet hebben opgegeten. Ik vertel haar over papa's conferentie van oogchirurgen en dat hij daar zo snel is vertrokken om bij haar te kunnen zijn. Het enige wat ik niet vertel, is waarom ze hier ligt, omdat ik bang ben dat ze weer in coma raakt of een soort paniek-aanval krijgt als ze daaraan terugdenkt.

De hele tijd ligt ze daar maar met haar ogen open en met haar mond in een brede grijns in een poging te glimlachen. Uiteindelijk is haar grijns zo breed dat hij echt op een glimlach lijkt en dat is wat mama en papa zien als ze de deur openduwen en de kamer weer in komen. Mama zegt 'O, Kate, liefje' en papa zegt 'Hallo, Kate', en in deze paar seconden is de kamer veranderd van een kamer waarin de tijd stilstaat tot een kamer waarin het leven doorgaat. Het is zo'n heerlijk gevoel dat ik iedereen moet omhelzen, ook de verpleegkundige die binnenkomt om de kan water te verversen maar ontzettend knoeit omdat ze zo blij is als ze Kates brede glimlach ziet.

Libby

In de twee weken na het ongeluk verdraagt Kate ontzettend veel pijn en ongemak met dezelfde kalme verdraagzaamheid als waarmee ze alles accepteert. De eerste dagen moet ze een zacht gipsverband om, iets van katoen met wol. Daarna hijsen ze haar rechtop om haar een soort korset van gips aan te passen waardoor haar ribben en rug zelfs geen millimeter kunnen bewegen. Na dat rechtop staan, wat afschuwelijk voor haar is, voelt ze zich wat beter in dat stevige korset. Maar door dat korset kan haar bed zelfs niet een heel klein beetje schuin worden gesteld, waardoor ze bijna de hele tijd plat op haar rug moet blijven liggen. Een paar dagen later wil ze graag een boek lezen, maar merkt dan dat haar armen pijn gaan doen als ze die boven haar uitgestrekte lichaam moet houden. Daarom maakt Rob van een waslijn en wasknijpers een soort boekensteun voor haar. Eerst helpen we haar om de beurt met het omslaan van de bladzijden, maar na de eerste week kan ze het zelf.

Op een ochtend ben ik onderweg naar het fonteintje op de gang om Kates waterkan bij te vullen als ik een oude man zenuwachtig bij de kamer van de verpleegkundigen zie rondhangen. Ik heb geen idee waarom, maar ik weet meteen dat dit Charles Bailey is, de man die de macht over het stuur verloor en Kate heeft aangereden. Hij controleert het bovenste knoopje van zijn tweed jasje en strekt zijn rug als ik naar hem toe loop. Hij heeft een verdrietige blik in zijn ogen en ziet er onzeker uit.

'Meneer Bailey?' vraag ik en probeer opgewekt te klinken. Ik wil dat hij weet dat we hem niets kwalijk nemen. We hebben hem nooit de schuld gegeven. Eerst waren we te bezorgd om Kate om ons af te vragen hoe het ongeluk was gebeurd en wiens schuld het was, en tegen de tijd dat we ons dat wel afvroegen, had de politie al een gedetailleerd verslag van de gebeurtenissen opgemaakt waaruit bleek dat de chauffeur van de auto, een eenenzeventig jaar oude man, geen schuld trof. Ze zeiden dat hij helemaal van slag was door wat er was gebeurd en dat hij waarschijnlijk absoluut niet in staat zou zijn om de eerste tijd contact met ons op te nemen.

'Ja. Mevrouw Blake, neem ik aan?' vraagt hij. 'Ik was van plan uw dochter op te zoeken. En u, natuurlijk. Ik hoop dat u dat goed vindt. Ik wist alleen niet goed of ik het wel aankon.'

'Natuurlijk vind ik het goed. Ik vind het fijn. Het is goed dat u bent gekomen.' Dan neem ik zijn hand in de mijne. 'We weten wat er precies is gebeurd. We begrijpen het.'

Dan begint hij te trillen en de tranen stromen over zijn wangen. Ik denk aan papa, hoe opgelucht hij was toen hij zich realiseerde dat ik veilig was. Opeens heb ik het gevoel dat het niet genoeg is om Charles Baileys hand vast te houden. Dan sla ik mijn armen om hem heen en houd hem stevig vast tot ik het gevoel heb dat hij genoeg is gekalmeerd om naar Kate toe te gaan.

Het meesterbrein komt hierdoor een beetje op de tweede plaats. Gedurende de twee weken dat Kate in het ziekenhuis ligt, laat ik mijn gezicht amper zien in de bibliotheek. Daniel zorgt ervoor dat de anderen mijn taken overnemen en dat doen ze allemaal heel goed. Vooral de jongeren zijn geweldig. Elke dag na schooltijd gaan ze naar de bibliotheek en blijven totdat alles is gedaan. Tussendoor maken ze hun huiswerk. Michelle zegt dat we de tonijnsalade kunnen vergeten, omdat zij wel weet hoe ze die moet maken. Gabriel zegt dat ik maar hoef te kikken en dat hij dan voor Ella zal zorgen, en van dat aanbod maak ik gebruik, zeker drie keer in die twee weken.

Ondanks het feit dat Fran vroege avonddienst in het ziekenhuis heeft en Paul moet troosten omdat zijn eigen vader opeens ziek is geworden, regelt ze dat zijzelf, Julia en Christine om de beurt koken en voor de meiden zorgen als Rob er niet is. Vrijwel elke dag zorgen Gabriel en Christine voor Ella: als Gabriel er niet is, haalt Christine Ella van de bushalte, zorgt voor een warme maaltijd en controleert of ze haar huiswerk maakt en brengt haar veilig weer thuis. In het weekend haalt Lilly's moeder Ella op en maakt uitstapjes met haar naar de bioscoop of het zwembad en neemt haar daarna mee naar huis.

Daniel belt me elke paar dagen op om me bij te praten. De eerste keer dat ik zijn naam op het schermpje zie oplichten, hoor ik mezelf naar adem happen en moet ik me vermannen voordat ik kan opnemen. Daarna gaat het beter. Hij is hartelijk, rustig, geruststellend, niet eisend. Als mijn hart en hoofd nu niet zo vol waren van andere dingen, zou ik het veel moeilijker vinden om zijn vriendelijke verstandigheid te accepteren, maar nu lukt dat wel.

Eloise wijdt al haar aandacht aan mij in plaats van aan Earthwatch. Als ze niet in de winkel is, gaat ze naar het ziekenhuis om de fruitmand of de vazen met tulpen en pioenrozen bij te vullen. 'Ga even een frisse neus halen,' zegt ze altijd als ze binnenkomt. 'Ik wil erachter zien te komen wat voor ramp Harry vandaag zal overkomen.' Zij en Kate zijn gestaag het boek *Harry Potter en de gevangene van Azkaban* aan het lezen; Kate voor de tweede keer en Eloise voor het eerst.

Phoebe is een openbaring. We gaan om beurten naar het ziekenhuis en als ze daar niet is, doet ze nog meer bij Earthwatch. Er zijn duizenden irritante dingetjes te regelen om ervoor te zorgen dat de rally soepel verloopt, en zij regelt dat allemaal hardnekkig en goedgehumeurd; zo heb ik haar nog niet vaak meegemaakt. Eloise vertelt dat ze een keer zeker twee uur aan de telefoon heeft gehangen om ervoor te zorgen dat de politie de omgeving van het park die dag in de gaten houdt. Kennelijk krijgt ze drie keer een ander telefoonnummer en wordt zeker vijf keer in de wacht gezet, maar ze blijft glimlachen. Aan haar enthousiasme lijkt geen eind te komen.

De andere openbaring is Liz. Ik kan nu natuurlijk niet zoals anders elke week naar papa, en dus gaat zij. Ik vraag haar niet hoe ze erin slaagt om zich te onttrekken aan de onophoudelijke eisen van haar cliënten, want ik wil het niet weten. Ik wil alleen maar dát ze gaat en dat doet ze, ook al is het niet van harte. Na de eerste keer belt ze me op om me te vertellen hoe fantastisch ze het vindt dat ik dit al die tijd in mijn eentje heb gedaan. De volgende keer dat ze belt zegt ze: 'Ik weet dat het nu niet uitkomt om erover te praten, maar volgens mij moeten we iets regelen voor papa.'

'Dat weet ik, Liz. Dat zeg ik immers al maanden.'

'Dat weet ik, alleen moeten we nu écht iets doen. Voordat hij zichzelf in brand steekt of zo.'

Het is even stil en ik weiger iets te zeggen.

'Ik zat te denken,' zegt ze dan, 'dat we het misschien om en om kunnen doen. Zoiets als een gedeelde voogdij.' Ze begint zenuwachtig te lachen. 'Een maand bij jou en dan een maand bij mij. Als hij dat wil tenminste. Het zal niet gemakkelijk zijn hem uit zijn huisje te halen.'

'Als we zijn geliefde afvalbak maar meenemen, komt het wel goed,' zeg ik voor de grap.

'En ik kan de kinderen vragen om de melk in het kastje onder de gootsteen te zetten, zodat hij zich thuis voelt,' zegt ze.

Wij zijn het met elkaar eens dat het in principe een goed idee is en dat we er volgende week verder over zullen praten, als Kate weer thuis is. Ik voel me op een vreemde manier opgelucht als ik ophang, als iemand met invloed en autoriteit, en ik realiseer me dat dit komt doordat ze eindelijk denkt dat ik die bezit.

En Rob? Rob werkt minder uren per dag in de kliniek, zodat hij naar het ziekenhuis kan en gaat daarna naar huis om het avondeten klaar te maken. Het is een vrij beperkt menu: roerei op geroosterd brood, gebakken aardappels met tonijn, roerei met worstjes, maar toch wil ik hem elke keer een kus geven als hij een bord met eten voor mijn neus zet. Meestal houd ik me in, omdat ik weet hoe vreselijk Phoebe het vindt als haar ouders hun genegenheid voor elkaar tonen, maar één keer neem ik het risico. Ik grijp zijn hand en trek hem naar me toe en geef hem een liefhebbende kus op zijn mond.

Volgens mij zijn we allemaal ontzettend opgelucht. We kunnen er niet over uit dat Kate weer bij ons is, voor een deel gebroken, maar verder in één stuk en, vooral, helemaal bij kennis. Nadat ze was bijgekomen, bekende dokter Phillips dat hij er rekening mee had gehouden dat ze voor onbepaalde tijd in coma zou blijven, maar dat hij ons dat op dat moment niet had willen vertellen. 'Ze is er echt heel genadig van af gekomen,' zei hij. Jezus, dat geldt voor ons allemaal, dacht ik.

315

Phoebe

In de paar uur waarin het ernaar uitzag dat Kate niet bij kennis zou komen, heb ik een paar afspraken met God gemaakt. Normaal gesproken praat ik niet met God, behalve een enkele keer spontaan. O, god, ik ben ongesteld. God help ons als mevrouw Devlin waarnemend hoofd wordt. Dat soort dingen. Ik ga er dan ook maar van uit dat God behoorlijk verrast moet zijn geweest toen ik tegen hem begon te praten. Hij is vast van zijn wolk gevallen door de deals die ik voorstelde.

Deal nummer één: Als Kate vóór morgen wakker wordt, beloof ik dat ik de beste zuster zal worden die iemand zich ooit heeft kunnen wensen. Dit betekent dat ik ontzettend irritant gedrag zal accepteren, dat ik geen vuile opmerkingen meer zal maken plus dat ik een ongelimiteerd gebruik van mijn kleding zal toestaan.

Deal nummer twee: Als Kate vóór morgen wakker wordt én helemaal gezond is (dus niet gek is geworden of haar geheugen helemaal kwijt is), beloof ik dat ik ook de beste dochter zal worden. Dat betekent dat ik minder met mijn ogen zal rollen, dat ik hier zo vaak mogelijk zal zijn om mama en papa te helpen en dat ik mama met Earthwatch zal helpen, zelfs als dat betekent dat ik Daniel weer onder ogen moet komen. (Ik wist niet helemaal zeker of dit ook inhield dat ik haar zou vergeven omdat ze met Daniel weg was gegaan.)

Kate werd natuurlijk al een paar uur later wakker en het leek er niet op dat ze gek was geworden, en dat betekende dat beide afspraken geldig waren. Toen ze haar ogen opendeed, werd het traliehek voor mijn leven opeens opgehaald. Perfecte zuster, goede dochter. Vergever van alle zonden. Ongelooflijk volwassen, stoïcijnse harde werker, zelfs in aanwezigheid van de onbeantwoorde liefde van haar leven.

Het is niet mis, maar voor mijn gevoel heb ik me behoorlijk goed aan mijn beloftes gehouden. Binnen twee weken heb ik het meeste op mama's lijstje voor de rally afgewerkt – weliswaar geholpen door de anderen –, heb ik Kate elke dag bezocht en heb ik mezelf ingehouden en geen dingen gezegd alleen maar om mensen te ergeren. Ik ben extra aardig voor papa geweest, heb hem een paar keer geholpen met zijn roereimenu en zelfs met de afwas.

Als het wat moeilijker wordt, denk ik aan de beloftes die ik heb gedaan en herhaal ik ze in gedachten. Ik heb nog nooit eerder iets beloofd, tenminste niet zover ik weet, en deze zijn behoorlijk ontnuchterend. Geef maar toe, die man weet het als je het niet meent.

Af en toe zie ik de blauwe plek op mijn bovenarm en dat is ook behoorlijk ontnuchterend. Ik bedenk dat mama ook ergens zo'n blauwe plek moet hebben, misschien zelfs wel meer dan één. Ze krijgt heel snel blauwe plekken. Elke keer als ik de mijne zie, raak ik hem even aan, als een soort herinnering.

Libby

Het ziekenhuis blijkt nog het minst lastige gedeelte. Kate naar huis halen en het haar naar de zin maken, terwijl ik in mijn eentje en – logisch – met steeds minder hulp moet proberen ons leventje weer op te pakken, dat is het moeilijke deel.

Het wassen van Kates haar is een gebeurtenis voor het hele gezin. Ze kan niet zitten, staan of de trap op, dus moeten we het doen terwijl ze op het bed ligt. Dat bed hebben we zolang als nodig is in de woonkamer neergezet. We schuiven haar naar achteren, zodat haar hoofd over het hoofdeinde kan hangen; ik wrijf de shampoo erin en Rob spoelt haar haar uit met water dat hij uit een emmer schept. Ella staat klaar met een handdoek en dept zeepspatten en water van Kates gezicht. Als op een bepaald moment de telefoon gaat, heeft niemand van ons zijn handen vrij om hem op te nemen. Rob zegt: 'Hoeveel Blakes zijn er nodig om iemands haar te wassen?' En ik antwoord: 'Meer dan het aantal olifanten dat nodig is om een gloeilamp te vervangen.' Dan schiet zelfs Phoebe in de lach.

'Wat moet ik de komende twee maanden in vredesnaam doen als ik nog steeds in dit korset zit?' vraagt Kate. Een goede vraag. Ze zal niet kunnen hockeyen of paardrijden of met de bus naar school gaan, dat is een ding dat zeker is. Ik regel dagelijkse bijles door een aardige vent die Phillip heet, een bonenstaak met een Harry Potter-brilletje en een snavelachtige neus die de naam heeft slim te zijn. Kate is in eerste instantie een beetje achterdochtig naar hem toe, maar dat duurt niet lang. Het past gewoon niet bij haar om lastig te zijn. Hoe dan ook, het hoeft maar een paar weken te duren, omdat de zomervakantie op 18 juli begint.

Nu Kate nergens naartoe kan, heb ik overdag niet veel tijd voor mezelf en dus kan ik niet naar de bibliotheek. Maar de rally is al over een kleine week en ik wil er dolgraag weer bij betrokken worden.

Als ik dit tegen Phoebe zeg, de eerste dinsdag nadat Kate weer thuis is, zegt ze meteen: 'Waarom ga je er dan niet naartoe? Als je wilt, kun je deze week elke avond wel weg. Ik zal wel zorgen dat ik thuis ben.'

'Weet je dat zeker?'

'Natuurlijk weet ik het zeker. Papa is trouwens ook thuis. Samen redden we het wel.'

'Je weet toch dat ze nog zeker twee weken lang niet kan lopen? Je zult alles voor haar moeten doen.'

'Mama, ik heb ook ogen in mijn hoofd, hoor,' zegt ze vrolijk.

'Sorry, dat weet ik wel.'

En dus loop ik woensdagavond het vertrouwde stukje langs Church Road naar de prachtige toren met de bibliotheek erachter. Als ik bij de trap ben, voel ik me opeens slapjes omdat ik weet dat Daniel binnen is. De laatste weken heb ik buiten de realiteit geleefd. Het leven vóór die tijd lijkt wel het leven van iemand anders.

Als ik mijn hoofd om de deur steek, zie ik ze allemaal, verdiept in een gesprek of diep in gedachten of, zoals Barry, tot aan zijn knieën in kartonnen dozen. Hij is de eerste die me ziet en roept vanuit zijn dozenzee: 'Hé, hallo, vreemdeling!'

Als ze Barry's begroeting horen, kijken ze allemaal op. Nu er vijftien paar ogen op me zijn gericht, moet ik lachen. Als je hun verbaasde gezichten ziet, zou je denken dat er een driekoppig buitenaards wezen binnenloopt.

Binnen een paar tellen rent Eloise naar me toe. 'Libby, wat heerlijk dat je er weer bent, liefje. We hebben je gemist.'

Ze duwt me naar de tafel waar zij en Gabriel de laatste hand leggen aan de indeling van de kraampjes. Op tafel ligt een getekende plattegrond van het park en Gabriel schuift allerlei gele rechthoekjes heen en weer.

'Hoe is het met Kate?' vraagt hij fronsend.

'Het komt wel goed met haar,' zeg ik. 'Het zullen een paar zware maanden voor haar worden, omdat ze om haar lichaam en been een gipskorset draagt, maar de dokter denken dat het weer helemaal goed komt.'

'Dat moet een hele klap zijn geweest,' zegt hij, nog steeds met gefronst voorhoofd.

319

'Dat kun je wel zeggen. Maar eerlijk gezegd gaat het met ons allemaal nu wel goed,' zeg ik. Maar aan zijn frons te zien, gelooft hij me nog steeds niet en dus maak ik een triomfantelijk gebaar en zeg: 'Ik bedoel, ik ben er nu toch? Of niet dan?'

Eindelijk geeft hij toe. Een opgeluchte glimlach. 'Ja. Dat is geweldig.'

'Luister,' zeg ik tegen Eloise, 'kun je me misschien vertellen hoe het er allemaal voor staat? Wil je dat?'

'Natuurlijk, liefje. Laten we een kopje koffie nemen en dan praat ik je even helemaal bij. Gab, lieverd, kun je het even alleen af?'

'Natuurlijk. Ik roep je wel als ik het niet meer weet,' zegt hij en glimlacht nog eens naar me.

We lopen naar de andere kant van het vertrek en komen onderweg langs een paar andere tafels. Courtney vraagt: 'Alles in orde, Libby?' Barry slaat me op de schouder als hij langs me heen loopt. Phyllis en Nancy, die zittend op hun knieën zo te zien een vlek van een vlag halen, kijken op en zeggen tegelijk: 'Fijn dat je er weer bent, Libby.' En al die tijd ben ik me heel erg bewust van de stem die ik niet kan horen, van het gezicht dat ik niet kan zien.

Eloise duwt een kopje lauwe koffie in mijn handen. 'Sorry, liefje, volgens mij hebben wij het koffiedik,' zegt ze verontschuldigend. 'Oké, waar heb ik dat lijstje.' Ze bladert door wat papieren die over het bureau verspreid liggen en vindt uiteindelijk het papier dat ze zoekt. 'Oké, zo staat het er voor.'

Ze gaat voor het bureau zitten en bestudeert het papier dat voor haar ligt. Ik kijk het vertrek rond. Hij is er echt niet. Zonder op te kijken van het papier dat op haar schoot ligt, zegt ze: 'Hij is er niet, liefje.'

Ik sluit mijn ogen en laat hardop mijn adem ontsnappen, dan doe ik ze weer open en glimlach naar haar. 'Oké. Je hebt me betrapt.'

'Hij moest vandaag naar de Oxford-groep. Hij is er morgen weer.' Ze knijpt even in mijn hand. 'Hoe gáát het met je?'

'Ik weet het niet zeker,' zeg ik. En dat is ook zo. De afgelopen twee weken heb ik nergens aan gedacht maar nu moet ik er weer mee zien om te gaan.

'Je komt er nog wel achter,' zegt ze. 'Ik heb er wel vertrouwen in.'

Ineens weet ik weer dat ik er al achter was, maar dat dat niet het moeilijkste deel is geweest. Het moeilijkste is om ermee te leven.

'Ik weet het,' zeg ik. 'Maar het zou wel fijn zijn als ik het allemaal wat kon versnellen, weet je? Ik wil op dat punt komen waar ik zonder emoties kan terugkijken op alles wat hij me heeft geleerd, over de wereld en over mezelf, en dat ik vol liefde kan terugdenken aan het feit dat hij ervoor heeft gezorgd dat ik mijn leven weer waardeer en dat hij me weer veilig bij mijn echtgenoot heeft afgeleverd. Hoe lang zal het duren voordat ik op dat punt ben beland, denk je?'

'Liefje, dat punt is waarschijnlijk nog heel ver weg. Misschien moet je eerst heel kleine stapjes zetten. Misschien moet je wel beginnen met jezelf een schouderklopje te geven elke keer dat je vijf minuten naast hem kunt staan zonder dat je hem wilt bespringen.'

We beginnen als een stelletje samenzweerders te giechelen, maar het blijkt vooral opvallender te zijn dan samenzweerderig want iedereen kijkt naar ons. Ze lachen ons vergevingsgezind toe, waarschijnlijk opgelucht nu ze zien dat ik zo vrolijk ben.

Twee avonden later zie ik Daniel eindelijk weer. 'Hallo,' zegt hij verlegen als hij achter me aan de trap op loopt.

'Hallo,' zeg ik.

'Echt fijn dat je er weer bent! Weet je zeker dat je je goed genoeg voelt?'

'Natuurlijk. Het is een prima afleiding. En het gaat goed met Kate.'

We staan één of twee tellen met ons gezicht naar elkaar toe voor de deuren. Hij kijkt me diep in mijn ogen alsof hij iets zoekt. Het antwoord op een vraag misschien? Heb je je bedacht? Of misschien: Hoe staan we nu ten opzichte van elkaar? Dan glimlacht hij weinig overtuigend. Hij duwt de deur open en we lopen naar binnen.

Phoebe

Mama weet natuurlijk dat mijn verhaal over dat uitstapje van school grote onzin was, alleen maar een smoesje om niet naar de rally te hoeven gaan. Maar niemand anders weet dat en dus moet ik nu een ander verhaal verzinnen. Ik vertel dat de lerares die ons mee zou nemen een acute blindedarmontsteking heeft en dat haar vervanger overspannen thuis zit en dat ik er op 10 juli dus wel bij kan zijn.

Ze hebben me niet echt nodig, ondanks al hun opmerkingen over dat alle hulp welkom is en hoe meer zielen hoe meer vreugd. Ze hadden me echt nodig toen mama hele dagen in het ziekenhuis was en ik voor haar moest invallen. Ik denk dat ik er gewoon aan gewend ben geraakt om erbij betrokken te zijn en nu zou het een soort anticlimax zijn om niet bij de rally te zijn.

Ik had verwacht dat ik het heel moeilijk zou vinden om met dat Daniel-gedoe om te gaan. De eerste keer dat ik hem zag na mijn vechtpartij met mama en Kates ongeluk, was ik bang dat ik mezelf zou verraden. Maar het is verbijsterend wat je kunt doen als je het echt wilt. Als ik me zwak voel worden, denk ik aan de dingen die ik niet leuk aan hem vind. Ik vind zijn haar een beetje te lang worden, bijvoorbeeld, nu het een beetje langs zijn gezicht begint te hangen. Als je heel kritisch wilt zijn, kun je wel stellen dat hij een beetje te lang is en te dun.

De eerste keer dat ik hem zag, kwam hij meteen naar me toe en trok een stoel bij en ik dacht dat ik van mijn eigen stoel zou vallen. Hij vroeg: 'Hoe gaat het met je?' en ik zei: 'Prima, naar omstandigheden,' antwoordde ik en toen zei hij: 'Hoe gaat het met je moeder?' Door de manier waarop hij dat vroeg dacht ik: Dit is niet je normale manier om te vragen hoe het met iemand gaat. We hebben even zitten praten, over het ongeluk en hoe het met Kate ging, en op de een of andere manier slaagde hij er steeds in mama's naam in ons gesprek te weven. Ik heb geen idee waarom ik dat niet eerder heb gemerkt.

Hij kan er niets aan doen, en zij ook niet, neem ik aan.

Als ik naar papa kijk, voel ik me een beetje verdrietig en dat maakt het gemakkelijker voor mezelf. Hij heeft geen idee, of misschien wel een beetje, maar niet genoeg om er iets mee te kunnen, of niet genoeg om gevaarlijk te zijn. Ik verbaas me er ontzettend over hoe handig hij nu is met al die dingen waar hij zo onhandig in was, en dat zeg ik hem ook. 'Die eieren zijn heerlijk, papa,' of 'Mama zal wel blij zijn dat je zo goed voor haar composthoop zorgt.' En dan bedankt hij me met zo'n scheef glimlachje en zet hij zijn borst op.

Een tijdje geleden vertelde Phyllis een verhaal over haar broer en dat hij zo'n slons is, dat zijn vrouw niet langer in dezelfde slaapkamer wil slapen. En toen zei ze: 'En ik zeg steeds tegen haar: "Helen, je kunt een oude hond geen nieuwe kunstjes leren."' Waarop ik antwoordde: 'Jawel hoor, dat kan wel.' En ze had geen idee waar ik het over had en ik heb het niet uitgelegd.

Libby

De dag van de rally begint grijs en druilerig, en dat blijft zo tot een uur of negen. Ik drink twee koppen thee en wil dat het weer verandert. Om tien over negen breekt de zon door en lossen de wolken op. Dan pas begint het te voelen als de dag die ze de vorige avond bij het weer hebben voorspeld.

Ik rooster wat brood, maar krijg geen hap door mijn keel. 'Dat komt door de zenuwen,' zegt Rob. Alsof ik daar zelf nog niet achter was. Dan gaat hij achter me staan, neemt me in zijn armen en fluistert in mijn haar: 'Het wordt allemaal geweldig. Echt waar.'

De enige die niet meegaat, is Kate. Dat had gewoon te veel logistieke haken en ogen. Ik heb Jaime gevraagd of ze die dag op Kate kon passen, maar ze heeft het smoordruk met de voorbereidingen voor een tentoonstelling en komt nu al tijd tekort. Kennelijk heeft ook dat te veel logistieke haken en ogen. Christine heeft waarschijnlijk van Phoebe gehoord dat ik een probleem had, want ze belde me op en bood aan op Kate te passen. Ze zei dat ze hierdoor aan de chaos in haar eigen huis kon ontsnappen en dat ze het gevoel zou hebben dat ze vakantie had en dat ik haar daar op geen enkele manier van af kon houden.

Ik vertrek om halftien om te helpen de boel voor te bereiden. Gisteren hebben we ook al heel veel kunnen doen, we hoeven dus alleen het allerlaatste nog maar te doen. Het zenuwachtige gefladder in mijn maag is veranderd in een golf adrenaline. Ik zie de borden die de mensen naar de rally leiden en dan zie ik het vaandel dat boven het hek is gespannen: VOOR EEN MILIEUVRIENDELIJKER RICHMOND. Dit is waar we de afgelopen vijf maanden naartoe hebben gewerkt. Het huis-aan-huis uitdelen van flyers en het lastigvallen van onbekenden op straat en de posters hebben geen enkele zin gehad als we hier vandaag geen bewustzijn en enthousiasme kunnen opwekken. Dan krijgen we niet de kans om de schema's en plannen die we voor het komende jaar hebben gemaakt te implementeren.

Het is een drukte van belang, nu al. Er zijn zeker vijftig mensen overal over het park verspreid: ze maken borden vast, hangen vaandels aan tafels en schuiven dozen van de ene plek naar de andere. Ik zie nog niemand van onze kerngroep, behalve Peter Ekenberry die de mensen van de compostdemonstratiekraam helpt. Ik roep zijn naam. Hij kijkt op en vormt een zonneklep van zijn hand. Als hij me herkent, zwaait hij wild als een te enthousiast kind.

Ik vind een paar van onze mensen in de tent bij de ingang die we als een soort hoofdkantoor gaan gebruiken. Lynette, David Peabody, Barry, Daisy, Nancy, Phyllis en Daniel zitten op wankele blauwe plastic stoelen. Ze drinken koffie uit gerecyclede papieren bekertjes. Dat is niet helemaal waar: Barry en Daisy drinken uit fijne porseleinen kopjes van de *National Trust*, omdat Barry van mening is dat het belangrijk is om de stand op te houden.

'Hallo,' zegt Daniel opgewekt als hij me ziet.

'Hallo, allemaal,' zeg ik. 'Hoe gaat het?'

'Tot nu toe prima. De mensen van de compostkraam zijn de boel aan het inrichten, met hulp van Peter. De Vrolijke Groene Tuinman wilde op het laatste moment meer ruimte en die hebben we gevonden door een paar van de biologisch-vegetarische kraampjes te verplaatsen. Laat eens kijken, wat nog meer?' zegt Daniel. Hij kijkt rond om te zien of de anderen nog iets te melden hebben.

'Die vrouw van Natuurlijke Schoonheid belde me gisteravond. Het kan zijn dat ze wat later komt. De vrachtwagen met haar spullen heeft een ongeluk gehad of zo. Maar ze belde net om te zeggen dat ze toch onderweg is,' zegt Lynette.

'Het containerbedrijf heeft twee extra containers gebracht voor het giftige afval, zonder dat ze er iets extra's voor vragen. Ook achtlitercontainers,' zegt Barry trots, alsof zijn geweldige overredingskracht verantwoordelijk is voor de plotselinge vrijgevigheid van het bedrijf.

'En het weer is geweldig, en dat is echt een meevaller,' zegt een stem achter me. Ik draai me om en zie Derek, die zijn arm om mijn schouders slaat alsof hij me al eeuwen kent. 'Heb jij dat geregeld?'

'Ja natuurlijk. Mijn meesterbrein vat dit allemaal heel serieus op,' zeg ik. 'Wat goed dat je hier bent om ons te steunen.'

'Ik zou het niet willen missen,' zegt hij. Dan buigt hij zich naar me toe en zegt zachtjes: 'Eerlijk gezegd, wil ik straks nog even met je praten.'

'O,' zeg ik, terwijl ik mijn verbazing nauwelijks kan verbergen. Ik kijk automatisch naar Daniel of hij meer weet, maar hij staat op van zijn stoel en loopt naar het koffieapparaat zonder zelfs maar naar me te kijken. Even later komt hij terug met een kop koffie in de ene hand en een lijst, dé lijst, in de andere. Hij biedt ze me beide aan. Zijn gezicht is uitdrukkingsloos.

'Je bent net op tijd voor de briefing. Waarom doe jij dat niet? Vertel ons nog een keer waar we allemaal moeten zijn en wat we allemaal moeten doen.'

'Oké,' zeg ik. 'Maar omdat ik er de laatste tijd zo vaak niet was, moet iemand anders dat misschien doen.'

'Stel je niet aan, Libby,' zegt Phyllis. 'Jij kunt dit zelfs nog met je ogen dicht.'

'Doe jij het maar, Libby,' zegt Daniel. Zijn stem is kalm, maar vastberaden.

'Oké,' zeg ik, en ik probeer de lijst met een natuurlijke autoriteit vast te houden. Ik zie dat Daniel wallen onder zijn ogen heeft, iets wat hij nog nooit heeft gehad. Ik merk ook dat er een kilometer brede kloof tussen ons gaapt, ook al staan we vlak bij elkaar. Even later, als ik Eloise, Rob, Phoebe en Ella de tent binnen zie komen, met heldere ogen en wachtend op instructies, wordt die kloof zelfs nog breder.

'Hallo, allemaal. Jullie zijn net op tijd. Neem een kopje lauwe koffie en trek een wankele plastic stoel bij; dan gaan we beginnen.'

Die middag staan Rob en ik op een bepaald moment bij de transportkraam een cocktail te drinken. Hij houdt even pauze van zijn rondgang door het park met de intekenlijst voor de Richmond Autotest. Hij vindt dat hij dat heeft verdiend nadat hij ongeveer honderdenvijftig gezinnen heeft overgehaald om hun wekelijkse autoritten met twintig procent te verminderen.

'Dit moet al je verwachtingen wel te boven gaan, niet Lib?' vraagt hij als hij de menigte overziet. Hij trekt aan mijn mouw en knikt in de richting van een stel dat twee karretjes naar de kraam met giftig afval sleept. In een ervan zit een peuter met een rode krullenbol en de andere zit boordevol plastic flessen.

Ik ben een beetje duizelig. Van opluchting en trots en de cocktail. 'Ja, het is verbazingwekkend wat je kunt doen samen met een stel cynici,' zeg ik. 'Zelfs de Morrissons zijn er.' Hij glimlacht en geeft me een kusje op mijn neus.

'Ik ben zo trots op je! Je hebt geen idee,' zegt hij dan en voordat ik weet wat ik hierbij voel, begint hij weer aan zijn ronde, met een klembord in de ene hand en een cocktail in de andere.

Het hoogtepunt van de dag is de speech van Jemima Scott, de actrice uit Richmond die bekend is vanwege haar inspanningen voor het milieu. De menigte, enigszins aangeschoten en in een goed humeur door de zon en goede bedoelingen, zegt samen met haar een gedicht op dat ze ter gelegenheid van deze dag heeft geschreven. Dan stelt ze haar vriend Sam voor, Sam Wilkes van de tienerband *Handful of Dust*, en iedereen onder de vijftien gaat uit zijn dak. Sam heeft alleen de eerste jaren van zijn leven in Richmond gewoond, maar dat vindt iedereen prima en men beschouwt hem als een van ons.

Het dieptepunt van de dag is het moment dat Derek me apart neemt en vraagt of ik de leiding van Earthwatch in Richmond over wil nemen, en misschien zelfs op nationaal niveau betrokken wil zijn.

'Waarom ik?' vraag ik onschuldig. 'Wat gaat Daniel dan doen?'

'O, heeft hij het je niet verteld? Hij gaat weg.'

Precies op dat moment komen Rob en Phoebe voorbij, arm in arm, ongeveer vijftig meter voor me uit. Ik kijk naar hen en dan naar Derek, die me aankijkt in afwachting van mijn antwoord op zijn voorstel.

'Ik voel me gevleid, dank je. Mag ik er even over nadenken?' vraag ik.

'Natuurlijk. Laten we straks nog even met elkaar praten, dan kan ik je nog wat meer vertellen,' zegt hij. Hij geeft me een schouderklopje en loopt dan naar de tent. Hij is nog maar een paar stappen van me verwijderd als ik roep: 'Waar gaat hij naartoe? Daniel, bedoel ik?'

'Canada,' roept Derek terug.

Natuurlijk, denk ik.

Later, als we alleen in de tent zijn, vraag ik Daniel waarom hij het me niet zelf heeft verteld.

Hij zegt: 'Omdat ik bang was dat ik me zou bedenken.'

'Maar ik zou nooit proberen je om te praten. Niet als dat het is wat je wilt.'

'Ik was niet bang dat jij zou proberen me om te praten,' zegt hij.

'O.'

Dan zwijgen we en gaan druk aan de slag met kartonnen bekertjes op de tafels zetten en stukken papier van de grond opruimen.

'Het is goed, Libby,' zegt hij dan. 'Ik zou niet weer op de oude manier verder kunnen, en een andere manier is er niet.'

Ik wil dolgraag naar hem toe lopen en mijn armen om hem heen slaan en mijn gezicht tegen zijn borst begraven. In plaats daarvan zeg ik wat ik graag zou willen doen.

Hij lacht verdrietig en steekt zijn handen in de lucht alsof hij zichzelf wil verdedigen. 'Niet doen,' zegt hij. 'Wens me maar geluk.'

'Geluk,' zeg ik.

'Jij ook,' zegt hij.

Phoebe

De zomer is een goede tijd om ergens overheen te komen. De mensen die je niet wilt zien, hoef je niet te ontmoeten; je hoeft zelfs niemand te zien als je dat niet wilt. Mensen gaan weg, soms zelfs de hele zeven weken dat de vakantie duurt. De dagen zijn niet langer vol en vliegen niet meer voorbij, en je merkt dat je niet goed weet of het nu maandag of woensdag is en dan realiseer je je dat het niet uitmaakt.

De mensen van Earthwatch houden ook zomervakantie en dus zie ik hen ook niet zo vaak. Alleen Gabriel en Harry een paar keer en Eloise als ik langs haar winkel loop. Het gekke is dat ik die mensen meer mis dan wie dan ook.

Het enige gezin uit Richmond dat zo te zien nog niet is vertrokken, zijn de Thomasons. Ik heb Josh twee keer gezien. De eerste keer kochten hij en zijn vader croissantjes bij Amandine. Zijn vader zei, niet al te vriendelijk: 'Hallo, Phoebe.' Josh keek naar zijn voeten. Misschien heeft hij 'hoi' gezegd of zo, maar ik heb het niet gehoord.

De tweede keer dat ik hem zag, was hij samen met dat meisje. Op een zondag zag ik hen een keer samen in Richmond Park. Ze maakten een wandeling en ik was aan het fietsen. Hij deed net alsof hij me niet zag, maar gaf haar een kusje op de wang precies op het moment dat ik hen passeerde, dus volgens mij zag hij me wel.

Het andere gezin dat niet weg is, zijn wij natuurlijk. Het been van Kate zit nog steeds in het gips, en haar rug en ribben zijn er nog niet zo best aan toe. Daarom hebben mama en papa besloten dat een vakantie te veel gedoe zou geven. En daarom gaan we later, misschien naar Cornwall vlak voordat de school in september weer begint.

Toen de ansichtkaart van Daniel arriveerde en ik de foto van het meer ten noorden van Vancouver zag, wenste ik heel even dat we onze vakantie aan een meer zouden doorbrengen, net als vorig jaar in Toscane. De ansichtkaart was aan ons allemaal geadresseerd en dus had ik niet het gevoel dat ik mijn neus in andermans zaken stak door hem te lezen. Hij had niet de gewone dingen geschreven, zoals dat hij het naar zijn zin had en wilde dat wij er ook waren, maar dat komt volgens mij omdat hij daar niet echt vakantie houdt. In plaats daarvan schreef hij:

> *Beste Blakes,*
> *Ik begin al aardig te wennen.*
> *Ze zijn hier met heel goede dingen bezig; genoeg om me jaren aan het werk te houden.*
> *Libby, je zou het heerlijk vinden.*
> *Hoop dat je het naar je zin hebt nu je de leiding hebt.*
> *xox Daniel*

Iemand anders dan ik zou er niets achter zoeken, maar mij zei het heel veel. Ik keek naar mama toen ze het las en ik wist dat het haar ook veel zei. Hij had net zo goed kunnen schrijven: *Lieve Libby, ik mis je.*

Toen ze het had gelezen, legde ze de ansichtkaart op de keukentafel en deed alsof ze glimlachte. Ik verbaasde mezelf door naar haar toe te gaan en haar te omhelzen. Zo bleven we nog een hele tijd staan.

Libby

De ansichtkaart zegt niets, maar spreekt boekdelen. *Maak je geen zorgen over me. Wees niet bang dat ik weer terugkom, omdat ik van plan ben hier een hele tijd te blijven, totdat het gevaar voorbij is. Je zou dit werk heerlijk vinden. Je zou het hier heerlijk vinden, samen met mij? Ik zou het heerlijk vinden, samen met jou?* Een week lang lees ik de tekst elke dag opnieuw en dan verscheur ik hem. Er staat trouwens toch geen adres op.

Omdat we die zomer niet met z'n allen op vakantie gaan, kan ik een paar keer naar Derek en een paar van zijn collega's gaan voor een bespreking. We hebben het nog steeds over mijn betrokkenheid en ik heb nog steeds interesse. Voor mijn gevoel is de Richmond-groep alles wat ik op dit moment aankan, maar dat zien we nog wel. Ik sluit niets uit.

Eloise blijft me bezweren dat alles voorbijgaat. Ik vraag haar dan of het misschien een beetje sneller kan gaan, alsjeblieft. Zij zegt dan dat geduld een schone zaak is. En dan zeg ik: Loop naar de hel met je geduld, ik wil rust aan mijn hoofd. En dan zegt zij: Jij bent het meesterbrein van een rally waar duizenden mensen bij betrokken zijn en ze vragen je om samen te werken met belangrijke mensen die ervoor zorgen dat er belangrijke dingen gebeuren. Waarom wil je dan rust aan je hoofd? En ze zegt dat rust aan je hoofd wordt overschat en op een bepaalde manier heeft ze wel gelijk. Ik realiseer me dat ik vroeger rust aan mijn hoofd had en dat ik toen het gevoel had dat ik niet echt leefde.

Ik ga er maar van uit dat ik nog wel rust aan mijn hoofd zal krijgen, uiteindelijk. Ik ga ervan uit dat de herinnering aan hem met elke dag die verstrijkt vager zal worden totdat het helemaal geen echte herinnering meer is. Of misschien zal de herinnering wel blijven, maar zal die minder pijn gaan doen.

Terwijl ik wacht tot het vervagingsproces zal intreden en de pijn zal ophouden, probeer ik positief te denken. Bijvoorbeeld dat zélfs de Morrissons nu aan recycling doen; dat Kate beter wordt en hoe gelukkig we ons mogen prijzen dat ze nog leeft; dat ik me niet eens meer kan herinneren wanneer Rob of ik het over Phoebe hadden als Mevrouw; of de laatste keer dat Ella wilde dat ik bij haar op bed kwam zitten om haar nachtmerries te verjagen; en dat Rob me nu regelmatig een kusje in mijn nek geeft nadat ik hem heb verteld dat hij dat nog maar zo zelden deed.

Het is geen geweldige zomer, maar af en toe is er een heldere dag met een blauwe hemel. Als dat zo is, probeer ik er echt van te genieten. Ik kijk dan op naar de lucht en probeer me voor te stellen dat iets ervan op mij afstraalt, en ook dat helpt.

Dankwoord

Ze zeggen weleens dat een tweede boek heel moeilijk is om te schrijven en een kwelling is voor de auteur. Dat deze marteling mij bespaard is gebleven, heb ik voornamelijk te danken aan de enthousiaste steun van al die geweldige mensen met wie ik samenwerk: mijn agent Euan Thorneycroft, en iedereen bij Arrow Books: Nikola Scott, Kate Elton en de fantastische mensen op de afdelingen redactie, vormgeving, marketing, verkoop en publiciteit.

Verder wil ik de volgende mensen bedanken: Rose Blake voor haar kennis van alles wat maar met tieners te maken heeft; mijn vrienden die spontaan een marketingonderzoeksteam vormden; dr Gillian Van Hegan en Catherine Evans bij Brook Advisory Centres voor alle informatie die ze me zo vriendelijk hebben verstrekt; Paul Richards omdat hij me een kijkje heeft gegeven in het leven van een opticien; Sarah Bennetts, de echte Mevrouw; Lauren voor haar baktips; Carrie voor de Wij-familie; Lady B, Lynne Mastroianni en Carolyn Holmes omdat ik hun verhalen mocht misbruiken; en de lieve Hazel die de allerkleinste jurkjes verkoopt.

En ten slotte, zoals altijd, wil ik mijn familie bedanken voor hun voortdurende aanmoediging.

Lees ook van Jayne Buxton:

Ally's leven is weleens mooier geweest. Voordat ze kinderen had,
werkte ze als marketingmanager in
de glamourwereld van parfum en
cosmetica. Hoe anders is het nu bij
Cottage Garden Foods, waar ze in
jam en confiture zit met een neuroot
als bazin...

Haar man heeft haar inmiddels
ingeruild voor (een serie) nieuwere
modellen, ze werkt en zorgt zich drie
keer in de rondte en een spannend
avondje uit bestaat tegenwoordig uit
een dvd kijken met de kinderen.
Wanneer haar vriendin Mel voorstelt dat ze deelneemt aan een
serie seminars van een Amerikaanse relatiegoeroe, die beweert dat
je marketingprincipes kunt toepassen op het datingcircuit, zegt
Ally morrend ja. Ze heeft er weinig vertrouwen in dat ze zichzelf
als merk zal kunnen zien, en heeft ze die proefdates echt nodig om
weer normaal met veelbelovende mannen om te gaan? Trouwens,
waar haalt ze de tijd vandaan voor al die onzin?

Maar het besef dat er ook niets gebeurt als ze niks doet, haalt
Ally over de streep, en dan blijkt dat ze met een beetje oefening
en wat promotie best ergens komt. En als ze uiteindelijk doorheeft
wie de vent voor haar is, blijkt dat er meer voor nodig is dan een
marketingplan!

'Als je in een dip zit, helpt dit superleuke boek je er zó bovenop!'
New Woman

'Charmant, met goede tips om mannen te ontmoeten.'
Kirkus Reviews

Paperback, 344 blz., ISBN 978 90 325 1036 7